Une vie d'amour
et d'épreuves

Jean-Marc
Chaput

Distribution : Messageries de presse Benjamin
101, rue Henry-Bessemer
Bois-des-Filion (Québec) J6Z 4S9
450 621-8167

Une vie d'amour
et d'épreuves

Jean-Marc
Chaput

Propos recueillis par
Christian Morissette

ÉDITIONS
LASEMAINE

LES ÉDITIONS LA SEMAINE
2050, rue De Bleury, bureau 500
Montréal (Québec) H3A 2J5

Directrice des éditions : Annie Tonneau
Directrice artistique : Lyne Préfontaine
Coordonnatrice aux éditions : Françoise Bouchard

Vice-président, opérations : Réal Paiement
Superviseure de la production : Lisette Brodeur
Assistante-contremaître : Joanie Pellerin
Infographiste : Marylène Gingras
Scannéristes : Patrick Forgues, Éric Lépine
Responsable technique : Christian Morin
Réviseurs-correcteurs : Marie Théorêt, Monique Lepage, Violaine Ducharme
Photos intérieures : Patrick Séguin, archives personnelles
Photos de la couverture : Stéphanie Lefebvre

L'Éditeur bénéficie du soutien de la Société de développement des entreprises
culturelles du Québec pour son programme d'édition.

Nous reconnaissons l'aide financière du gouvernement du Canada par l'entremise
du Fonds du livre du Canada pour nos activités d'édition.

Remerciements
Gouvernement du Québec — Programme du crédit d'impôt
pour l'édition de livres — Gestion SODEC.

© Charron Éditeur inc.
Dépôt légal : quatrième trimestre 2011
Bibliothèque et Archives nationales du Québec
Bibliothèque et Archives Canada
ISBN : 978-2-923771-53-3

À Céline, mon amie, ma maîtresse,
ma femme et ma compagne depuis 60 ans.
Puis, à mes 5 enfants et 22 petits-enfants
(Rose saura le lire tout là-haut), ce livre
qui raconte l'histoire du patriarche.
Enfin, à tous ceux qui m'ont entendu,
les membres d'associations, le personnel
des compagnies et les nombreux
spectateurs de mes conférences.
À tous ces gens, je dis haut et fort :
« Une chance qu'on s'a! »

Prologue

80-60-40
(Théâtre Gesù, décembre 2010, fin du spectacle de Jean-Marc Chaput)

U n peu de passion, « *sacrafaisse* ». *C'est pas en suivant des plans, en attendant que les choses arrivent ou que les autres les fassent pour vous qu'elles vont arriver. C'est à chacun d'entre nous d'agir... Avec passion... En étant convaincu qu'on peut les changer, ces choses. C'est à votre tour maintenant de passer à l'action, parce que vous êtes capables et parce que c'est « maintenant ou jamais »...*

Décembre 2010... C'est curieux comme l'esprit peut parfois être à deux ou trois époques en même temps. C'est pourtant ce qui m'arrive ce soir. Je viens de terminer un spectacle au Théâtre Gesù, et je suis ici, sur cette scène, devant ces 400 personnes qui ont assisté à la conférence. Après toutes ces années, je ne me suis d'ailleurs jamais habitué à ce que les gens aiment ce que je leur raconte. Ça doit pourtant être vrai qu'ils apprécient, parce qu'ils sont tous là, debout, et qu'ils applaudissent. Toute la soirée, ensemble, nous sommes passés par toutes les émotions. Je leur ai parlé de la vie à travers mes yeux et mes expériences. Il y a eu des moments de tristesse et de rires, des instants d'étourderies et de blagues, mais aussi des minutes de réflexion et presque de médi-tation. Oui, je leur ai parlé de la vie, mais aussi de MA vie. Et, de ce côté, sans vouloir me vanter, il y a quand même un peu à dire, parce que 2010 aura été l'année de mes 80 ans. Une vie longue et belle sur les chemins, parfois difficiles, du bonheur et de l'amour.

En cet instant pourtant, j'ai l'impression que les secondes s'éternisent et que le temps s'est arrêté pour me permettre de profiter au maximum de tout ce que représente cette soirée. Je suis donc ici, devant cette foule, à saluer les gens, à les remercier de leur accueil fantastique. Mais je suis aussi ailleurs. Enfin, pas vraiment ailleurs, mais dans un autre temps.

Il faut dire que le Théâtre Gesù est un endroit charnière dans ma vie. Voyez-vous, c'est ici même qu'à 20 ans, j'ai reçu mon diplôme après mon cours classique. Or, le Gesù appartenait au Collège Sainte-Marie que dirigeaient les jésuites. Eh oui, j'ai étudié chez les jésuites. J'ai même voulu devenir l'un d'entre eux, ce qu'on m'a refusé parce que je ne suis tout simplement pas capable d'obéir aveuglément... Alors le Gesù n'est pas seulement un monument historique qui aura vu passer les plus grands acteurs, chanteurs et poètes du pays et du monde. Il représente également beaucoup de souvenirs qui sont profondément gravés en moi.

Notamment, parce que, quand on m'a remis mon diplôme dans cette salle, il y a 60 ans déjà, se trouvait ici une magnifique et merveilleuse jeune femme ; une fille aux yeux rieurs et au sourire engageant. Elle était dans le fond, tout là-bas, et, même si elle était toute petite, je ne voyais qu'elle. Parce que cette année-là, j'avais eu la joie absolue de la rencontrer, et j'avais surtout eu l'immense bonheur qu'elle me remarque et qu'elle accepte de m'épouser. Ça, c'était il y a 60 ans. Ce soir, elle est encore ici, au fond de cette salle, et, je ne veux pas faire de peine aux autres, mais il n'y a toujours qu'elle que je vois. Dieu qu'elle est belle ! Aussi belle qu'au premier jour. Son vrai nom est Céline Graton et elle est toujours à mes côtés. Depuis le début, dans les moments heureux comme dans ceux plus difficiles, dans la passion et l'amitié, face à la maladie et à l'adversité, elle est avec moi. Ce petit bout de femme énergique et décidée, c'est la femme de ma vie. C'est mon pilier. Je l'aime profondément et tendrement.

Mais cette année 2010 et le spectacle de ce soir marquent aussi 40 ans de vie publique ; 40 ans à rencontrer des gens, à donner des conférences aux entreprises, à me dévoiler durant des spectacles sur toutes les scènes du Québec ; 40 années pendant lesquelles vous m'avez permis d'entrer dans vos vies pour vous faire part de la passion et de l'importance de vivre à fond, même quand le destin semble vouloir nous barrer la route.

En 40 ans, j'ai eu l'incroyable chance de visiter toutes les régions du Québec, d'entrer dans la vie d'employés de centaines d'entreprises, d'écrire quelques livres, de participer à des dizaines d'émissions de radio et de télévision, de rencontrer des hommes et des femmes plus grands que nature, de côtoyer des politiciens, des chanteurs, des acteurs, des vedettes de la télévision, des décideurs et des bâtisseurs du monde des affaires. Je vous ai parlé de moi et j'ai surtout appris de vous.

Voilà qui fait 80 – 60 – 40.

Peut-être l'année 2010 marque-t-elle une autre étape dans ma vie. Peut-être est-il temps de vous raconter ce que je ne dis pas en spectacle ou lors de mes conférences. Entre amis comme nous le sommes, il faut se dire les vraies choses, non ?

Donc, je vous livre mes expériences de 80 ans sur cette terre, de 60 ans d'une vie de partage avec une femme exceptionnelle et 40 ans d'une vie publique qui m'a permis de découvrir des êtres merveilleux et d'en apprendre toujours plus sur les autres, sur mes proches et sur moi-même. Un bien long voyage qui est encore loin d'être fini. C'est le chemin d'un passionné de la vie... L'itinéraire de quelqu'un qui aime les gens et qui en a besoin. Tout au long de ma vie, j'ai surtout pu réaliser que, comme le dit la chanson de Jean-Pierre Ferland : « Une chance qu'on s'a ! »

1

DE 0 À 12 ANS

Mes accommodements raisonnables

Oui, vous savez, les accommodements raisonnables ! Ce dont il a tant été question récemment au Québec et un peu partout dans le monde. Cette façon d'agir invitant tout le monde à mettre un peu d'eau dans son vin afin d'harmoniser et de faciliter les rapports entre gens de diverses origines, cultures et religions. Or, dans les années 30, cette notion n'existait pas vraiment. Pourtant, je l'ai vécue tous les jours de mon enfance.

Mais je saute les étapes. Procédons par ordre. Je suis né le 6 novembre 1930 à Montréal. J'ai passé mon enfance sur la 4e avenue, entre la rue Masson et le boulevard Saint-Joseph, dans ce secteur très francophone du quartier Rosemont. Une maison comme on en trouve des centaines dans ce coin. Chaleureuse et sans prétention, avec un long corridor qui menait de l'entrée principale à l'avant, jusqu'à la sortie arrière vers la ruelle. Inutile de préciser que c'est celle-là que j'utilisais pratiquement toujours. Toutes les pièces se trouvaient de part et d'autre de ce couloir, sauf la cuisine qui occupait, comme dans presque tous les foyers québécois, une place significative tant dans la maison que dans le cœur des gens.

La plupart des résidents de ce secteur, enfin pour le souvenir que j'en ai, travaillaient aux « shops Angus », comme mon père, Robert Chaput. Il y était entré à l'âge de 14 ans dans le cadre d'un programme qui consacrait l'avant-midi aux études et l'après-midi au travail à l'usine. Il travaillait 9 heures par jour, 6 jours par semaine pour 0,09 $ de l'heure. Et c'est ainsi qu'il a appris son métier de machiniste. Comme c'était un manuel, qu'il avait d'excellentes aptitudes et une patience infinie, il est devenu « tool maker », c'est-à-dire celui qui fabrique les outils et les gabarits que les autres utiliseront pour faire les pièces requises pour la production de locomotives.

Gladys (Reid) Chaput et Robert Chaput, ma mère et mon père. Le bébé, c'est moi. Je n'ai pas encore un an. En arrière-plan, ma grand-mère Delphine.

Quand il a commencé à l'usine, on lui a donné un numéro d'employé. Il a conservé le même pendant 51 ans, jusqu'au moment où il a pris sa retraite. Oui, je sais que passer sa vie au même endroit est aujourd'hui un concept inimaginable pour les jeunes, mais c'était comme ça à l'époque. On entrait au service d'une compagnie et c'était le seul employeur que l'on aurait. Enfin on l'espérait.

Chaque matin, une heure avant le début du travail, mon père se levait, déjeunait rapidement et se rendait à pied à l'usine. Jamais il n'est arrivé en retard. Jamais non plus il n'y est allé à reculons. Il adorait son boulot. Et tous les soirs, à 17 heures, quand le sifflet des « shops » indiquait la fin du quart de travail, mon père ramassait ses affaires et revenait à la maison.

Son hobby toutefois, son autre passion, c'était le jardinage. Dieu qu'il aimait l'horticulture. Comme il était né dans une ferme près de l'Assomption à l'est de Montréal, il savait parfaitement ce que c'était que de semer et d'entretenir un jardin pour obtenir une bonne récolte. Nous n'avions évidemment pas de cour arrière et mon père avait établi son jardin dans un terrain vague près du boulevard Saint-Joseph et de la rue Frontenac. Je sais que ça aussi c'est difficile à imaginer, mais à l'époque, il y avait encore beaucoup de champs vides dans ce coin de la ville. Il n'était pas le seul à y cultiver ses légumes. Beaucoup d'Italiens venaient aussi dans ce que l'on pourrait aujourd'hui appeler ces « jardins communautaires ». Au fil des ans, mon père était devenu l'ami de plusieurs d'entre eux. Et il n'était pas rare qu'ils lui offrent une ou deux bouteilles de vin de leur production artisanale.

Je me souviens qu'un été, il a décidé de semer 300 plants de tomates. Ma mère lui a dit qu'il nous serait impossible d'utiliser toute la récolte, que c'était du temps et de l'argent gaspillé. Mon père lui a répondu qu'on ne peut pas faire pousser des légumes au deuxième ou au troisième étage et qu'on pourrait donc fournir des tomates à nos voisins. Car il faut se souvenir que les années 30, c'était aussi la période de la grande crise économique. Beaucoup de gens avaient perdu leur emploi et ne réussissaient pas à trouver un nouveau travail. Cultiver des légumes et les offrir devenait pour mon père une façon d'aider les gens du quartier qui en avaient besoin. Cet automne-là, plein de monde a reçu de ses tomates. J'admire encore aujourd'hui cette générosité gratuite et anonyme de mon père. Il n'a jamais fait ça pour être remercié. C'était naturel pour lui que d'aider et de s'entraider dans les périodes difficiles. J'espère avoir, au moins en partie, hérité de ce dévouement, de cette générosité et de cette persévérance qu'avait mon père.

D'ailleurs, même s'il n'a jamais agi pour recevoir quelque chose en retour, il est arrivé qu'on lui retourne l'ascenseur. En effet, les usines Angus ont dû fermer pendant la récession et mon père a aussi perdu son emploi. Et je me souviens, même si j'étais très jeune, qu'une période au moins a été particulièrement ardue. À tel point qu'en plein hiver, il n'y avait plus d'argent à la maison. Pas assez même pour acheter le charbon qui permettait de chauffer le logement. Donc, un jour, en 1936, mon père nous a installés devant la cuisinière au gaz qu'il a allumée, a ouvert la porte du four et nous nous sommes assis, les pieds sur la porte pour nous réchauffer. L'un de nos voisins, Émile Lacasse, un ami de mon père, est passé à ce moment. Il n'a pas dit un mot. Il est allé chercher deux chaudières de charbon qu'il a laissées à mon père. Pas de discours, pas de cérémonie. Quelqu'un a besoin d'un coup de main, on le lui donne. Un geste, tout simple.

Mais pour moi, toute cette période n'avait rien de dramatique. Bien au contraire, elle a même été parfois magnifique. Par exemple, quelques fois pendant l'été, mon père, qui aimait la pêche, m'amenait avec lui à Pointe-Fortune à l'ouest de Saint-Eustache. Ça permettait de rapporter du poisson à la maison. Du poisson qui ne coûtait finalement pas très cher et qui était délicieux. Or, à cette époque où rien n'était facile à trouver et où l'argent était particulièrement rare, cette nourriture était plus que bienvenue. Nous partions donc en train le samedi matin avec un casse-croûte, deux couvertures de laine et notre équipement de pêche. Mon père connaissait un endroit, près du barrage, où le doré était abondant. Aussitôt arrivés, nous jetions nos lignes à l'eau. Toute la journée, nous restions ainsi, concentrés à attraper le poisson. Pêcher avec son père demeure, vous en conviendrez, un rituel extraordinaire pour un jeune. Mais le plus prodigieux pour moi, c'était le soir. Après avoir fait cuire une prise sur un feu de camp, mon père et moi nous couchions à la belle étoile, enveloppés dans nos couvertures de laine. Je m'endormais collé sur lui pendant qu'il me parlait du ciel ou de je ne sais quelle histoire. J'étais heureux et je me sentais en totale sécurité. Je connais peu d'expériences aussi fantastiques pour un jeune garçon que de passer ainsi du temps avec son père. Bref, le lendemain, après avoir encore pêché quelques heures, nous reprenions le train avec notre butin pour rentrer à la maison où je racontais nos exploits à ma mère.

Il y a bien d'autres choses à dire à propos de mon père, mais pour le moment, j'ajouterai simplement qu'il parlait exclusivement le français. Pas un mot d'anglais. Pourquoi cette précision ? Parce que ma mère, de son nom de jeune fille Gladys Reid, ne parlait pas un mot de français. Elle était née en Écosse et ses parents avaient immigré au Canada quand elle était encore toute jeune. Pour une raison que j'ignore encore aujourd'hui, son père, William Arthur Douglas Reid (impressionnant, non ?), avait décidé de s'installer dans Pointe-aux-Trembles, à l'extrémité est de l'île de Montréal.

* * *

J'ai peu de souvenirs de mon grand-père. Il venait rarement nous rendre visite et nous allions rarement le voir. Il y a pourtant une image qui reste gravée dans ma mémoire. Un jour, pour je ne sais quelle occasion spéciale, je l'ai vu portant le traditionnel « kilt » des Écossais. Déjà, pour un petit Québécois, voir un homme en jupe, c'était un choc. Cependant, le souvenir qui m'a marqué est celui de ses longues jambes. Elles étaient maigres et blanches, mais surtout poilues... Une pilosité incroyable. Presque de la fourrure. Pour être honnête, ce n'était pas beau. Pas beau du tout.

Donc, ma mère était écossaise unilingue anglaise et pendant des années il a été normal pour moi d'entendre ma mère parler anglais et mon père, français. Comment parvenaient-ils à se comprendre ? Ça reste encore un mystère. Mais pour moi, c'était comme ça dans une famille. Par exemple, mes parents lisaient les journaux. Nous recevions donc le *Montreal Star* pour ma mère et *Le Devoir* pour mon père. Même plus tard, quand la télévision est arrivée et que mes parents on pu s'en procurer une, ils en ont plutôt acheté deux. Il y avait un téléviseur pour ma mère qui était toujours branché sur les chaînes anglophones et un autre appareil pour mon père qui diffusait les stations francophones.

Ils ont probablement appris à se comprendre au fil des ans à force d'entendre l'autre s'exprimer. Ils savaient ce que l'autre voulait dire, mais ils ne parlaient jamais ou presque la langue de l'autre. Quelquefois, ils inventaient un mot dans l'autre langue pour exprimer ce qu'ils voulaient dire. Je me souviens que ma mère savait que pour faire du café, on utilisait le mot français « cafetière ». Elle en a donc conclu que pour faire du thé, on devait se servir d'une « thécatière ».

Ma mère, Gladys. Elle avait du caractère, mais avouez que c'est une belle femme...

Il était ainsi normal pour moi d'entendre autant l'anglais que le français dans la maison. Mais dehors... c'était différent. Tous mes amis étaient francophones. Je détestais que ma mère sorte sur le balcon pour m'appeler pour le repas. Elle criait : « Johnny ! Come on, it's lunch time[1] ! » Mes copains me regardaient toutes les fois en me demandant si j'étais un Anglais... J'ai donc réussi à convaincre ma mère de ne plus m'appeler. Je regardais plus souvent vers la galerie et quand elle sortait, elle n'avait qu'un geste à faire pour que je rentre.

J'ai toujours connu ma mère avec les cheveux blancs. Elle était petite et, je crois, assez mignonne, mais elle a toujours eu les cheveux blancs. D'aussi loin que je me souvienne. Et je pense qu'elle n'appréciait pas vraiment. Un jour que nous revenions à la maison en tramway, je devais avoir 5 ans, un homme m'a demandé si j'aimais sortir et me promener avec ma grand-mère. Je lui ai répondu « oui » et j'ai su, quand j'ai regardé les yeux de ma mère, que je venais de commettre une énorme bêtise.

Ma mère avait été élevée à la dure et elle conservait cette fermeté face à la vie. Pour elle, rien n'était donné ou facile. Quand j'ai eu 3 ans, elle m'a dit : « Johnny, there's no free lunch[2]. » Et elle me l'a répété souvent par la suite. Pour elle, il était clair que rien

1 « Jean! Viens, c'est l'heure de manger! »
2 « Jean, il n'y a pas de repas gratuit. »

n'était gratuit. Il fallait travailler et besogner pour gagner ce que l'on avait. Mais pourtant, les épreuves ne l'ont jamais rendue amère ou pleurnicharde. Quand il m'arrivait un pépin ou une peine, elle me disait : « Remember, Johnny. Smile and the world will smile with you. Cry and you will be crying alone[3]. » Or, cette image est devenue pour moi une philosophie de vie. On n'approche pas les autres en étant toujours malheureux. De même, on ne s'approche pas des gens de malheur mais bien de ceux qui rient. Et j'ai toujours, malgré les épreuves, tenté d'appliquer cette vision de la vie.

* * *

Il m'a fallu plusieurs années avant de m'interroger sur la façon dont mes parents s'étaient connus. Comment un francophone unilingue et une anglophone également unilingue étaient-ils parvenus non seulement à se connaître, mais aussi à s'aimer suffisamment pour s'épouser ?

Jusqu'au jour où j'ai remarqué, dans le salon, ces trophées. Ils y étaient, je crois, depuis toujours, au même endroit. Pour moi, ils faisaient partie de la maison et des décorations. Ils représentaient pour la plupart un couple de danseurs. Cela n'avait aucune réelle signification. Puis un jour (allez savoir pourquoi), en les regardant, je me suis demandé de quels trophées il s'agissait, pourquoi ils étaient dans notre salon et d'où ils venaient. J'ai donc questionné mon père.

Il y avait, dans l'est de Montréal, au début du dernier siècle, un endroit connu sous le nom de parc Dominion, m'expliqua-t-il. C'était essentiellement un parc d'attractions comme l'ancien parc Belmont ou la Ronde. Il y avait des manèges, plusieurs kiosques et, chaque semaine, de la danse pour les jeunes. Mon père s'y rendait fréquemment et avait déjà remarqué ma mère qui y allait aussi avec ses amis anglais. Elle était très belle, mais il y avait le fossé de la langue qui les séparait. Il ne pouvait pas l'aborder car il ne connaissait pas un mot d'anglais. Or un soir, après quelques bières pour se donner du courage, il s'est approché et l'a invitée, presque en mimant, à danser. Coup de théâtre, elle accepte. Ils se sont

---

lancés sur la piste et instantanément, ça a été comme s'ils avaient dansé ensemble toute leur vie. À en croire mon père, ils dansaient si bien que les gens autour se sont arrêtés pour les regarder.

Ils se sont revus ensuite chaque semaine. Ils ont même participé à des concours de danse et remporté les premières places à certains d'entre eux, et ce sont ces trophées qui se trouvaient dans le salon. Voilà comment ils se sont connus.

* * *

Alors vous voyez ce que je veux dire quand je parle d'accommodements raisonnables. Notre vie en était faite. Les journaux en étaient un exemple, comme les téléviseurs ou ma demande pour que ma mère ne m'appelle plus en anglais devant mes amis. Ces accommodements étaient partout. Même si nous ne connaissions pas le mot à l'époque.

Ma mère avait certaines idées très arrêtées. Comme les Écossais en ont la réputation, elle était peut-être un peu têtue. Par exemple, elle avait décidé que certaines choses étaient immuables. Ainsi, il fallait poser les fenêtres doubles pour l'hiver le jour du Thanksgiving. Jamais avant. Jamais après. Peu importe la météo ce jour-là. Même si c'était une magnifique journée (probablement la dernière de la saison) pour aller se promener ou rencontrer des amis, ou, au contraire qu'il pleuve, vente ou fasse froid, il fallait poser les fenêtres. C'était comme ça.

Dans le même esprit, chaque printemps, vers la mi-mai, il fallait peindre la cuisine. Chaque année. Comme une loi non écrite dans l'univers. J'étais encore trop jeune pour aider mon père, mais un jour je lui ai demandé pourquoi il repeignait tous les ans. Il aurait pu sauter au moins une année de temps en temps. Ce n'était pas si sale quand même.

Écoute, m'a-t-il répondu, si je ne le fais pas, ta mère va m'en parler pendant tout l'été et ça, ça ne m'intéresse pas. Alors, que la cuisine en ait besoin ou non, je la « peinture » pendant la fin de semaine et ensuite, c'est réglé...

Il posait donc les fenêtres doubles à l'automne et peignait au printemps. C'est tout.

Les compromis n'étaient pas toujours du même côté. Ma mère aussi en faisait régulièrement et sans en faire de cas non plus. Par exemple, presque tous leurs amis étaient francophones puisqu'il s'agissait souvent de collègues de mon père ou de voisins. Et ma mère les accueillait toujours chaleureusement, avec le sourire, même si elle ne comprenait pas parfaitement (loin de là en fait) ce qui se disait.

Je me souviens aussi que ma mère aurait aimé voyager et découvrir de nouveaux coins. Elle aurait aussi adoré retourner en Écosse pour revoir son pays natal. Mais jamais elle n'en a parlé à mon père. Lui, il préférait toujours la maison. Il détestait même avoir à dormir dans un autre lit que le sien. Alors elle ne lui a jamais demandé d'aller voir le monde. Elle respectait trop mon père pour le mettre dans une situation difficile. Voilà le genre d'accommodements raisonnables qui existaient à la maison entre mes parents. Dans les grands comme dans les petits gestes.

À la maison, quand un problème survenait, il se réglait généralement facilement. En faisant un arrangement, souvent minime pour celui ou celle qui le faisait, mais important pour l'autre. Ces gestes permettaient de garder l'entente et l'harmonie. C'est d'ailleurs probablement parce que j'ai vécu toute mon enfance cette volonté de cohésion et d'unité qui régnait entre mes parents, qu'il m'a souvent été facile, plus tard dans la vie, d'appliquer le même comportement dans mes relations avec les autres. Je sais que je n'ai pas toujours réussi, mais j'ai toujours essayé de comprendre le point de vue et la perspective des autres. Spécialement avec les personnes que j'aime.

* * *

Depuis le début de la crise économique, les « shops Angus » fonctionnaient au ralenti. Elles ont même été fermées pendant quelque temps, mettant, du coup, des milliers d'ouvriers à pied. Mon père en faisait partie, comme je l'ai mentionné. Durant cette période, qui a duré pour lui 2 ou 3 ans, il a fait 36 métiers pour joindre les deux bouts. Avec Robert Perrault, un de ses amis, il a même vendu des assurances-vie de la compagnie La

Sauvegarde. Il aimait bien ce travail parce qu'il considérait qu'il faisait d'une pierre deux coups. Il gagnait de l'agent tout en rendant service aux autres.

Puis un jour, le travail a repris à l'usine, surtout à cause de la guerre cette fois. Il a donc reçu, comme Robert Perrault, une lettre lui indiquant qu'il pouvait regagner son poste. Pour mon père, la décision n'a pas été longue à prendre. Il n'aimait pas vraiment être à son propre compte. Il préférait nettement travailler à l'usine, qui offrait plus de stabilité, ainsi que des heures fixes et la garantie d'une retraite un jour. Ce qui convenait mieux à son tempérament. Il est donc retourné aux « shops » pendant que Perrault décidait de poursuivre dans l'assurance. Il y réussira d'ailleurs à merveille et fera beaucoup d'argent dans son nouveau domaine.

Je dois dire que, pour ma part, je n'ai jamais ressenti ce besoin de sécurité qu'avait mon père. Au contraire, j'aimais bien prendre mes propres décisions et j'avoue avoir toujours eu de la difficulté à accepter les ordres de supérieurs. Pour être plus exact, ce ne sont pas les ordres avec lesquels j'avais des problèmes, ce sont plutôt les directives dont je ne comprenais pas le but. Il a toujours fallu qu'on m'explique pour que j'obéisse. Mais, à cette époque, comme j'avais à peine 10 ans, tout ça n'avait pas encore beaucoup d'importance.

Le retour à l'usine permettait à mon père d'être plus présent à la maison. Il passait ainsi pas mal de temps avec moi, souvent même pour jouer. J'avais reçu un jour, en cadeau, un jeu de Mécano (un jeu de construction) et il aimait bâtir toutes sortes de structures avec moi. Et quand je dis avec moi, c'est peut-être un peu surfait. Je me souviens, entre autres, d'un soir où nous avions commencé à construire une grue. Un travail délicat et long. Quand ma mère m'a indiqué qu'il était l'heure d'aller me coucher, vers huit heures trente, seulement les bases étaient établies. Quand je me suis levé le lendemain, j'ai tout de suite été voir la grue pour continuer un peu avant de partir pour l'école. Mais la grue était entièrement complétée. Mon père avait travaillé une bonne partie de la nuit pour la terminer. À vrai dire, je n'étais pas vraiment déçu, car j'aimais toujours être avec lui et le voir créer des choses. Et de le savoir heureux, ça n'avait pas de prix.

J'allais aussi souvent le chercher à la fin du travail pour revenir avec lui à la maison. Simplement pour l'accompagner et lui tenir compagnie. Un soir, la sirène de l'usine a sonné les 17 heures et je suis parti en courant pour aller le retrouver. Ce soir-là, quand il est sorti, il avait des étoiles dans les yeux. Je ne peux pas mieux dire. Des étoiles dans les yeux.

Pendant tout le trajet de retour, il m'a expliqué que depuis plusieurs mois, il travaillait avec ses compagnons à bâtir un nouveau moteur qui serait installé dans des corvettes pour assurer la sécurité des navires qui transportaient soldats et matériel en Europe. Les corvettes sont un type de vaisseau de guerre de petit tonnage lourdement armé mais surtout très rapide et agile. Elles pouvaient ainsi protéger les convois contre les sous-marins et autres navires ennemis.

Bref, ce jour-là, les officiers de la marine canadienne étaient venus à l'usine pour procéder aux essais de ce nouveau moteur qu'on venait de terminer. Mon père savait bien, par expérience, que des nouveaux moteurs peuvent présenter des lacunes sur le plan de la fiabilité. L'officier responsable de l'opération, me raconta-t-il, s'était approché du levier de commande, et d'un seul coup brusque, l'avait poussé au maximum.

« Tout va briser », s'était dit mon père. Mais à sa grande surprise, non seulement rien n'avait lâché, mais le moteur s'était merveilleusement comporté. L'officier s'était approché de nouveau et, d'un autre geste brusque, avait poussé le levier de l'autre côté pour mettre le moteur au maximum de sa puissance, mais en marche arrière. « Cette fois c'en est fait, avait songé mon père. Ça ne tiendra pas le coup. » Mais encore une fois, tout s'était passé pour le mieux. Le moteur avait ralenti et était graduellement passé en marche arrière, accélérant jusqu'à prendre sa vitesse maximum. Pendant trois heures, l'officier avait mis le moteur à rude épreuve et tout avait fonctionné normalement. Il s'était ensuite approché de mon père et lui avait dit : « Good job, Sir[4] ! » Un compliment incroyable de la part de cet officier « canadian ». Mon père rayonnait littéralement et il était toujours dans cet état de contentement pendant que nous rentrions à la maison.

Mais la production de ces moteurs n'était qu'une partie du travail des « shops Angus ». En fait, la principale activité à cette époque consistait à construire les chars d'assaut Valentine. Entre 1939 et 1944, 1700 de ces chars ont été bâtis et envoyés en Russie pour l'Armée rouge. Et ça, c'était passionnant pour nous. Car, voyez-vous, avec mes deux meilleurs amis, Charles et Jacques, les fils d'Émile Lacasse, nous allions jouer dans un terrain vague où on procédait aux essais de ces chars d'assaut. C'était peut-être la guerre en Europe mais pour nous, jeunes garçons, cela ne représentait qu'un jeu. Un jeu fascinant qui nous permettait, ici dans ce terrain vague, d'affronter de vrais chars d'assaut. Imaginez !

* * *

◄ Mes amis d'enfance. Dans l'ordre habituel, il y a moi, Charles et Jacques Lacasse, devant ma maison au 5175, 4ᵉ avenue. À nos pieds, Browny.

Toute mon enfance s'est passée dans ce quartier, et assez agréablement dois-je dire. J'ai été fils unique jusqu'à l'arrivée de ma petite sœur en 1941. Je passait tout mon temps avec Charles et Jacques. Nous avons fait l'école primaire au même endroit, à l'école Ludger-Duvernay, souvent dans la même classe. Et, ce n'est pas pour nous vanter, mais nous étions d'ailleurs souvent parmi les meilleurs élèves. Nous étions aussi ensemble à l'extérieur, le soir et les fins de semaine. En fait, nous étions pratiquement toujours ensemble, à jouer.

Ma vie a commencé à changer l'année où j'ai reçu un vélo en cadeau pour mon dixième anniversaire. C'était le 6 novembre 1940. Un vélo fantastique fait de pièces récupérées sur d'autres vieilles bécanes. Mais ça ne changeait rien. Il était à moi, il était merveilleux et il fonctionnait parfaitement. Le vélo me permettait d'agrandir mon territoire et de découvrir autre chose. Il m'a aussi permis d'aller voir seul et plus fréquemment une de mes tantes que j'aimais beaucoup. Elle était religieuse. Sœur Marguerite du Très Saint Sacrement qui était la mère supérieure de la prison des femmes située rue Fullum. Une sœur cloîtrée. Quand j'arrivais à la grande porte, je devais m'adresser à un gardien. C'est lui qui contactait ma tante et me conduisait ensuite à elle. Enfin, pas directement à elle puisqu'elle était, comme je viens de le dire, sœur cloîtrée. Je devais donc lui parler à travers une fenêtre grillagée. Ce qui, vous l'avouerez, est assez impressionnant.

▲
Sœur Marguerite du Très Saint Sacrement, ou tante Titite.

Pour moi, sœur Marguerite était grande et belle. Elle portait toujours une grande robe blanche immaculée et arborait la coiffe réglementaire. Ses yeux reflétaient l'intelligence et la compassion. Au fil de nos discussions, elle m'interrogeait sur mes résultats à l'école, me demandait si j'allais régulièrement à la messe, comment ça se passait à la maison, etc. En fait, j'ai compris plus tard qu'elle « creusait » mon esprit religieux. Un jour que j'étais allé la voir, j'étais alors en 6ᵉ année, elle me demande :

— Et qu'est-ce que tu veux faire après, quand tu auras terminé ton école primaire ?

— Ben... Je ne sais pas vraiment. Probablement que je vais aller au secondaire avec mes amis...

— Tu es très religieux. Est-ce que tu pourrais être intéressé par la prêtrise ?

— J'en sais rien. Oui, je pense.

— Pour te diriger vers la prêtrise, tu dois changer d'école. Aller dans un collège classique. Il faut que des prêtres t'enseignent. Tu devras apprendre beaucoup de nouvelles choses, dont le latin.

— Oui ! Je pense que ça me plairait, avais-je ajouté, incertain.

— Laisse-moi voir ce que je peux faire, conclut-elle.

J'ai rapidement oublié cette conversation jusqu'à ce que, deux mois plus tard, au début du mois de juin, elle me dise qu'elle avait contacté le père Lalonde du Collège Saint-Ignace et que tout était réglé.

— Et qu'est-ce que je dois faire ?

— Le 8 septembre, tu te présentes au collège, coin Belle-chasse et 6ᵉ avenue et tu dis que tu es envoyé par sœur Marguerite. Et tu devras, cette journée-là, porter pantalon propre, chemise et veston.

Voilà comment ma tante s'est occupée de mon avenir. En rentrant ce soir-là, pendant le souper, j'ai expliqué que j'avais vu tante « Titite », comme on l'appelait, et que tout était réglé, qu'elle m'avait trouvé un collège pour faire mes études classiques. C'était la première fois que j'abordais le sujet à la maison. Mon père m'a regardé sans comprendre. Après le repas, il m'a dit : « Viens, on va aller prendre une marche. » Il voulait avoir une discussion avec moi sans que ma mère soit présente.

C'était une belle soirée et nous marchions tranquillement dans la rue Masson en direction est. Au coin de la 11ᵉ avenue, il y avait une taverne où mon père est entré en me disant de le suivre. La taverne, ce n'était pas rien. C'était un endroit pour les adultes et réservé aux seuls hommes, puisque les femmes n'y étaient pas admises à cette époque. C'était un peu comme une initiation. J'étais intimidé et pas mal impressionné. Mais mon père semblait à l'aise et, de toute évidence, n'en était pas à sa première visite. Sitôt la porte refermée derrière moi, il s'est adressé au serveur :

— Salut Georges.

— Salut Bob, avait répondu l'autre.

— C'est mon fils, a fait mon père en me montrant du doigt. On a à discuter. Peux-tu nous apporter deux bières ? On va s'installer à la table au fond.

— Pas de problème, dit le barman en se tournant pour prendre deux verres au réfrigérateur.

Pendant ce temps, mon père s'était dirigé vers la table, avait pris une chaise en m'indiquant de m'asseoir devant lui. Il ne dit rien jusqu'à ce que le serveur apporte nos consommations et qu'il les dépose devant lui. Mon père en prit une et la poussa vers moi.

— Alors, c'est quoi cette histoire ?

— Tante Marguerite m'a trouvé un collège pour aller faire mon cours classique, lui dis-je.

— Et pourquoi un cours classique ?

— Ben, je vais apprendre le latin et plein d'autres choses, et peut-être que je serai un prêtre un jour.

— Tu veux devenir prêtre ?

— Je sais pas...

— Tu sais que tu as bientôt terminé ton primaire. Tu es assez grand et fort, je pense que, quand tu auras 14 ans, je pourrai te faire entrer à la shop pour commencer à travailler. Tu pourrais apprendre un métier et, dans quelques années, tu auras un bon emploi pour le reste de ta vie. Qu'est-ce que t'en dis ?

Eh bien, ça ne m'intéressait pas. Je ne savais pas exactement ce que je voulais faire, mais à ce moment, la perspective de passer ma vie à l'usine ne m'attirait pas.

— Je préférerais aller au Collège Saint-Ignace, lui répondis-je, un peu hésitant.

— Tu sais que je ne pourrai pas payer ça. J'ai encore des dettes à cause de la crise et je n'ai pas assez d'argent. D'autant plus que l'arrivée de ta petite sœur..., ajouta-t-il en laissant sa phrase en suspens. Ça nous aiderait même beaucoup si tu travaillais un peu pour que tu puisses nous donner, à ta mère et moi, un peu d'argent pour ta pension.

— Je vais travailler cet été et je vais payer le collège. T'inquiète pas.

Mon père était un brave homme. Un homme que j'aimais et que j'admirais beaucoup. Mais pour lui, les études n'étaient importantes que pour apprendre un métier. La vie ne lui avait pas été facile. Il avait besoin de la sécurité et de la permanence que lui apportait l'usine. Dans son esprit, si je ne suivais pas ses traces, si je commençais à prendre mes propres décisions, c'est que je devenais un homme et je devais en assumer les responsabilités. Je me souvenais de ce que ma mère me disait : « There's no free lunch ! » Et c'était vrai. Mais j'étais sûr de moi et je tenais à aller au collège.

Mon père m'a regardé, il a soulevé son verre auquel il n'avait pas encore touché et l'a approché dans ma direction. J'ai pris le mien et je l'ai fait tinter contre le sien. Un pacte venait d'être scellé. J'étais devenu un homme.

* * *

Pour être totalement honnête, ce soir-là, j'ai eu de la difficulté à m'endormir. J'étais moins certain de ma décision. Être devenu un homme, ça me plaisait bien, mais je n'avais aucune idée de la façon dont je pourrais y parvenir. Le lendemain, j'en ai évidemment parlé à mes deux complices, Charles et Jacques. Je leur ai demandé s'ils voulaient poursuivre leurs études avec moi au Collège Saint-Ignace. J'avais rarement vu aussi peu d'enthousiasme de leur part pour un projet. Définitivement, ça ne les intéressait pas.

— Et c'est pas seulement ça, leur expliquai-je. Il faut aussi que je trouve l'argent pour payer le collège. Il faut que je trouve un emploi pour l'été. Mais qui va engager un gars de 11 ans ?

— Pour ça, il y a peut-être une solution, me dit Charles avec un grand sourire.

— C'est vrai, confirma Jacques. Mon oncle, tu sais, Charles-Auguste Cadieux ?

— Oui, celui qui est vice-président chez Woolco, le coupa Charles. On t'en a déjà parlé.

— Oui, il me semble bien que ça me dit quelque chose, répondis-je.

— Ben, mon oncle Charles-Auguste, continua Charles, connaît très bien quelqu'un au cimetière Côte-des-Neiges qui cherche des jeunes pour travailler cet été.

— Il nous l'a proposé et je suis certain que si on lui parle de toi, tu peux aussi te faire engager, termina Jacques.

Et c'est comme ça que dès le lendemain de la fin des classes, j'ai commencé avec mes amis à tondre le gazon au cimetière. De chez nous, il fallait compter une heure en tramway pour se rendre au cimetière situé à l'autre bout de la ville. Comme le travail débutait à 7 heures, il fallait qu'on se lève à 5 h 30 pour arriver à temps. Mais j'avais un travail qui m'occupait 6 jours par semaine, de 7 heures le matin à 17 heures l'après-midi.

Il faut aussi rappeler que pour couper le gazon, dans les années 40, on utilisait une tondeuse à bras. Il n'y avait rien de motorisé. J'avais beau être assez costaud, je revenais à la maison complètement épuisé. Et comme j'étais le plus fort des trois, c'est vous dire comment mes amis se sentaient.

Après deux ou trois semaines de ce régime, notre patron s'approche et me dit :

— Un fossoyeur est malade. Veux-tu le remplacer ?

— Oui, mais je ne sais pas quoi faire...

— Viens, je vais te montrer.

Il me conduisit un peu plus loin dans le cimetière, vers un endroit où il n'y avait pas de pierre tombale. Il prit une espèce de truc avec une corde et des bouts de bois.

— Ça, c'est ton gabarit, dit-il. Tu l'installes comme ça et tu sais de quelle grandeur doit être le trou que tu as à creuser.

Et il installa les bornes tout en continuant à m'expliquer.

— Et comment je sais à quelle profondeur creuser ? lui demandai-je.

— Tu creuses environ quatre pieds [5]. Mais quand tu arrives à peu près à cette profondeur, ajouta-t-il en me montrant un point situé entre sa poitrine et son estomac, tu dois faire attention et y aller plus lentement.

— Pourquoi ?

— Pour ne pas briser le cercueil qui est en dessous..., conclut-il comme si je venais de dire une idiotie.

Puis, il s'en retourna s'occuper d'autres dossiers. Je me retrouvai au milieu du cimetière. J'avais beau être un homme, être seul ici, avec un trou à creuser en faisant attention de ne pas briser le cercueil qui était en dessous depuis Dieu sait combien d'années, ça ne me rassurait pas. J'ai quand même saisi ma pelle et je me suis attelé à la tâche. Ma première surprise a été de constater que c'était facile de creuser dans un cimetière. Probablement parce que la terre est tournée régulièrement et qu'elle n'a jamais été compactée, le travail se fait bien. Je n'irais certainement pas jusqu'à dire que c'était facile, mais ça allait bien. J'ai donc creusé profond, mais pas trop, en faisant très attention à ce qui se trouvait dessous et au bout d'une heure ou une heure et demie, j'avais terminé. Je suis retourné voir le patron pour savoir ce que je faisais ensuite. Aujourd'hui, quand j'y repense, je crois qu'il a été surpris de me voir revenir aussi vite. Il n'a rien dit, mais je me souviens de ce petit sourire qu'il faisait parfois quand il trouvait que ses employés faisaient bien le travail. Quoi qu'il en soit, il m'a ensuite conduit à un autre endroit du cimetière où un trou était déjà creusé. Là, il m'a expliqué et montré ce que je devais faire pour préparer la fosse pour accueillir le cercueil. Quand nous avons eu terminé, il m'a accompagné un peu plus loin.

— Tu vois, les funérailles arrivent, m'a-t-il dit en pointant le doigt vers le cortège qui s'approchait de l'endroit que nous venions de quitter. Quand ils seront partis, tu y vas, tu ramasses

5   Environ un mètre et demi.

les fleurs et tu remplis le trou. C'est tout. Maintenant tu sais ce que tu dois faire. Chaque matin, tu viens me voir et je te donne les instructions pour la journée. Ça te va ?

— Tout à fait.

Et c'est comme ça que je suis devenu fossoyeur. J'étais payé 0,35 $ de l'heure. Comme je travaillais 9 heures par jour, 6 jours par semaine, je recevais le fabuleux salaire de dix-huit dollars et quatre-vingt-dix cents par semaine. La richesse pour un jeune comme moi. Cet été-là, je me souviens que je rentrais à la maison, je me lavais, je soupais et j'allais me coucher. C'est tout. J'étais trop fatigué pour en faire plus. Pas question d'aller jouer dehors. Vers la fin de l'été, ma mère, peut-être parce qu'au fond elle était fière de moi, m'a regardé avec un sourire et m'a encore répété : « Now you understand, Johnny, there's no free lunch [6].»

* * *

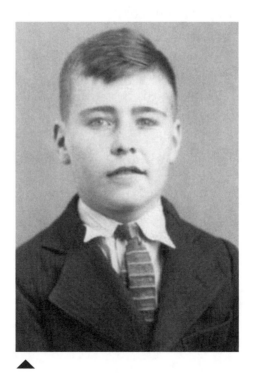

▲
Me voici en 1941. C'est cette année-là que je suis devenu un « homme » en prenant une bière avec mon père.

---

6   « Maintenant tu comprends, Jean, il n'y a pas de repas gratuit. »

Le 8 septembre, je me suis levé tôt. J'avais préparé, la veille, un pantalon gris et un veston. Des vêtements tout neufs. En effet, quelques jours plus tôt, comme au début de chaque année scolaire, j'étais parti avec ma mère pour aller magasiner chez Eaton dans le centre-ville. Elle aimait bien que son garçon soit bien habillé et avant le commencement de l'école, elle m'y amenait pour trouver ce qu'il me fallait pour l'année. Cette fois, comme Sœur Marguerite me l'avait spécifié, il me fallait des choses précises et ma mère se chargeait de me les acheter. C'était l'une des rares fois où je me trouvais seul avec elle. Et j'aimais bien ça. L'expédition prenait presque toute la journée. Nous partions le matin en tramway et pendant des heures elle me trimbalait d'un département à l'autre à la recherche de tout ce qu'il fallait pour ses hommes et la maison. Je me souviens même que le midi, nous allions toujours manger dans un restaurant en face de chez Eaton. Si je ne me trompe pas, il s'agissait du Cosy's où je commandais toujours la même chose : une salade combinée.

Bref, le jour de la rentrée j'étais nerveux. Je n'avais encore jamais mis les pieds au Collège Saint-Ignace. Tout ce que je savais, c'est que je commençais mon cours classique. Ma vie allait changer.

Chapitre

2

DE 12 À 18 ANS

Les belles années

C e matin-là, j'ai été secoué par un séisme qui atteignait certainement 9 à l'échelle de l'émotion. Ça a été terrible. J'avais pris mon vélo pour me rendre au collège. Jamais je n'avais été seul aussi loin vers le nord. J'avais toujours joué dans mon petit patelin, et aller jusqu'à la rue Bellechasse me semblait, en soi, une aventure. Je sais qu'il ne s'agissait que de quelques pâtés de maisons, mais quand on n'a pas encore 12 ans et qu'on s'avance vers l'inconnu, le chemin paraît bien long.

Je suis resté quelques minutes à examiner cette école avant d'y entrer. Le collège me semblait si grand et austère. L'édifice de quatre étages, tout en briques et entouré de hautes grilles, était assez peu invitant. En tout cas dans mon esprit. J'ignorais alors que le Collège Saint-Ignace avait été fondé en 1929 et qu'on s'y consacrait à la formation des futurs jésuites. Il était, en quelque sorte, une « filiale », un détaché comme on disait à l'époque, du Collège Sainte-Marie qui était, lui, exclusivement laïque. Mais comme j'ignorais tout de ces questions, je ne pouvais pas comprendre la différence entre ce collège ou un autre.

Quand, finalement, je suis entré, on m'a dirigé vers les salles de classe qui se trouvaient au deuxième et au troisième étage. Je suis entré dans celle où se réunissaient les élèves des éléments latins. Le choc a été brutal. Le dépaysement total. Je me retrouvais dans une vaste salle où une soixantaine de jeunes (63 pour être précis), assis à leurs pupitres, attendaient, en silence, qu'on leur dise quoi faire. C'était plus grand que tout ce que j'avais connu.

Je me répète, mais imaginez-vous arrivant dans une classe qui pouvait accueillir plus de 60 jeunes garçons. Rien ne m'avait préparé à ça.

Photo de la classe d'élément latin au Collège Saint-Ignace. Dans la première rangée, le 3ᵉ en partant de la gauche est le père Labrosse. Moi ? Je suis dans la 4ᵉ rangée, le 3ᵉ à partir de la gauche.

Puis, le père Labrosse est entré. C'était la première fois que je voyais un professeur en soutane. Il était petit, maigre et on voyait qu'il était osseux, même à travers sa toge. Il avait les pommettes saillantes, mais ce sont ses yeux qui ont retenu mon attention. On pouvait y lire tant de bonté et de calme qu'il m'a tout de suite plu. En y repensant, je dois admettre qu'il s'agissait d'un jésuite d'expérience. Car pour enseigner à autant de jeunes préadolescents, il en fallait beaucoup. Pas plus cette journée-là que le reste de l'année il n'a élevé la voix ou crié. Ce qui est en soi, vous en conviendrez, un tour de force. Il nous a expliqué que cette classe deviendrait notre lieu de travail pour les prochains mois et qu'il était notre professeur titulaire, c'est-à-dire qu'il était responsable de nous. La rigueur de cet endroit m'a assommé, littéralement. Il nous a ensuite précisé les règlements du collège en spécifiant, notamment, que le cinéma, les cigarettes et les filles étaient interdits. Pour la cigarette, je n'avais pas de problème. Mes parents fumaient et je détestais cette habitude. En ce qui concerne les filles, je n'avais rien à redire non plus. Je n'en connaissais pas beaucoup, sauf ma mère à la maison, qui, elle, ne comptait pas. Bien sûr, ma sœur venait de naître, mais ce n'était pas vraiment une fille non plus étant donné qu'elle était encore bébé. Bref, pas de soucis de ce côté. Et puis, dans les années 40, il faut avouer que les jeunes d'à peine 12 ans étaient... Comment dire ? Moins dégourdis que les jeunes d'aujourd'hui.

Restait le cinéma pour lequel ça allait en revanche certainement être plus difficile. J'aimais beaucoup aller voir des films. J'y allais aussi souvent que possible, dans une petite salle près de la maison et j'adorais ça. Mais s'il fallait passer par là pour devenir prêtre et faire mon cours classique, j'allais faire avec.

Le père Labrosse a continué de nous expliquer les règles de fonctionnement du collège et la façon dont l'année allait se dérouler. Plus il parlait, plus je prenais conscience de mon ignorance et plus je m'interrogeais sur ma décision. Cette entrée en matière donnait-elle le ton des prochaines années ? Si c'était le cas, un long calvaire s'annonçait. Mais j'étais assez orgueilleux et je n'avais pas l'intention de rentrer à la maison, après une seule journée, pour avouer à mon père que je m'étais peut-être trompé. Ça, il n'en était pas question. Je suis donc resté silencieux en recevant tous ces chocs, les uns après les autres.

Un peu plus tard dans la journée, je suis allé rencontrer le père Lalonde, recteur du collège, pour régler les questions financières. Il a accepté, malgré mon âge, un chèque personnel pour le premier paiement. Par la suite, je me suis rendu à son bureau au début de chaque mois pour lui payer le montant mensuel prévu qui était d'environ 15 $. C'était la partie facile. J'avais suffisamment d'argent pour l'année et je n'avais pas d'appréhension de ce côté. C'est tout le reste qui m'inquiétait.

Et je n'étais pas au bout de mes surprises.

Dès le lendemain de la rentrée scolaire, nous entreprenions une retraite fermée. Quand on nous l'a annoncé, j'ignorais totalement de quoi il pouvait bien s'agir. J'ai vite appris. Le mardi, et pendant trois jours complets, des pères jésuites nous ont fait de longs sermons sur des sujets incroyables comme les valeurs humaines, la création, la religion, la procréation, la mort et ainsi de suite. Des thèmes auxquels je n'avais évidemment jamais réfléchi et qui me semblaient extraordinairement arides. Il y avait quatre sermons par jour. Deux le matin et deux l'après-midi. Chacun durait environ une heure et demie. Je n'étais pas seulement dépaysé, j'avais été littéralement transporté dans un autre univers. En plus, il y avait la messe tous les matins. C'est vrai que j'allais régulièrement à l'église avec mes parents. Enfin, chaque dimanche, comme tout le monde. Mais une messe chaque jour, c'était nouveau et beaucoup.

C'est tout de suite après cette « retraite » que les véritables cours ont débuté. Et là aussi tout était intense. Entre autres, les cours de latin. Je ne comprenais pas pourquoi il était important d'apprendre une langue que plus personne ne parlait. Sans compter que, pour moi, qui avais déjà appris le français et l'anglais à la maison, le latin devenait ma troisième langue. En un mot comme en mille, les premiers mois furent extrêmement difficiles. Moi qui suis, sans être ce qu'on appelle un verbomoteur, quelqu'un qui parle beaucoup et qui est reconnu pour être sociable, je suis devenu taciturne et solitaire. Même mes résultats scolaires, qui avaient jusqu'alors été excellents, sont devenus très moyens.

J'ai d'ailleurs revu, il y a quelques années, le père Labrosse. Il avait une mémoire exceptionnelle et se souvenait encore parfaitement de mes premiers mois à Saint-Ignace, comme il devait se souvenir de centaines d'autres jeunes garçons qui avaient été assis devant lui au fil des ans. Dans son souvenir, il disait avoir eu l'impression que j'étais absent. En ce sens que mon corps était là, mais que mon esprit se refusait à toute implication. Il se souvenait très bien que je ne me mêlais pas aux autres, que je restais dans mon coin.

Comme il avait encore tous les recueils de notes de ses années d'enseignement, il a sorti ceux de ma première année aux éléments latins pour me montrer que les deux premiers mois avaient été très « ordinaires », comme on dit aujourd'hui. Des 60 ou 65 % dans presque toutes les matières. Je passais, mais sans aucune facilité.

Il m'a fallu près de trois mois pour m'adapter à la nouveauté que représentait le collège. Ce qui prouve que j'ai toujours été lent à m'acclimater. Ce n'est pas une qualité, j'en conviens. Mais c'est une réalité avec laquelle je dois vivre. Même aujourd'hui, quand je voyage, je préfère toujours retourner dans les mêmes hôtels car, comme je les connais déjà, je m'y suis créé quelques habitudes.

Tout ça pour dire que les premiers mois ont été pénibles. Jusqu'à ce que survienne un de ces moments charnières. Je me souviens que le collège avait fait parvenir mon premier bulletin directement par la poste à la maison. Il était adressé à mon père. Mais quand, ce soir-là, je suis rentré pour le souper, l'enveloppe était dans mon assiette et n'avait pas été ouverte. Mon père m'a simplement dit : « Tu as reçu ça. » Il ne m'a jamais posé de questions sur mes résultats, ni cette journée-là ni par la suite. Honnêtement, ça m'a surpris et déçu.

J'avais l'impression qu'il se désintéressait complètement de ce que je faisais et de ce qui m'arrivait. Que toute cette complicité que nous avions eue pendant des années avait cessé. Il m'a fallu du temps pour comprendre que le « pacte » que nous avions signé à la taverne faisait un homme de moi. J'étais entièrement responsable de ce que je faisais et de ce qui m'arrivait.

À partir de ce jour-là, je ne me suis plus senti aussi à l'aise à la maison. Je vivais cette indifférence comme un rejet. Le seul endroit où il était possible de compenser devenait le collège. Ça a peut-être été le point tournant qui m'a permis de commencer mon intégration. Le collège est alors devenu ma maison. Mon adaptation était terminée et mes résultats ont commencé à s'améliorer.

J'ai appris, beaucoup plus tard, que mon père n'était pas aussi indifférent qu'il le paraissait. C'est ma sœur qui me l'a dit plusieurs années après. Elle m'a raconté que mon père me citait toujours en exemple. Qu'il lui parlait de mes excellents résultats à l'école et au collège. Il avait, je n'ai jamais su comment, pris connaissance de mes bulletins pendant des années. Mais je n'en savais rien quand tout ça est arrivé en novembre 1942 et j'ai alors très difficilement encaissé le coup.

La rigueur et l'encadrement si structuré qui m'avaient tant déstabilisé pendant les premières semaines devenaient des atouts. Tout était prévu et notre horaire laissait peu de place au hasard. Or, c'est ce à quoi je me suis ensuite raccroché. Pour vous donner une idée, voici comment se déroulaient mes journées au collège. J'arrivais à 6 heures chaque matin pour assister à la messe de 6 h 15, souvent célébrée par le père Labrosse. À 7 heures, nous nous rendions au réfectoire pour le déjeuner, puis, vers 7 h 30, nous allions jouer dehors à la crosse ou au hockey. À 8 h 10, nous étions rassemblés dans une vaste salle commune pour une période d'étude jusqu'à 8 h 45, heure à laquelle les cours commençaient. Nous étions en classe jusqu'à midi, puis nous descendions au réfectoire pour le dîner. À 12 h 30, nous allions jouer et faire du sport jusqu'à 14 heures où nous retournions en classe pour les cours de l'après-midi. À 15 h 45, il y avait la collation. On nous servait généralement des tartines à la mélasse et du lait (j'adorais ces collations). À 17 heures suivait une autre période d'étude, puis nous nous retrouvions encore ensemble au réfectoire pour le souper à 18 h 15. Finalement, à 19 h 30, il y avait une dernière période d'étude qui se terminait à 20 h 45. C'est seulement à ce moment que je quittais le collège pour rentrer à la maison où j'arrivais vers 21 heures, presque l'heure de me coucher. Ma vie était réglée comme une horloge et, comme vous pouvez le constater, je ne voyais presque plus ni mes parents ni ma sœur.

Et cet horaire s'appliquait six jours par semaine. Je dois toutefois ajouter que nous avions congé le mardi et le jeudi après-midi, mais que la plupart d'entre nous restaient quand même au collège pour jouer et faire du sport. Le dimanche était donc notre seule véritable journée de congé. Le collège est alors devenu à la fois ma maison et ma famille.

Bien entendu, comme nous étions pratiquement toujours ensemble, je me suis fait de nombreux nouveaux amis. Je suis d'ailleurs toujours en relation avec quelques-uns d'entre eux, comme Robert Sylvestre, Robert Langlois, Georges Brunet, Claude Mérineau, Roger Lauzon, Jean Campeau ou Jacques Fournier, le seul de ce petit groupe à être devenu prêtre. Nous nous revoyons régulièrement et nous étions encore réunis, il y a quelques années, pour le 50ᵉ anniversaire de prêtrise de Jacques. Je me souviens très bien du petit discours qu'il a fait pour l'occasion, car il est resté gravé dans ma mémoire comme un témoignage de sa volonté de toujours aider et mieux comprendre. Quand il a été ordonné prêtre, a-t-il expliqué, il a demandé de pouvoir aller dans les quartiers les plus pauvres, car c'est là qu'il estimait pouvoir être le plus utile. Et c'est ce qui est arrivé. C'est donc ce genre de paroisse qu'on lui a confié pendant très longtemps. A-t-il été utile ? Probablement. Je dirais même certainement. Mais c'est la conclusion de son allocution qui m'a ému. Il a terminé en disant que si c'était à refaire aujourd'hui, il demanderait la même chose. D'être envoyé dans les secteurs plus difficiles. « Cette fois cependant, a-t-il ajouté, j'écouterais et je ne parlerais pas, car c'est moi qui ai appris d'eux et qui ai encore tant de choses à apprendre. »

* * *

La première session s'est très bien terminée. Mes notes montaient en flèche. Il faut dire qu'avec le nombre d'heures que nous passions à étudier chaque semaine, je n'avais aucun mérite. Quand est arrivé le congé de Noël, il était devenu évident, pour moi en tout cas, que le collège était ma véritable maison. À tel point que, pour la première fois de ma vie, je ne suis pas allé à la messe de Noël avec mon père, préférant être servant à la messe de minuit au collège.

Financièrement, je n'avais pas encore de préoccupations majeures. D'autant plus que pendant cette pause des Fêtes, j'ai eu l'occasion de travailler pour l'entreprise de construction d'Émile Pichette, un ami de la famille. Il avait un travail urgent à compléter et m'avait embauché comme homme à tout faire. En fait, je transportais essentiellement les matériaux pour les ouvriers et je faisais le ménage. Mais j'étais payé 0,60 $ de l'heure. Pendant ces quelques semaines, donc, exception faite bien entendu de Noël et du Jour de l'An, j'ai travaillé 12 heures par jour tous les jours. De quoi renflouer mon compte. Et cela confirmait encore que je n'allais plus à la maison que pour dormir. Le reste de ma vie se passait dorénavant ailleurs. Pour la première fois, je réalisais pleinement que le pacte qui avait été scellé avec mon père dans cette taverne avait fait de moi un homme. Un homme de 12 ans, mais un homme quand même.

L'année s'est poursuivie agréablement au collège. Je baignais dans un environnement que je trouvais de plus en plus adéquat et qui m'allait comme un gant. Mes notes continuaient à s'améliorer et je me proposais, aussi souvent que possible, pour les petits travaux qu'il fallait faire dans l'établissement. Ainsi, je m'occupais souvent de la patinoire, de l'arrosage de la glace ou des réparations des bandes ou d'autres menus travaux avec le frère Marier qui voyait à l'entretien général du collège. Bref, je m'intégrais de plus en plus.

Parfois, quand il m'arrive de raconter cette vie étudiante à mes petits-enfants, je sens dans leur regard beaucoup de... tristesse... Oui, c'est peut-être le mot. Ils ont l'impression que je n'ai pas eu d'adolescence, qu'on m'a volé cette partie de la vie aujourd'hui généralement consacrée aux amis, au jeu et, un peu, aux études. Or, pour moi, c'était tout le contraire. Bien sûr, j'avais des obligations qu'eux et elles n'ont pas eues, et c'est tant mieux. Mais je n'étais pas brimé. J'adorais ma vie et j'étais heureux.

* * *

J'ai terminé l'année parmi les meilleurs de la classe et, dès la fin des cours, j'ai repris l'emploi au cimetière Côte-des-Neiges. L'été s'écoulait doucement, entièrement consacré au travail. Puis, au mois d'août, Émile Pichette m'a rappelé pour travailler dans sa compagnie de construction jusqu'au début des classes. Il devait terminer un contrat pour la maison J.H. Breton, qui se spécialisait dans l'entreposage et la réparation de manteaux de fourrure. Il avait commencé la réfection de la voûte d'entreposage et devait absolument terminer les travaux avant l'automne. J'ai un peu hésité à abandonner le cimetière, mais, comme il m'offrait 1 $ de l'heure, j'ai fait le saut. Au terme de l'été, comme je n'avais pratiquement pas de dépenses, si on fait exception d'une petite pension pour mes parents et de soirées au cinéma (que je me permettais malgré l'interdiction du collège), je me suis retrouvé à la tête d'une fortune de 1100 $. Mais surtout, à la fin de l'été, j'avais hâte de reprendre les cours et de retrouver mes amis. La vie était belle.

* * *

En septembre, j'ai commencé la seconde année du cours classique, qu'on appelait la syntaxe. C'est le père Alarie qui était notre nouveau professeur. Au niveau scolaire, c'est l'année pendant laquelle nous avons commencé à apprendre le grec. Le grec classique, évidemment, qui a peu à voir avec le grec moderne. C'était la quatrième langue qu'il me fallait apprendre.

Au mois de septembre, le collège m'a proposé de travailler avec le frère Marier pour lui donner un coup de main pour l'entretien, en échange de quoi mes frais d'éducation seraient assumés par le collège. J'ai accepté, évidemment, d'autant plus que je l'aidais déjà aussi souvent que je le pouvais. Ça voulait aussi et surtout dire que je n'aurais plus de problèmes financiers. Même si, en réalité, malgré quelques inquiétudes au départ, je n'en avais jamais eu.

Des 60 et quelques étudiants que nous étions au début de l'année précédente, beaucoup ont abandonné. Il en restait alors moins d'une cinquantaine. Chaque année, certains d'entre nous quittaient Saint-Ignace pour d'autres collèges ou d'autres défis. La formation pour devenir jésuite ne convenait de toute évidence pas à tout le monde. De mon côté, j'avais l'impression que ma voie se précisait et même qu'elle était toute tracée. Avant même mon entrée au Collège Saint-Ignace, j'étais pratiquant, comme probablement tout le monde au Québec à cette époque.

Mais de tremper dans un environnement religieux semblait raffermir ma foi. L'éventualité de devenir prêtre m'apparaissait maintenant non seulement comme étant tout indiquée, mais aussi tout à fait naturelle.

Je lisais beaucoup, essentiellement des livres relatant la vie des saints car, au début du classique, c'étaient les seuls livres auxquels nous avions accès. C'est le père Papillon, qui était devenu mon père spirituel l'année précédente, qui m'avait amené à lire. Il m'avait prêté des volumes qui présentaient la vie des saints martyrs canadiens, de saint Thomas d'Aquin ou celles de missionnaires en Afrique. Ils étaient mes héros. Je m'étais donc mis dans la tête que je serais moi aussi missionnaire, mais en Alaska. Pourquoi cette partie du monde ? Difficile à dire. Mais j'aimais bien l'hiver et le froid et, d'autre part, il me semblait que j'aurais moins de contraintes et de difficultés avec les Esquimaux qu'avec les Africains, de sorte que je voulais y aller pour prêcher la bonne parole.

Le père Papillon était déjà assez âgé quand je l'ai connu. Au moins 70 ou 75 ans. Il était tout petit et avait une voix qui allait avec son physique, douce et délicate. Il est devenu mon confident pendant les quelques années qui lui restaient avant de prendre sa retraite. Il a peu à peu pris la place de tante Titite, sœur Marguerite. J'allais régulièrement le voir pour discuter d'un peu de tout. Mais le message qu'il me passait était toujours le même : la vie est belle.

Quant au père Alarie, il a décidé cette année-là que nous pourrions monter une pièce de théâtre. Il choisit *Les oiseaux* d'Aristophane. Cette comédie, écrite en 414 avant Jésus-Christ, parodie la conception de l'origine du monde que plusieurs véhiculaient à l'époque. Aristophane y décrit deux Grecs, fatigués de la corruption de leur ville, qui quittent Athènes guidés par des oiseaux. Ils réussissent à convaincre les oiseaux de créer une nouvelle ville dans les airs qui s'appellerait Coucouville-les-Nuées. Bref, ce n'est ni très simple, ni, dois-je maintenant le concéder, très drôle.

Pendant la pièce « *Les oiseaux*, d'Aristophane, en classe de syntaxe, 2e année du cours classique.

Mais pour moi, c'était une révélation. Je ne connaissais rien au théâtre, et je me suis aperçu que j'adorais livrer un texte et, ce faisant, intéresser les gens. Toute l'année, nous avons travaillé cette pièce, le plus souvent en dehors des heures de cours. Je consacrais aussi beaucoup d'énergie avec le frère Marier à bâtir les décors pour la présentation. Je pense souvent que tout l'intérêt que j'ai développé pour les communications me vient de cette période au collège.

À la fin de l'année, enfin, nous étions prêts. Il devait y avoir une représentation. Une seule. Tous les élèves et les parents y ont été invités. Mon père et ma mère venaient pour la première fois au collège depuis que j'y étudiais. J'étais fier et nerveux. Ils étaient assis dans les premières rangées, près de la scène.

Bon, il faut ici que je vous explique que nous étions, la plupart du temps dans cette pièce, habillés en oiseaux, c'est-à-dire avec des ailes. De plus, comme nous étions des Grecs, nous portions, outre des ailes dans le dos, des tuniques. Vous savez, ce genre de petites robes qui descendent jusqu'aux genoux, un peu comme on voit dans les films d'époque. Et, vers la fin de la pièce, nous tenions un conciliabule où nous étions tous en rond à discuter au milieu de la scène.

Ma mère ne comprenait absolument rien au texte. Tout ce qu'elle a remarqué, c'est qu'une fois, pendant une fraction de seconde, elle a vu mon caleçon sous ma tunique. Elle s'en est scandalisée et m'en a beaucoup voulu. Pour ma part, je venais de faire une découverte fabuleuse. J'adorais jouer au théâtre et il fallait que je continue dans cette voie.

* * *

L'été suivant, je ne suis pas retourné au cimetière. Le collège m'a proposé de continuer à travailler avec le frère Marier. On m'a alors offert 100 $ par mois. C'était très peu, mais j'avais encore beaucoup d'argent en banque et je n'avais pas besoin de plus pour mes dépenses. Et surtout, j'étais bien au collège. Alors, j'ai accepté. À partir de ce moment, d'une certaine façon, on pouvait réellement dire que ma vie se passait entièrement à Saint-Ignace. Et tout ça renforçait encore l'idée qui continuait de se développer en moi : devenir prêtre.

Quand l'année scolaire suivante a commencé, le père Trépanier nous a accueillis. En voilà un qui avait beaucoup de poigne. Il en fallait d'ailleurs. Même si nous étions un peu moins nombreux, affronter une quarantaine de jeunes en pleine adolescence et en pleine croissance demandait beaucoup d'énergie et de discipline. Or, le père Trépannier en avait.

C'est aussi lui qui m'a permis de lire d'autres livres que des histoires de saints. Pour la première fois, j'ai lu des romans. Il m'en a prêté quelques-uns dans lesquels j'ai découvert toutes sortes de choses comme des aventures, des pirates et de l'amour. Mais ce dernier aspect me laissait encore indifférent. J'étais toujours persuadé que je serais missionnaire dans le Grand Nord. Alors l'amour des filles me laissait assez froid.

Il n'y a rien de bien particulier à raconter concernant cette année-là, sinon qu'encore une fois nous avons monté une pièce de théâtre. Le père Trépanier avait opté pour une pièce d'un dramaturge français du début du XIXe siècle, Henri Ghéon. Il s'agissait de l'histoire d'un homme, d'un marin si mon souvenir est exact, qui, au cours d'une traversée, devenait ni plus ni moins qu'un saint, mais un peu malgré lui. Si je me rappelle bien, je n'étais pas cet homme. Je jouais plutôt le rôle du capitaine du vaisseau.

En classe de méthode (3ᵉ année) nous avons présenté *Un saint malgré lui*.
Je suis le capitaine basané et moustachu à la droite du groupe.

L'un de mes défis a été la construction du bateau pour le décor. Il devait tanguer pendant la pièce et couler à la fin. Heureusement, le frère Marier nous a donné un fameux coup de main sans quoi je doute que nous y serions arrivés.

La seule autre chose à ajouter sur la « méthode », troisième année du cours classique, serait le fait que le père Trépanier a été gravement malade vers le mois de février et qu'il a dû être remplacé. L'année, dans mon souvenir en tout cas, s'est un peu terminée dans la débandade.

Je passerai brièvement sur la versification, quatrième année du cours classique. Je venais d'avoir 16 ans et c'est le père Brosseau qui était notre professeur titulaire. Je ne mentionnerai qu'un point qui m'a profondément marqué. En fait, il ne s'agit pas du père Brosseau lui-même, mais plutôt de ce livre qu'il m'avait prêté. Il m'avait permis de lire *Le grand Meaulnes* d'Alain-Fournier. J'ai alors connu une sensation que je n'étais pas capable de décrire. Une espèce de spleen m'envahissait à mesure que je dévorais les pages. *Le grand Meaulnes* reste encore l'un des plus beaux livres qu'il m'ait été donné de lire. Peut-être y ai-je un peu découvert ce que sont les sentiments et l'ouverture à l'amour.

C'est possible, mais je suis incapable de le jurer. En tout cas, il m'est arrivé souvent par la suite d'aller y relire quelques pages, juste pour le plaisir de la chose. Et j'en ai encore aujourd'hui un exemplaire à la maison. En y repensant, d'ailleurs, je crois en avoir toujours eu un avec moi...

* * *

Quand j'ai commencé ma cinquième année (belles-lettres) au Collège Saint-Ignace, j'ai rencontré un père extraordinaire qui est devenu mon mentor. Plus de la moitié de ceux qui avaient débuté avec moi en éléments latins avaient changé de collège au fil des ans. Nous étions, ce premier matin, peut-être une trentaine à attendre dans la classe qu'entre le père Laperrière. Puis il est arrivé. Grand avec ses presque deux mètres que sa longue soutane étirait encore. Il était maigre et tout en os, comme disait mon père. Mais ce sont surtout ses yeux qui m'avaient étonné. Ils étaient grands, noirs et profondément enchâssés. J'avais l'impression qu'il pouvait facilement lire en moi ou même voir à travers moi. Ils reflétaient une intelligence vive et, c'est du moins l'impression que j'avais eue sur le moment, beaucoup de bonté. C'est d'une voix profonde et basse qu'il s'est adressé à nous ce matin-là pour nous présenter le programme de l'année à venir.

Le père Laperrière était un homme de théâtre. Il connaissait non seulement les grands écrivains et leurs œuvres, mais il maniait aussi bien les trucs du métier de comédien qu'il manipulait les ficelles de la mise en scène. L'année s'annonçait extraordinaire. Ce matin-là, il nous a annoncé que nous aurions à monter une pièce de Molière : *Les fourberies de Scapin*.

En classe, nous décortiquions le texte alors qu'avec la troupe, nous répétions et répétions pour fignoler le moindre aspect de notre jeu. Réunis le soir, chacun d'entre nous guidé par le père Laperrière, nous avons étudié ce texte, analysant chaque mot, évaluant le sens de chaque réplique. Molière prenait une place colossale dans notre vie. Pour la première fois, je participais aussi à la mise en scène d'une pièce. Mais surtout, sous l'égide du père Laperrière, je me découvrais un talent pour interpréter et faire éprouver des sentiments aux gens.

Voici le père Laperrière.

C'est aussi le père Laperrière qui m'a initié à certains grands auteurs comme Proust, Zola et plusieurs autres génies de l'écriture. C'est tout ça qui m'a permis de développer mon goût pour la culture. C'est également à la même époque que je me suis intéressé à la musique. Un autre prêtre, le père L'Archevêque, avait formé une chorale, un sextuor, et m'avait invité à en faire partie. Chaque semaine, nous préparions notre répertoire pour la messe du dimanche suivant. L'essentiel de nos chants, inutile de le préciser, était en grégorien, cette musique faite de variations musicales à l'infini sur un même mot.

Un jour, le père L'Archevêque nous a fait écouter de la musique classique. La 6e de Beethoven. Je m'en souviens encore parfaitement. Je n'en revenais tout simplement pas. J'étais subjugué par la beauté des sons et des harmonies. Cette musique est toujours restée l'une des plus belles que j'aie entendue. D'ailleurs, quand, beaucoup plus tard, j'ai rencontré celle qui allait devenir la femme de ma vie, le premier cadeau que je lui ai offert a été un enregistrement de cette symphonie.

C'est donc durant cette année-là que j'ai connu ce que j'appellerais une ouverture et une sensibilité à la culture classique. Je connaissais déjà pas mal la culture populaire, autant cinématographique que musicale. J'allais en effet au cinéma assez souvent (aussi souvent que je le pouvais, en fait) et j'avais vu la plupart des films qui sortaient sur les grands écrans. Par ailleurs, à la maison, mes parents écoutaient et avaient toujours écouté, à la radio principalement, ces chansons qui étaient à la mode, probablement parce qu'ils aimaient toujours la danse et les sons rythmés qui les invitaient à bouger. Si bien que je savais ce qu'était la culture populaire. Mais jamais je n'avais entendu d'œuvres des grands compositeurs classiques. Encore une fois, je vivais ni plus ni moins qu'une révélation.

* * *

Il y a peu à dire sur le reste de cette année. J'étudiais beaucoup, pas nécessairement parce que j'en avais toujours le goût, mais surtout parce que les horaires du collège nous empêchaient tout écart. Je réussissais donc généralement très bien. Mais il arrivait quand même, à la veille d'un important examen, que je doute de moi. Étais-je suffisamment préparé ? Avais-je appris la bonne matière pour le test ? Serais-je capable de répondre aux questions, souvent complexes, préparées par le père Laperrière ? Je pense que c'est le genre de questions que nous nous sommes tous posées à un moment ou l'autre de nos études. Mais moi, j'avais un truc. Bon, pas vraiment un truc, mais une façon de m'assurer que j'étais sur la bonne voie.

Il faut en effet que je vous dise que ma mère avait un don. Elle pouvait lire dans les feuilles de thé. Comment y parvenait-elle ? Je ne l'ai jamais su. Est-ce qu'elle lisait vraiment dans le thé ? Ressentait-elle plutôt les émotions profondes de ceux ou celles qui venaient la voir ? Je le répète, je n'en sais rien. Ce que je sais par contre, c'est qu'elle parvenait à savoir, juste en regardant dans le fond de votre tasse, plusieurs choses qu'elle aurait dû ignorer. Mon père l'a expérimenté souvent. Pas toujours volontairement d'ailleurs. Je me souviens par exemple qu'un soir, après le souper, il s'est rendu compte qu'il avait perdu son portefeuille. Bref, ma mère a alors pris la tasse de thé de mon père et a regardé au fond. Elle s'est tournée vers lui et lui a dit que son portefeuille n'était pas perdu et qu'on le lui remettrait le lendemain, il l'avait tout simplement oublié chez des amis... Elle « voyait » le portefeuille mais, fait étrange, il ne contenait plus d'argent. Elle a jeté un regard mauvais à mon père et lui a demandé où l'argent était passé. Alors mon père a dû lui répondre que, l'après-midi, il avait joué aux cartes et qu'il en avait perdu un peu. La discussion animée qui a suivi a certainement marqué de façon indélébile l'esprit de mon père.

Tout s'est passé comme elle le lui avait prédit. Il a retrouvé son portefeuille le lendemain. Je me souviens que, par la suite, mon père rinçait toujours lui-même sa tasse de thé après le souper. Jamais plus, jusqu'à ce que ma mère meure, il ne l'a laissé regarder le fond de sa tasse.

Donc, spécialement pendant la période des examens, quand il m'arrivait d'aller souper à la maison, je laissais nonchalamment traîner ma tasse sur la table. Ma mère comprenait toujours ce que j'attendais. Elle jetait un coup d'œil et me disait de me concentrer sur tel ou tel aspect et que je pouvais laisser tomber telle ou telle autre question. Et le plus fascinant, c'est qu'elle avait généralement raison. Tout ceci pour dire qu'avec tout le temps que je consacrais aux études et avec l'appui de ma mère, je parvenais à demeurer parmi les premiers de classe.

* * *

La rhétorique, c'est l'art du discours et du bon parler. On y trouve toute la notion d'éloquence. C'était aussi le nom donné à la sixième année du cours classique. Il devenait donc évident que nous aurions à étudier l'art oratoire. Et c'est avec le père Rioux, titulaire de la classe, que j'ai appris à faire des discours. Pour la première fois, j'ai dû rédiger et rendre moi-même un texte devant un public. Le travail que nous avait confié le père Rioux devait s'articuler atour du thème suivant : « Comment je serai dans quelques années ». J'y ai consacré beaucoup d'énergie.

Pendant des semaines, tout comme les autres étudiants, j'ai réservé bien des efforts pour cette présentation. J'allais régulièrement rencontrer le père Rioux pour l'interroger sur tel ou tel aspect ou lui demander conseil sur la façon d'exposer tel ou tel argument.

Nous devions présenter le résultat de notre travail lors d'une soirée spéciale à laquelle assisteraient la plupart des pères du collège ainsi que l'ensemble des étudiants. Inutile de préciser que j'étais excessivement nerveux. Nous pouvions lire notre discours, mais je l'avais appris par cœur, car je craignais de sauter des éléments tellement j'étais excité. Grâce au théâtre, je m'étais déjà rendu compte que je pouvais rendre des textes et émouvoir un public. Mais cette fois-là, je passais à une autre étape puisque les mots venaient de moi. J'avais un peu l'impression de me mettre à nu devant tout le monde.

Heureusement, tout s'est merveilleusement déroulé. Je dois dire, sans fausse modestie, que ma présentation a été excellente. Non seulement, selon tous les commentaires que j'ai reçus, le message était-il bon, mais la façon de le rendre a encore permis de l'améliorer. J'ai toujours été très fier de ce que j'ai fait durant cette soirée. J'avais senti que je pouvais émouvoir et soulever des spectateurs avec des paroles et des idées que j'avais moi-même imaginées.

Vous savez, certains sages affirment que la vie est faite d'une multitude de points qu'il faut un jour relier pour accomplir son destin. Je ne savais pas à cette époque que ma vie tournerait autour de l'art oratoire. Mais de tous les points que le cours classique m'a permis de mettre en place, celui-là est certainement devenu l'un des plus importants.

* * *

La sixième année du cours classique était cruciale à un autre égard. C'était l'année durant laquelle nous devions présenter notre demande officielle pour devenir jésuite. La démarche devait se faire vers le mois de novembre, au cours d'une retraite fermée qui nous réunirait au Sault-aux-Récollets, dans le noviciat des jésuites, près de la rivière des Prairies. (Cet endroit est aujourd'hui devenu le Collège du Mont-Saint-Louis.) Pendant huit jours nous devions réfléchir et préparer cette étape déterminante de notre vie. Pour bien comprendre la signification et la portée de la démarche que nous présentions aux autorités, il suffit de mentionner que nous n'avions alors que 18 ans et que l'acceptation par la communauté des jésuites nous engagerait jusqu'à l'âge de 33 ans, année où nous pourrions être ordonnés prêtres. Les 15 années suivantes, et finalement le reste de notre vie, dépendaient de cette retraite. Il fallait donc être convaincu de notre décision puisque nous en serions toujours responsables.

Durant ces huit jours, nous allions pratiquer les exercices de saint Ignace. Nous verrions comment développer la spiritualité, ce qu'est l'engagement, la différence entre promesse et engagement, etc. Une session extrêmement intensive qui se terminait par un examen au cours duquel on nous évaluerait et par lequel on jaugerait ce que nous étions, ce que nous voulions faire, nos qualités, nos caractéristiques d'hommes, et ainsi de suite. En fait, il s'agissait d'une étape cruciale de notre cheminement. Ma décision était déjà prise. Elle mûrissait depuis des années. Depuis mes débuts au Collège Saint-Ignace. Je serais prêtre, jésuite et missionnaire. Voilà !

Après cette retraite, aucun d'entre nous n'a entendu parler des résultats pendant un mois ou un mois et demi. Puis, tour à tour, nous avons été convoqués. Un jour, peu avant les Fêtes, le père Blondeau m'a fait appeler. Il faut souligner que le père Blondeau était responsable de la discipline au collège et qu'en conséquence, ce n'était pas toujours bon signe quand on devait le rencontrer. Mais cette fois j'étais confiant car je me doutais de la raison qui motivait cette convocation. D'ailleurs, le père Blondeau m'a reçu très amicalement. Il m'a fait asseoir devant son bureau, puis a laissé sa place pour venir s'installer sur la chaise près de moi. Le formulaire que j'avais rempli pendant la retraite fermée était à côté, sur le coin du bureau. Je lui ai répété que je souhaitais devenir missionnaire.

— Oui, c'est ce que j'ai vu dans ton dossier, m'a-t-il dit. Comment cette idée t'est-elle venue ?

— Au fil des ans et de mes lectures. J'en suis aussi venu à considérer que c'est en Alaska que je pourrais être le plus utile.

— Et pourquoi ton choix de mission se porte-t-il vers l'Alaska ? a-t-il ajouté.

— Difficile à dire, lui ai-je répondu. Mais j'ai l'impression que j'y trouverai plus de liberté. Il y a moins de monde qu'en Afrique, mais surtout je pense que les règles y sont moins strictes et préétablies. Que j'aurai plus de latitude pour faire ma mission.

La discussion s'est poursuivie pendant une demi-heure ou même trois quarts d'heure. Puis, après une pause, le père m'a annoncé :

— Tu as de grandes qualités, Jean-Marc. Toutefois, après avoir étudié ta demande et comme nous te connaissons très bien, je suis obligé de te dire que nous devons refuser ton adhésion à la communauté des jésuites.

Le choc a été terrible. Mon monde s'écroulait.

— Mais pourquoi ? lui ai-je demandé.

— Tu es quelqu'un d'un peu marginal, parfois révolutionnaire dans tes idées et nous ne croyons pas que tu seras capable de vivre dans la rigueur que nécessite la communauté jésuite. D'autres portes s'ouvriront à toi, mais pas en tant que jésuite. Tu pourrais peut-être t'orienter pour devenir prêtre séculier. Ainsi, tu ne serais pas soumis à nos règles qui seront certainement trop rigides pour toi, et surtout en ce qui concerne les règles d'obéissance, Jean-Marc, a-t-il ajouté doucement. Tu sais comme moi que tu n'acceptes pas facilement les ordres. Il faut toujours que tu comprennes le « pourquoi » des choses. Et cet aspect, entre autres, ne cadre pas du tout avec la philosophie des jésuites.

Je ne me souviens plus vraiment de la suite de l'entrevue. Quand je suis sorti du bureau, j'étais bouleversé. Peut-être que le mot dévasté serait plus exact. Je ne savais plus où j'en étais. Je ne voyais pas où j'allais. Je marchais parce que... Parce que rien en fait. Si je n'avais pas marché, peut-être que je serais tombé au sol en pleurant. Presque sans m'en rendre compte, mes pas m'ont conduit vers le bureau du père Laperrière en qui j'avais toute confiance. Je devais en parler à quelqu'un. Heureusement, il était là et m'a reçu immédiatement. Je lui ai raconté l'entrevue que je venais d'avoir, les portes qui se fermaient devant moi. Et ce blocage pas seulement au sujet de mon avenir religieux, mais aussi de mon avenir tout court. Parce que ne pas être accepté dans la confrérie des jésuites impliquait également qu'il me fallait quitter le Collège Saint-Ignace, que je ne pourrais pas y compléter mon cours classique. Je lui ai fait part de mon désarroi... Et il a eu la réaction la plus incroyable que je pouvais imaginer. Il s'est mis à rire.

— Je m'en doutais bien, m'a-t-il dit. Tu es trop indépendant pour te plier sans commentaires à des règles.

— Je ne comprends pas pourquoi vous dites ça, lui ai-je répondu un peu en colère.

— Bon... Imagine un peu qu'un jour, poursuivit-il de sa voix grave et calme, le père supérieur te demande de quitter ta mission en Alaska pour venir t'occuper d'une classe au collège. Comment réagirais-tu ?

— Je demanderais pourquoi on me rappelle. Je voudrais savoir comment je pourrais être plus utile dans une classe que dans ma mission. Il faudrait que je comprenne. C'est normal, non ?

— Voilà ! m'a-t-il simplement répondu. Tu viens de donner la preuve que ta notion d'obéissance ne s'intègre pas facilement dans nos cadres rigides. Or, tu le sais, dans la communauté des jésuites, il faut toujours être prêt à suivre les directives qu'on nous donne, même si, parfois, on n'en comprend pas immédiatement les raisons.

Je devais avouer qu'il n'avait pas tort. Mais ça ne changeait rien. Qu'est-ce que j'allais devenir ?

— Je n'ai pas terminé mon cours classique et ce refus implique que je vais devoir aller ailleurs. Mais où ? lui ai-je demandé, désemparé.

— Tu pourrais aller au Collège Brébeuf ou à Sainte-Marie. Sans aucun problème. Tes notes sont excellentes et tu resterais ainsi avec les jésuites.

— Mais depuis des années je suis certain que je serai prêtre. Aujourd'hui, d'un seul coup, mon avenir s'écroule.

— Et puis quoi ? me répondit-il toujours avec un petit sourire. Tu ne te crois pas capable de rebondir ? Voilà ce que tu vas faire : nous allons faire en sorte que l'an prochain tu ailles dans un autre collège.

▲
Je suis retourné devant l'entrée du Collège Saint-Ignace qui a tellement marqué ma vie.

— S'il vous plaît, pas Brébeuf, ai-je plaidé, sans véritablement savoir ce qui ne m'intéressait pas dans ce collège.

— Sainte-Marie alors. Et de plus, pour cette année, comme tu
aimes le théâtre et que je crois que tu as du talent, je peux contacter certaines personnes et tu pourrais intégrer les Compagnons de
Saint-Laurent. C'est une excellente troupe de théâtre.

— D'accord, ai-je répondu.

Dans les faits, je crois que j'aurais accepté n'importe quelle
proposition pourvu que ça me permette de me sentir moins
seul et désorienté. Je m'y suis accroché comme à une bouée de
sauvetage, car j'avais besoin d'au moins tenter de me rebâtir une
vision d'avenir. Je suis resté encore plusieurs minutes avec le père
Laperrière. J'avais l'impression que mon cerveau roulait à plein
régime. Tout ce que je voyais à ce moment, c'est qu'en moins de
quelques heures, ce que j'avais espéré depuis des années devenait
impossible. Les six dernières années de ma vie avaient été
orientées dans cette seule direction : devenir jésuite et missionnaire. On venait de me dire que ça n'arriverait pas. Mon rêve
s'écroulait.

Chapitre
3

Le soleil de l'amour

D ire que les mois qui ont suivi cette nouvelle ont été difficiles serait un euphémisme. Savoir que je devais quitter Saint-Ignace à la fin de l'année me perturbait. J'y avais toutes mes habitudes, mais en plus, j'y étudiais, j'y avais mes amis, j'y travaillais depuis des années. C'étaient ma famille et ma maison qui s'y trouvaient. Mais la décision était irrévocable. Je devais passer à autre chose. Je savais parfaitement qu'il était impossible de revenir en arrière. Je savais aussi que les commentaires que le père Blondeau m'avait faits sur mes réticences ou mes difficultés à obéir étaient justes. C'est probablement à ce moment que j'ai appris que, dans la vie, il faut choisir ses batailles. Il était inimaginable que la communauté des jésuites assouplisse ses règles pour moi. Il était tout aussi impossible que je change suffisamment pour accepter des ordres sans les comprendre et exiger des explications. L'obéissance aveugle, ce n'était pas pour moi. Alors, effectivement, je devais passer à autre chose.

Mon inscription pour l'année suivante à Sainte-Marie n'a été, semble-t-il, qu'une formalité faite par les responsables de Saint-Ignace. Et le père Laperrière avait, comme il l'avait promis, pris les contacts avec les Compagnons de Saint-Laurent pour que je puisse faire partie de ce groupe de théâtre. Mon horaire à Saint-Ignace pour terminer l'année en cours avait été modifié pour me permettre de quitter plus tôt deux ou trois jours par semaine, soit vers 14 h 30, afin d'aller aux réunions des Compagnons de Saint-Laurent qui avaient leur local au coin de l'avenue De Lorimier et de la rue Sherbrooke.

J'y ai connu des gens extraordinaires, dont Yves Létourneau, Hélène Loiselle et Guy Hoffmann, cet acteur colossal qui a tant marqué le théâtre et la télévision au Québec. Guy était récemment arrivé à Montréal et s'était joint au groupe en 1949. Cet homme, comme tous les autres acteurs des Compagnons, m'a beaucoup enseigné. Je ne vous dirai certainement pas que j'étais de son calibre ou que j'avais son talent mais j'avais le goût d'apprendre. Nous faisions, entre autres, beaucoup d'improvisation. Un apprentissage formidable qui m'a servi plus tard. J'avais toujours aimé raconter des histoires et je savais, presque naturellement, attirer l'intérêt d'un auditoire. Toutefois, les conseils reçus et les techniques apprises alors m'ont permis de me sentir de plus en plus à l'aise. Bref, j'adorais ces séances. En montant sur scène, il y avait toujours l'adrénaline typique à ce genre de prestation. Nous sentions notre cerveau tourner au maximum, prêts à réagir à tous les pièges et à toutes les situations. Et pourtant, il n'y avait aucune gêne entre nous. Nous nous sentions libres de nous exprimer et de faire des erreurs, même en sachant que les autres se paieraient notre tête s'ils en avaient l'occasion, car tout était fait sans méchanceté et dans un climat de franche camaraderie. Oui, j'adorais littéralement ces moments.

Toutefois, parce qu'il y a un bémol dans cette histoire, mon expérience et mon intégration auprès des Compagnons ne se firent pas sans heurts. S'il y a une chose que mon père, ouvrier et travailleur, m'avait apprise, c'est l'importance de la ponctualité. Arriver à l'heure à l'usine n'était pas une option pour lui. C'était une seconde nature. Et ce respect, il me l'avait inculqué très tôt. D'ailleurs, pendant toutes mes années au Collège Saint-Ignace, ce respect de l'horaire faisait aussi partie de ma façon de vivre. Cette rigueur m'était essentielle pour arriver à faire tout ce que je devais faire chaque jour. Aujourd'hui encore, j'arrive toujours en avance à un rendez-vous et je perds souvent beaucoup de temps, car la personne que je dois rencontrer est très régulièrement en retard. Bref, tout ceci pour dire que, pour les responsables des Compagnons de Saint-Laurent, cette ponctualité était beaucoup plus élastique. J'irais même jusqu'à dire que l'heure n'était qu'un simple et vague point de repère qui donnait une idée approximative du moment marquant le début ou la fin d'une rencontre ou d'une pratique.

Et c'était particulièrement vrai pour les pères Houle et Legault (tout spécialement ce dernier) qui étaient directeurs des Compagnons et qui arrivaient régulièrement en retard d'une demi-heure ou plus à nos réunions. Je détestais ça à l'époque et je déteste toujours ça.

Il faut aussi comprendre que je continuais à étudier et à travailler de longues heures durant cette période. Ce n'est pas simplement parce que j'avais mauvais caractère que je n'aimais pas perdre mon temps. C'est parce que ce temps était calculé.

À partir du mois de mai, l'horaire des répétitions a changé et la plupart des rencontres des Compagnons ont débuté à 21 heures. Or, je me levais toujours très tôt le matin pour aller au collège, que je quittais en vitesse pour aller travailler au bureau de poste central dans le bas de la ville, un emploi que je m'étais décroché. Aussitôt que j'avais fini mes heures de travail, je sautais dans le tramway pour aller aux réunions des Compagnons qui étaient convoquées à 21 heures et qui duraient jusqu'à minuit, parfois plus tard. Un horaire serré et astreignant. Voilà pourquoi j'enrageais en voyant les deux dirigeants du groupe se pointer en retard pendant que tout le monde les attendait.

Or, quand l'été est arrivé et que les cours ont cessé, ça n'a pas été plus facile pour moi, car je cumulais (encore) deux emplois. Mon père avait réussi à me faire embaucher par une compagnie de construction qui faisait des travaux de rénovation aux usines Angus. J'y reviendrai, mais c'était physiquement très exigeant. Quand mon quart de travail était terminé, je passais à la maison pour prendre une douche et manger une bouchée pour partir aussitôt au bureau de poste où je faisais aussi 40 heures par semaine. Je devais garder ces deux emplois, surtout que j'allais désormais assumer seul tous mes frais de scolarité, de vêtements, de transport, etc. Donc, même si j'adorais faire du théâtre avec les Compagnons, même si j'appréciais énormément mes nouveaux amis, même si j'apprenais considérablement à leur contact, quitte à me répéter, ça m'enrageait littéralement d'arriver toujours à l'heure et d'avoir ensuite à attendre le père Legault ou le père Houle avant de commencer à répéter.

Un soir du mois de septembre où j'étais peut-être un peu plus fatigué que d'habitude, où j'avais encore réussi à arriver de justesse à l'heure pour la répétition et où je n'avais presque pas mangé faute de temps, je m'énervais en attendant le père Legault qui était, une fois de plus, en retard. Je me revois, un peu à l'écart, buvant mon cola en serrant les dents, impatient de commencer. Quand il est enfin arrivé, il a fait un commentaire imbécile sur je ne sais quel sujet. Honnêtement, je ne me souviens plus du commentaire. Était-il stupide ? Non ! Probablement seulement inapproprié. Impossible de m'en souvenir. Mais il m'a mis hors de moi. J'ai littéralement pété les plombs. Je sais très bien que ce n'est pas un grand signe de maturité et que la violence n'est jamais une réponse à un problème, et je ne suis pas particulièrement fier de ce que j'ai fait, mais, sans réfléchir, je lui ai lancé ma bouteille à la tête. Heureusement, je l'ai manqué. Cet événement a marqué la fin de mon passage chez les Compagnons. Aussitôt après, j'ai pris mes affaires, je suis sorti sans dire un mot et je ne me suis jamais plus rendu à une rencontre des Compagnons de Saint-Laurent. C'était terminé.

* * *

La fin de l'année scolaire à Saint-Ignace marquait une autre étape. Non seulement je ne serais pas prêtre jésuite, mais je ne serais pas prêtre du tout. Je devais me trouver d'autres objectifs. J'avais besoin de temps pour réfléchir. Cet été-là, les usines Angus procédaient à d'importants travaux de réfection. Il fallait, entre autres, refaire entièrement le toit du plus grand bâtiment de l'usine qu'on appelait le « locomotive shop ». Mon père avait réussi à me faire embaucher par la compagnie qui réalisait ces travaux, l'Anglin Norcross. Je suis devenu journalier.

La tâche était colossale puisqu'elle devait se faire sans interrompre le travail dans l'atelier géant. Donc, avant d'enlever le toit existant, il fallait, à l'intérieur, bâtir un faux toit temporaire. J'avais, comme plusieurs autres jeunes de mon âge, la tâche de monter et d'apporter les madriers pour le toit d'appoint que les menuisiers installaient. Les règles de sécurité, si elles n'étaient pas inexistantes, n'étaient pas les mêmes à cette époque. Nous nous promenions à près de 100 pieds dans les airs, transportant les madriers et le matériel indispensable à la construction. Et, bien entendu, aucun d'entre nous n'était attaché. Mais quand on a 18 ans, on est non seulement indestructible, on est aussi éternel.

Jusqu'à ce jour où un ami qui faisait le même boulot que moi a perdu pied. Il a fait une chute horrible pour s'écraser sur le plancher de ciment, 30 mètres plus bas, entre deux énormes machines. Je crois qu'il est mort sur le coup. Le choc a été terrible. Nous étions consternés. C'était la première fois que j'étais confronté à la mort. Régulièrement cette image me hante encore. Je revois le corps qui chute, le cri d'horreur du jeune, l'écrasement violent au sol, et la tache de sang qui s'étend autour du corps. Le travail a évidemment immédiatement cessé et nous avons été renvoyés chez nous. En rentrant, je me disais que la vie ne tient qu'à un fil qui est parfois bien ténu. Cette journée-là, j'ai compris qu'il fallait profiter de la vie. En profiter pleinement. Il faut jouir de tous les moments qui passent comme s'ils étaient les derniers, parce que tu ne sais jamais quand tu vas faire un faux mouvement et tomber du haut de ta poutre. Ce fut pour moi une grande leçon. Il faut vivre dans le présent, sans trop penser à hier sur lequel on n'a plus de prise ou à demain qu'on ne connaît pas encore. Et c'est ce que j'ai toujours tenté de faire par la suite : mordre à pleines dents dans la vie.

* * *

Mon arrivée au Collège Sainte-Marie a été moins pénible que mon entrée à Saint-Ignace. D'une part, je connaissais déjà cet établissement pour y avoir joué plusieurs fois à la crosse et, d'autre part, le cours classique n'était plus un facteur inconnu pour moi.

L'intégration était donc plus naturelle et facile. Le Collège Sainte-Marie, beaucoup plus grand que Saint-Ignace, était situé à l'angle des rues De Bleury et Sainte-Catherine. Il n'en reste aujourd'hui que l'église du Gesù puisque le collège a fermé ses portes en 1969 pour être intégré à l'Université du Québec à Montréal.

Mais à la fin des années 40, c'était un établissement reconnu qui avait acquis ses lettres de noblesse depuis plus de 100 ans. De grands hommes du Québec y ont été formés au fil des ans. La liste serait trop longue, mais on peut quand même signaler Émile Nelligan, Hubert Aquin et Paul Sauvé.

J'ai toujours adoré jouer à la crosse. Voici mon équipe durant la saison 1949-1950 au Collège Sainte-Marie.

1re rangée : Roy, Lalonde, Bertrand, Beaubien et moi. 2e rangée : Cusson, Sylvestre, Morin, Bouchard, Dubé, Tétrault et Pesant.

Il me restait donc deux années à compléter pour terminer mon cours classique : les philos 1 et 2. Et les classes des finissants étaient situées au sixième étage de l'édifice. Je m'y fis rapidement de nombreux amis dont plusieurs aimaient aussi le théâtre et se réunissaient à l'occasion pour répéter une pièce. Mon voisin de pupitre était Marcel Dubé, qui deviendra plus tard l'un des dramaturges parmi les plus connus et talentueux du Québec. Déjà à cette époque, Marcel écrivait continuellement des poèmes et pensait à l'écriture théâtrale. Par son intermédiaire, j'ai pu faire entre autres la rencontre de Suzanne Rivard (tante de Michel Rivard, l'auteur-compositeur-interprète) et de Raymond Lévesque, et je me suis bientôt intégré à leur petit groupe.

Cet été-là, grâce à l'expérience que j'avais acquise lors mon passage aux Compagnons de Saint-Laurent, je suis devenu membre de la troupe et nous avons monté *L'Arlésienne* de Bizet sur des textes d'Alphonse Daudet. C'était une nouveauté pour moi puisqu'il s'agit d'un opéra, qui allie donc le théâtre et la musique classique, deux domaines que j'appréciais de plus en plus. J'y tenais un tout petit rôle qui m'a permis de rencontrer l'immense Michelle Tisseyre, l'une des plus grandes dames de la scène. Nous avons répété presque toute l'année pour les représentations qui ont eu lieu au Collège Saint-Laurent.

L'année scolaire s'est bien déroulée. En fait, il n'y a pas grand-chose à dire sur ce qui se passait en classe. J'étudiais encore beaucoup et je réussissais bien, mais je n'avais plus cette flamme de performance qui m'avait animé au Collège Saint-Ignace. Je ne savais toujours pas quoi faire dans la vie et rien, à l'horizon, ne me stimulait, outre le théâtre.

* * *

Mais si rien de particulier ne m'est arrivé au niveau scolaire, il en allait autrement dans d'autres domaines. Ainsi, un soir, je suis allé retrouver Marcel Dubé chez lui pour discuter d'un de nos nombreux projets théâtraux. J'y ai fait la connaissance de ses frères, mais surtout de sa sœur Mariette. Et elle était très mignonne. Elle n'était pas très grande, mais avait de magnifiques yeux noirs comme ses cheveux. Elle était toute menue et délicate. En un mot comme en mille, elle était très agréable à regarder. Mais je ne connaissais toujours rien aux filles. Donc, même si je la trouvais jolie, j'ignorais comment faire pour aller plus loin et je ne savais même pas s'il y avait un plus loin.

Quelques semaines plus tard, Marcel m'a invité à aller à une fête avec des amis. Mais il fallait être accompagné et il savait que j'étais seul. Il m'a alors proposé d'en parler à sa sœur pour qu'elle puisse venir avec moi. Je n'en ai jamais été certain, mais je crois qu'il lui a alors expliqué que je n'avais pas l'habitude des filles et que je serais probablement maladroit. Ce qui était certainement une précaution indispensable à prendre. Bref, elle a accepté et c'est comme ça que je me suis retrouvé en très belle compagnie à cette fête. Nous avons dansé et passé toute la soirée ensemble. Difficile de vous dire comment je me sentais. Disons que j'étais très bien. Mais alors là, très bien ! J'étais un peu gêné, mais tout semblait naturel avec Mariette. Je me découvrais des sentiments que j'ignorais complètement. La fête a été merveilleuse. Quand, en fin de soirée, je l'ai raccompagnée chez elle, je crois que j'étais déjà amoureux.

Il faut comprendre que c'était la première fois que je sortais avec une fille. Voilà un domaine dans lequel j'étais à peine adolescent. Avec elle, le monde devenait soudain très beau. Pendant plusieurs semaines, nous nous sommes vus et nous sommes sortis tous les deux. Mais ne vous faites pas d'illusions. Se fréquenter à cette époque n'avait absolument rien en commun avec ce que les jeunes font aujourd'hui. Tout au plus nous tenions-nous la main quand nous étions ensemble. Et je ne me souviens pas de lui avoir donné un baiser. Peut-être parfois (très rarement) un petit bec sur la joue. Je ne sais pas si nous n'allions pas plus loin parce que je n'avais aucune expérience en ce domaine, ou si c'étaient les règles de cette époque au Québec. Je crois (enfin j'espère) que c'est cette deuxième hypothèse qu'il faut retenir.

Pendant quelques mois, nous nous sommes donc vus assez régulièrement et je sentais que je vivais un printemps magnifique. Puis, un jour, sans explication et sans avertissement, Mariette a décidé qu'elle me laissait. J'étais consterné. Mon monde s'écroulait de nouveau. Je vivais le difficile apprentissage de la vie que m'avait révélé *Le Grand Meaulnes* et que je ne comprenais pas à l'époque de ma lecture. Mes sentiments se bousculaient. Des sentiments que j'ignorais avoir. J'imagine que plusieurs d'entre vous se souviennent encore de l'immense détresse et du colossal chagrin qui vous écrasent quand vous vivez votre première peine d'amour. Voilà l'état dans lequel je me trouvais.

Il m'a fallu quelques jours pour reprendre pied. Puis, me suis-je dit, si c'est ça, l'amour et les filles... C'est fini. Je n'aimerai plus jamais. Ma décision était irrévocable. Ça faisait trop mal.

À peu près à la même époque, le père Houle, des Compagnons de Saint-Laurent, m'a contacté. Malgré ma sortie, disons mouvementée, de cette troupe, j'y avais toujours des amis et je n'étais pas en mauvais termes avec le père Houle. Il m'a appris qu'il comptait monter une pièce à grand déploiement pour l'été suivant. Il voulait présenter *La Passion*, qui mettrait en vedette Aimé Major et qui devait être présentée durant l'été à l'aréna du Collège Sainte-Croix, à Saint-Laurent. Il cherchait des acteurs pour y participer et voulait que je me joigne à la troupe. J'ai bien sûr accepté. Tout pour m'occuper l'esprit.

La pièce s'est montée pendant presque tout le printemps et je devais y tenir 6 ou 7 rôles. C'était vraiment une grande production. Il y avait beaucoup de gens impliqués. Je m'y suis fait plusieurs amis, dont Roland Morin qui était figurant. Je me souviens aussi parfaitement que Roland travaillait alors comme guide à l'oratoire Saint-Joseph et qu'il avait une copine du nom d'Alice Payant. Il y avait aussi un certain Hubert Filden Briggs (un tel nom, ça ne s'invente pas) qui était des nôtres et qui, lui, étudiait au Collège Brébeuf. J'ajouterai simplement ici, pour la petite histoire, qu'Hubert avait aussi une copine du nom de Céline Graton. Or, comme tout le monde était mis à contribution, les deux filles avaient accepté de vendre les programmes les soirs de spectacle. Bref, vint le moment où tout était prêt et les représentations ont commencé.

À ce moment, je travaillais encore énormément. Je me levais à 5 h 30 pour aller au chantier de construction des usines Angus et le soir, dès 17 heures, je me rendais au bureau de poste du centre-ville pour y travailler jusqu'à 19 h 30. Ensuite, je sautais dans le tramway et les autobus pour me rendre à l'aréna du Collège Sainte-Croix pour les représentations de *La Passion* qui débutaient à 20 h 30. C'était juste, mais j'y arrivais. Même si je n'ai jamais été un grand dormeur, inutile de préciser qu'avec un tel horaire, j'étais un peu fatigué.

J'avais d'ailleurs pris l'habitude, pendant les moments morts ou les entractes, avant ou même durant la représentation, d'aller prendre un peu de repos dans un coin discret. Un soir, quelques minutes avant de commencer la pièce, je dormais dans un petit coin tranquille quand quelqu'un m'est, presque littéralement, passé sur le corps. Je me suis réveillé en sursaut pour m'entendre dire :

— Vous m'avez fait peur...

— Vous aussi, ai-je répondu.

C'était Céline, Céline Graton, qui m'avait ainsi heurté. Je lui avais été présenté par Hubert et je savais donc parfaitement qui elle était. Nous nous voyions d'ailleurs assez régulièrement pour aller prendre un café après les répétitions ou les représentations car Hubert et moi étions assez proches. J'ai aussi appris plus tard que Céline ne m'appréciait pas énormément. Il faut dire que j'avais alors quelques fâcheuses habitudes comme celle de jouer avec la monnaie dans mes poches. Le genre de tic qui peut devenir très désagréable.

Mais moi, je ne pouvais m'empêcher de la trouver jolie. Toutefois, comme j'avais déjà fait un trait sur mes relations avec les filles et que, de plus, c'était la copine d'un ami, je n'avais aucun espoir ni même aucune pensée à son égard. Alors il n'y avait rien à ajouter. Ce soir-là pourtant, je me suis assis et j'ai sorti de ma poche une barre de chocolat (des Cherry Blossom pour être exact) que je gardais et qui me servait de souper. Je ne sais pas pourquoi, mais je lui ai offert ma friandise. Elle l'a prise et l'a mangée. Nous sommes restés comme ça quelques minutes, sans vraiment échanger, puis je suis parti, obligé de reprendre ma place pour l'un ou l'autre des rôles que je tenais dans la production. Nous ne nous sommes pas vraiment parlé ensuite pendant plusieurs semaines. Bien sûr, nous continuions à nous voir les soirs de représentation, mais sans plus.

À la fin de l'été, la pièce, qui a été très bien accueillie, soit dit en passant, s'est terminée et j'ai repris mes cours au collège. Ma dernière année du cours classique. Et je ne savais pas encore de quoi mon avenir serait fait. Notre petit groupe d'amis continuait à se voir assez régulièrement.

Un jour du mois d'octobre, Alice Payant, la petite amie de Roland Morin, s'est approchée pour me dire qu'elle souhaitait me présenter une de ses amies. Elle m'a alors expliqué que son copain était allé étudier à Toronto et qu'elle s'ennuyait. Le copain, c'était le fameux Hubert Filden Briggs qui avait laissé Brébeuf. Et la fille, c'était, bien entendu, Céline Graton. J'ai donc accepté de sortir avec Alice et Céline. Mais pas question d'y aller seul avec Céline. J'accompagnais Alice et j'étais prêt à jouer le jeu, mais je n'oubliais pas qu'Hubert était quand même un de mes amis et que, de toute façon, pour moi, les filles c'était terminé. Nous nous sommes donc donné rendez-vous le vendredi soir dans le centre-ville. J'y étais déjà depuis un moment quand les filles sont arrivées. Puis, après seulement quelques minutes, Alice nous a annoncé qu'elle devait nous quitter parce qu'elle avait une urgence. Sans nous laisser le temps de réagir, elle est partie. Je ne savais pas trop quoi faire, mais comme nous étions là et que nous avions prévu d'aller au cinéma, j'ai demandé à Céline si elle était toujours d'accord. C'est comme ça que nous sommes allés voir le film *Tea for two*, qui venait de sortir en cette année 1950 et qui mettait en vedette Doris Day. Une fois dans la salle, pendant le film, presque nonchalamment et inconsciemment, je lui ai pris la main. Elle m'a raconté par la suite qu'elle avait été estomaquée de ce geste, mais qu'elle n'avait pas osé bouger ou retirer sa main. C'était le genre de chose qui ne se faisait pas à cette époque, à moins, bien entendu, que la fille ne soit votre copine attitrée. Ce qui n'était absolument pas le cas. Je me souviens aussi d'avoir remarqué que Céline ne parlait pas pendant la projection. Elle était même étonnamment silencieuse. Là aussi j'ai appris par la suite qu'elle ne parlait pas anglais et comme le film était en version originale, elle n'a pas compris un traître mot. Voilà qui expliquait bien des choses, car Céline n'avait générale-ment pas la langue dans sa poche.

De mon côté, aussitôt que j'en avais la chance, je la regardais sans qu'elle s'en aperçoive. Mon Dieu qu'elle était belle. Avec ses cheveux bruns et bouclés, ses yeux doux et, surtout, un parfum bien particulier qui m'envoûtait. Juste pour vous dire, ce soir-là et par la suite, quand je la rencontrais, je ne me lavais plus les mains pour conserver cette odeur le plus longtemps possible.

Nous sommes ensuite allés prendre un café et, en tramway, je suis allé la reconduire chez elle. Nous avons parlé d'un peu de tout, mais surtout d'elle. Je voulais tout savoir. J'ai appris qu'elle était orpheline et qu'elle vivait à Outremont chez son frère Fernand, fondateur de l'orchestre symphonique des jeunes.

Je lui ai aussi parlé de moi, de ma vie et de ma famille. À un moment donné, je lui ai parlé de tante Titite qui m'avait orienté vers le Collège Saint-Ignace et le cours classique. Nous avons alors découvert (le monde est tellement petit) que sa tante était aussi religieuse et qu'elle avait occupé le poste de directrice de la prison des femmes avant que tante Titite y soit nommée. Toutes les deux étaient de la Congrégation des Sœurs Cloîtrées du Bon-Pasteur. De là à dire que nous étions faits pour nous rencontrer, il n'y avait qu'un pas à franchir, ce que j'ai fait allègrement.

Arrivés devant sa porte, je lui ai demandé si elle acceptait qu'on se revoie et si elle voulait bien me donner son numéro de téléphone. Ce qu'elle fit. En rentrant à la maison, je tenais ce petit papier entre mes mains, le cœur spécialement léger. J'étais heureux. Tout simplement.

Le lendemain, je me suis, comme d'habitude, rendu au bureau de poste pour travailler. Dans ma tête, tout était orienté vers ce coup de téléphone que je donnerais le soir, en arrivant à la maison. Il faut ici savoir que le travail au bureau de poste central était une tâche assez malpropre. Les colis et les lettres arrivaient de partout et j'étais assigné au premier tri. Comme il y avait énormément de poussière, j'enfilais toujours ma salopette, dans laquelle j'avais mis le fameux papier pour ne pas le perdre. Arriva donc ce qui devait arriver. J'ai oublié le petit papier dans ma salopette. Quand je m'en suis rendu compte, une fois arrivé à la maison, j'étais dévasté. Pourquoi ne l'avais-je donc pas appris par cœur ? Comment avais-je pu l'oublier là-bas ? Je ne pouvais même pas chercher le numéro dans l'annuaire téléphonique, car je ne connaissais pas le nom de son frère et je doutais qu'elle puisse avoir un numéro de téléphone à son nom. Il n'y avait rien à faire. Je ne le récupérerais pas avant le lendemain soir.

De son côté, Céline espérait aussi mon coup de fil. Je n'en savais rien à ce moment, mais elle avait même décidé de ne pas aller à un concert avec son frère, dans l'espoir que je la contacte. Vers 22 h 30, déçue, elle s'était finalement couchée et m'en voulait beaucoup.

Ai-je besoin de vous dire qu'en entrant au bureau de poste le lendemain, la première chose que j'ai faite a été d'aller chercher ce foutu papier et de me lancer sur le premier téléphone pour l'appeler ? J'ignorais qu'elle avait refusé une invitation la veille pour être présente lorsque je lui téléphonerais. Et même sans cela, j'étais très nerveux. Il fallait être un imbécile consommé pour perdre un numéro de téléphone. Je lui ai donc raconté la bêtise que j'avais faite et, étonnamment, elle m'a cru. J'étais soulagé au-delà de ce que je pourrais exprimer.

Céline et moi pendant nos fréquentations. Dieu qu'elle est belle !

Nous nous sommes reparlé à quelques occasions dans les jours qui ont suivi. Je sentais que ma décision d'exclure les filles de ma vie s'effritait inexorablement et de plus en plus rapidement. À la fin du mois d'octobre 1950, nous avons été invités à un party d'Halloween. Ce n'était pas alors une soirée costumée comme on en organise aujourd'hui. Il s'agissait davantage d'une soirée entre amis où nous dansions et nous amusions. Mais je n'avais d'yeux que pour Céline. Tout devenait extrêmement agréable quand j'étais avec elle. Ce soir-là, quand je suis allé la reconduire, probablement emporté par l'euphorie de la soirée, devant la porte, je l'ai embrassée sur le front. Elle m'a regardé, surprise, avec des yeux qui lançaient des éclairs, a replacé son petit chapeau et est entrée sans dire un mot. Je sentais que je venais de gaffer. Mon inexpérience des femmes et mon enthousiasme me jouaient des tours. En rentrant, j'ai cru que j'avais été trop loin et qu'elle refuserait qu'on se rencontre à l'avenir. Mais non ! Heureusement, Céline a accepté de me revoir. Et, honnêtement, à ce moment j'étais déjà follement amoureux, comme on peut l'être à 19 ans.

Nous avons donc continué de nous fréquenter. À Noël, Céline m'a invité chez son frère pour le souper. Je lui ai apporté un cadeau. Les disques de la 6e symphonie de Beethoven que j'aimais tellement. C'était la première fois que je faisais un cadeau à une fille et j'espérais secrètement qu'elle l'apprécierait, particulièrement la petite note très personnelle que j'avais écrite sur l'album (pour en avoir rediscuté beaucoup plus tard, il semble que cela a été le cas) [7].

Ce soir-là, pendant le souper, son frère a servi du vin. Une découverte pour moi. Jamais je n'avais pris de vin en mangeant. Jamais, en fait, n'avais-je même goûté à du vrai vin. Chez mes parents, ça ne se faisait pas. On prenait bien une bière à l'occasion et parfois, mais rarement, du vin Saint-Georges en gallon ou une bouteille de vin maison qu'un ami jardinier italien avait donnée à mon père. Le bon vin, c'était pour la haute société, pas pour les ouvriers. Or, franchement, j'ai adoré cela dès la première gorgée. Les Fêtes se sont passées aussi agréables et heureuses que vous pouvez l'imaginer.

Dans les premiers jours de janvier, j'ai téléphoné à Céline pour que nous sortions de nouveau. Or, cette fois-là, j'ai senti que sa voix était changée. Quelque chose s'était passé, je le devinais dans tout mon être. Puis, elle m'a expliqué qu'Hubert était en ville et qu'elle allait sortir avec lui. Je l'avais complètement oublié, celui-là. Une énorme bouffée de tristesse m'a envahi. Je crois avoir répondu que je comprenais et j'ai raccroché.

7   J'ai retrouvé cette fameuse note adressée à Céline. Quand je la lis maintenant, j'y vois toute ma naïveté de l'époque. Elle tient en quelques mots que voici : « À la petite Céline aux grands yeux clairs ». Je vous accorde qu'on est très loin de la grande poésie...

Les jours suivants ont été terribles. J'avais la mort dans l'âme. J'avais l'impression d'avoir servi de « bouche-trou » pour occuper et amuser « mademoiselle » en attendant le retour de l'autre. J'étais découragé. J'ai donc décidé de ne plus la rappeler. Je ne ferais pas les premiers pas. Si elle avait décidé de revoir Hubert, cela signifiait que c'était terminé entre nous. Je ne lui ferais certainement pas le plaisir d'insister. Mon cœur, mon orgueil, mon être entier étaient en pièces. Mais elle n'en saurait rien.

Si vous saviez comme j'ai pleuré pendant ces quelques jours. J'ai découvert que la deuxième peine d'amour n'est absolument pas plus facile que la première. Je peux vous l'assurer. Heureusement, la session d'hiver a enfin recommencé, ce qui m'a permis de penser à autre chose. Je ne savais (encore) pas quoi faire. J'ai donc été trouver le père Marcotte qui était mon professeur en philo 2. J'appréciais beaucoup le père Marcotte. Il avait bien 50 ou 55 ans, trapu et pas très grand, et j'avais toujours été proche de lui. Je me souviens qu'au premier trimestre, je suivais les cours de chimie. Or, à mon avis, et vous savez comment sont nuancées les opinions des jeunes adultes, le professeur, bien que jésuite, était un parfait crétin. Il était non seulement idiot, mais en plus, il réussissait à donner sa matière de la manière la plus soporifique possible. Tellement qu'un jour, exaspéré par sa façon d'être et d'enseigner, j'ai quitté sa classe pendant le cours. Je ne savais pas, cette fois-là encore, où aller et mes pas m'ont conduit vers le bureau du père Marcotte. Je lui ai expliqué que je trouvais ce professeur complètement « épais ». Il aurait pu me rabrouer, me faire la leçon ou je ne sais quoi parce que, finalement, c'était quand même un jésuite, un enseignant et un collègue du père Marcotte. Mais il avait trop d'honnêteté intellectuelle pour agir ainsi. Il m'a répondu : « Tu sais, Jean-Marc, quand un cave entre dans la Compagnie de Jésus, ça fait tout simplement un jésuite cave. Il n'y a pas de miracle. » Cette fois-là, en plus de comprendre cette leçon qui veut que l'on reste fondamentalement toute sa vie la même personne si on ne fait pas d'efforts pour se corriger, mon respect et ma confiance envers le père Marcotte se sont renforcés.

Il devenait donc normal, troublé comme je l'étais, de retourner le voir pour lui parler de ma peine.

— Comment ça va, Jean-Marc ? me dit-il avec un grand sourire en ouvrant sa porte.

Puis, voyant ma mine défaite, il m'a invité à entrer et a ajouté :

— Alors ça va aussi mal que ça ?

— Je ne sais vraiment pas quoi faire...

— Est-ce que ça aurait rapport avec une fille par hasard ?

— Je la connais depuis l'automne, lui ai-je répondu, la voix un peu tremblotante, et on a passé de très bons moments ensemble. On s'est vus presque tous les jours pendant le temps des Fêtes. Et là, son ancien « chum », ai-je presque craché, un de mes amis en plus, est revenu de Toronto. Et elle décide qu'on ne se voit plus. Elle me demande de la rappeler plus tard. Je ne sais pas trop quand. Je suis certain qu'elle a fait son choix pour l'autre. Alors pour moi, c'est fini. Je ne veux plus la voir, ai-je conclu, les yeux humides.

— Est-ce que je comprends bien que tu l'aimes ?

— Elle est si belle et intelligente. Elle sait rire et me faire rire. En tout cas, elle savait le faire. C'est un peu comme si j'avais découvert une perle, une perle extraordinaire... J'étais si bien avec elle... Mais aujourd'hui, c'est fini...

— Peut-être, Jean-Marc, que tu ne vois pas les choses sous la bonne perspective. Peut-être que tu te trompes...

— Comment vous pouvez me dire ça ? lui ai-je dit sur un ton que je voulais ferme, mais qui était, je le crains, plus proche de celui de quelqu'un qui cherche désespérément une solution.

— La ténacité, tu connais ?

— Ben oui, ai-je répondu, ne comprenant pas du tout ce que ça venait faire dans mon histoire.

— Parce que c'est comme ça qu'il faut être quand on tient à quelqu'un ou à quelque chose. TENACE. Quand tu as la chance de trouver une perle, une vraie, tu ne la laisses pas partir. Bats-toi pour elle, a-t-il ajouté. Alors voici ce que tu vas faire. Tu vas lui téléphoner. Tu vas même la voir. Mais tu restes distant. Comme si elle était seulement une amie parmi d'autres. Pas de « tenage » de main ;

pas de petits becs, pas de discussion sur des souvenirs ou des projets communs. Tu parles de météo, de l'école qui recommence, de n'importe quoi qui n'est pas personnel. Et regarde ce qui va arriver.

Vous dire que j'étais sceptique en sortant de son bureau serait en soi un euphémisme. J'avais une énorme confiance en cet homme, mais que connaissait-il des relations amoureuses ? Cependant, me suis-je dit, pourquoi ne pas tenter le coup ? Le soir même, j'ai téléphoné à Céline et j'ai appliqué le plan du père Marcotte à la lettre. Nous sommes allés prendre un café et je ne l'ai pas touchée, malgré l'envie furieuse que j'en avais. Je n'ai surtout pas pleuré ou été en colère, même si ces deux sentiments s'opposaient énergiquement dans ma tête. Je suis resté assez distant et froid, même quand elle m'a dit qu'Hubert était maintenant reparti et qu'il s'ennuyait à Toronto de ses amis d'ici. La soirée s'est passée, lente et terne. Elle m'a semblé probablement beaucoup plus longue qu'elle ne l'a été en réalité. Puis, finalement, j'ai été la reconduire chez elle où je l'ai laissée en lui disant que j'allais lui téléphoner dans les prochains jours. Et je me suis retourné sans un mot pour prendre le chemin du retour. Ça m'a pris toute ma volonté pour agir ainsi et ne pas revenir sur mes pas. Tout le long du chemin qui me ramenait à la maison, j'avais le cœur dans la gorge. Je me disais que, cette fois, c'était bien fini. Jamais elle ne voudrait me revoir. J'étais certain d'avoir trop refroidi le réacteur, si vous voulez me passer l'expression. J'avais tout fait pour lui faire comprendre qu'elle ne représentait plus rien pour moi. Je craignais vraiment d'avoir été trop bon dans mon rôle et qu'elle m'ait prise au mot.

Je lui ai retéléphoné deux jours plus tard. Je n'étais pas capable d'attendre plus longtemps. Sa voix m'a paru plus amicale. Elle m'a demandé si nous nous voyions ce soir-là. Et j'ai répondu « oui ». Je l'ai retrouvée chez elle et j'ai fait la rencontre de la belle-mère de son frère Fernand. Une femme assez extraordinaire et déterminée à laquelle peu de choses pouvaient échapper.

Oh, rien de spécial n'est arrivé. Ni ce soir-là ni plus tard. Nous avions besoin de nous réapprivoiser. Les semaines ont passé et le soir du 14 février, nous sommes encore sortis ensemble. Pour la première fois depuis les Fêtes, je lui ai apporté un cadeau. Un bouquet de roses. Mais nous n'étions pas un couple. Pas encore... Mais pas loin, je vous le jure !

* * *

Pendant ce temps, tout allait normalement au collège. En fait, presque tout. Un matin, pour me rendre en classe, qui était au sixième étage, je vous le rappelle, j'ai pris l'ascenseur. Nous y avions droit à l'occasion. Or, ce matin-là, un des étudiants qui étaient dans l'ascenseur bondé a commencé à chahuter et à sauter, ce que certains faisaient occasionnellement. Quelqu'un derrière moi lui a dit sèchement d'arrêter de faire ça. Sans me retourner, j'ai lancé spontanément : « Aie, calme-toi, le ti-cul. On va sortir dans une minute. Alors les nerfs, bonhomme... » Bon, ce n'était peut-être pas très diplomate, mais, entre étudiants, on se parlait souvent sur ce ton et avec ce genre d'expressions. Ce qui prouve bien qu'il y a des choses qui ne changent pas d'une génération à l'autre.

Sans me préoccuper davantage de la chose, je me suis rendu en classe. Quelques minutes plus tard, quelqu'un est venu me chercher en me disant que le recteur du collège, le père Paré, désirait me voir. Je n'avais aucune idée de ce qu'il me voulait. Je me suis néanmoins rendu à son bureau. Là, outre le recteur assis derrière son secrétaire, se trouvait celui qui, plus tôt dans l'ascenseur, avait demandé à l'étudiant d'arrêter de sauter. Je me suis rendu compte qu'il s'agissait d'un professeur qui enseignait aux plus jeunes dans le collège.

— C'est bien toi qui étais dans l'ascenseur ce matin ? m'a demandé le recteur.

— Oui, lui ai-je répondu.

— Est-ce que tu as sauté dans l'ascenseur ? a-t-il poursuivi.

— Non. C'était un autre étudiant près de moi.

— Quelqu'un lui a demandé de cesser et c'est toi qui as répondu ? Qu'est-ce que tu as dit ?

— Quelque chose comme d'arrêter de chialer.

— Tu n'aurais pas dit « ti-cul » ? a-t-il précisé.

— Oui... Peut-être, avais-je avoué.

— Eh bien, ça tombe mal pour toi, car nous avions déjà décidé de sévir contre les étudiants qui ne respectaient pas les consignes dans l'ascenseur. Alors je suis obligé de te dire que nous te mettons à la porte du collège.

— Mais ça n'a pas de bon sens. Je termine mon classique dans quelques semaines, ai-je plaidé.

— Trop tard. La décision est prise, tu es dehors.

— Mais qu'est-ce que je vais faire ?

— Tu peux toujours compléter ton cours à Brébeuf.

— Mais ça n'a pas de bon sens, ai-je encore répété.

— Il n'y a rien à ajouter. Tout est réglé. Tu peux rentrer immédiatement chez toi.

Il mettait ainsi fin non seulement à l'entrevue, mais aussi à mon séjour au Collège Sainte-Marie. J'étais abasourdi.

Je suis revenu à la maison, car je ne savais pas quoi faire d'autre. Ma mère qui m'a vu entrer à 11 h 30 m'a interrogé sur ce qui se passait. Je lui ai expliqué que je m'étais fait mettre dehors du collège. Et je lui ai raconté l'histoire.

— Et c'est tout, s'est-elle contentée de dire. Ils t'ont mis dehors parce que tu as dit « Ti-cul », s'est-elle indignée en anglais évidemment. Attends un peu, a-t-elle ajouté.

Elle a pris le téléphone et a contacté directement le recteur du collège. Elle s'est adressée à lui en anglais, lui demandant des explications. Puis, après quelques secondes, elle lui a dit que c'était injustifié comme réaction et comme décision. On va à la communion avec son « Ti-cul », a-t-elle précisé. Il n'y a rien de scandaleux là-dedans. Alors comme il me fallait une demi-heure pour me rendre au collège, elle lui a fait comprendre qu'elle attendait son appel avant midi trente pour confirmer que j'étais réintégré. Et elle a raccroché.

J'étais demeuré silencieux pendant tout cet échange. Je savais que ma mère avait un caractère déterminé et ne se laissait pas marcher sur les pieds, mais parler ainsi au recteur du collège... J'ai donc attendu en silence en dînant avec elle. Puis, à 12 h 30, le téléphone a sonné. Ma mère a décroché. La conversation n'a duré que quelques secondes. Quand elle a raccroché, elle m'a simplement dit que je retournais en classe pour les cours de l'après-midi. Que j'étais réintégré. Et elle a ajouté : « There's no free lunch, Johnny. You have to fight for it [8]. »

Elle venait encore de me faire la leçon. Rien n'est jamais fini. On peut toujours trouver une solution. Ma mère venait de m'apprendre que dans la vie, il faut prendre sa place et toujours être fier de ce qu'on est et de ce qu'on fait. Et qu'il faut se battre pour obtenir ce qu'on veut et conserver ce qu'on a. On peut admettre son erreur, mais on n'est pas une erreur.

* * *

Puis est arrivé le 4 mars. Une journée qui marque une vie. De façon indélébile. Profondément et pour toujours. Ce soir-là, j'étais chez Céline quand son frère, Fernand, nous a proposé des billets pour un spectacle de musique classique. Un concert donné par Paul Tortellier, un violoncelliste qui a longtemps été membre de l'Orchestre philarmonique de Berlin. Honnêtement, je dois vous avouer que je ne le connaissais pas. Mais Céline a toujours aimé la musique classique et appréciait spécialement le violoncelle. Il n'était donc pas question de refuser.

Après le souper, vers 19 heures, comme nous avions le temps, nous sommes partis, à pied, d'Outremont pour traverser la montagne et nous rendre à la représentation. Il faisait évidemment déjà noir, comme toujours à cette période de l'année. Une petite neige tombait doucement pour apporter un peu de magie à la nuit. Sur le sentier qui monte dans la montagne, près des installations pour le saut à skis, nous sommes arrivés à ce que nous appelions le « 100 pieds de la mort », une petite falaise d'une quarantaine de mètres qui offre une vue exceptionnelle sur la ville illuminée à nos pieds. Nous nous y sommes arrêtés pour reprendre notre souffle et contempler la splendide vue de Montréal. Nous n'avions pas besoin de parler. Tout était si beau, si paisible.

Parce que c'était probablement la seule chose à faire en un si beau moment, je me suis délicatement rapproché d'elle.

8 « Il n'y a pas de repas gratuit. Il faut se battre pour l'avoir. »

Doucement, je l'ai prise par les épaules, je l'ai regardée dans les yeux et je lui ai dit :

— Je sais que c'est long, mais si tu veux bien attendre la fin de mes études, nous pourrions nous marier... Si tu veux, ai-je ajouté.

— Oui, m'a-t-elle immédiatement répondu.

Et, pour la première fois, nous nous sommes embrassés. Avec une tendresse incroyable. À ce moment précis, nous avons scellé un pacte muet mais permanent. Nous serions ensemble pour la vie. J'avais 20 ans et elle en avait 18 !

Pendant plusieurs minutes ou plusieurs heures, nous sommes restés là, à l'abri du temps, dans une bulle isolée du monde, à nous regarder en nous tenant les mains. Dans cet éclairage unique des nuits de la fin d'un long hiver québécois, je la voyais si délicate et si forte à la fois. Elle était si belle que le grand émotif que je suis a laissé couler quelques larmes permettant d'évacuer le trop-plein du bonheur qui m'envahissait. J'étais heureux. Tout était enfin simple et merveilleux.

Est-il besoin de dire que nous ne nous sommes jamais rendus à ce fameux spectacle ? Lentement, nos pas nous ont ramenés à la maison de Fernand. Il devait bien être près de 23 heures quand je l'ai laissée à la porte de chez elle.

Le lendemain, quand je me suis éveillé, le monde avait changé. Je savais parfaitement et de façon inébranlable que nous serions deux pour la vie. L'engagement était scellé. Désormais, nous formions un couple. Comme un bon élève des jésuites, je n'avais pas fait une promesse, j'avais pris un engagement.

* * *

À la fin de l'année, il y a eu une soirée pour la remise des diplômes aux finissants du cours classique. Une cérémonie très protocolaire qui s'appelait « la collation des grades » et qui était très sérieuse, car ce diplôme, grâce à une entente entre les jésuites et l'Université de Montréal, était officiellement un baccalauréat ès arts. C'était donc un certificat qui avait et qui a toujours une grande importance. La cérémonie s'est passée au Théâtre Gesù. Nous étions appelés à tour de rôle sur la scène pour recevoir le certificat de fin d'études. Et là, dans cette petite salle, j'ai vu mes parents assis dans les premiers rangs et je les sentais fiers de leur fils. Ma mère, même si elle ne comprenait pas tout ce qui se disait, semblait rayonner.

Et, surtout, dans le fond de la salle, il y avait Céline. L'amour de ma vie.

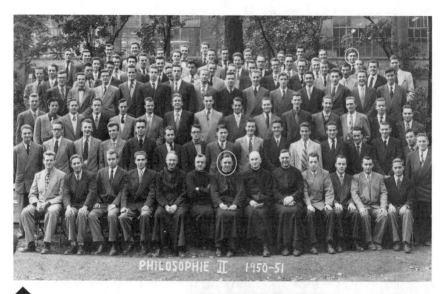

Photo des finissants en philo 2 au Collège Sainte-Marie, en 1951. Le père Marcotte, qui a été mon conseiller et mon confident, est au centre de la rangée du bas (7e à partir de la gauche). Quant à moi, je suis tout en haut, dans la dernière rangée, à l'extrême droite. Vous me reconnaissez?

Cette photo a été prise après la remise des diplômes à la fin du cours classique. Je l'ai toujours adorée. Elle me rappelle tant de bonheurs.

Chapitre

4

L'université

Certes, j'avais maintenant en poche mon diplôme d'études classiques. Ce qui en soi était une bonne chose pour un jeune qui, à la fin du primaire, ignorait tout de ce genre d'études. Et de plus, j'avais très bien réussi. Mais voilà, je n'avais aucune idée de la suite des choses. Rien ne me passionnait. Tout ce que je savais, c'était que je ne voulais pas être pris dans un carcan professionnel où une corporation quelconque déciderait de la façon dont je devrais agir.

L'été suivant ma graduation, j'ai encore travaillé aux usines Angus pour la même compagnie de construction et je continuais à temps partiel aux postes le soir et les fins de semaine. Or, je savais que je devrais bientôt faire un choix et, si je continuais à étudier, je devais décider du domaine et de l'endroit où j'entendais le faire. Mais comment faire ces choix ? Une seule chose était claire pour moi, si je voulais continuer mes études, l'université était la seule voie.

Comme je l'avais fait souvent dans le passé, je me suis tourné vers le père Marcotte pour faire le point. J'ai été le rencontrer en lui demandant s'il existait un livre dans lequel étaient énumérés et décrits les différents cours offerts par ces institutions. Il m'a procuré une brochure qui expliquait les rôles des différentes facultés et les cours qu'on y donnait. Il m'a expliqué que, techniquement, grâce à la qualité de mes résultats scolaires, presque toutes les options m'étaient offertes.

Facile à dire, mais comme rien ne me passionnait... Bref, je me suis donc mis à la tâche et j'ai fait l'étude du document. Avec tout le sérieux que je pouvais mettre à ce travail. J'ai alors commencé par établir certains critères. Entre autres, me connaissant, je me suis dit que la discipline que je devais choisir ne devait pas être régie par une corporation. Je savais pertinemment que j'avais beaucoup de difficultés à avoir des patrons ou des règles directrices établies par d'autres. J'ai donc procédé par élimination. Toutes les facultés menant à des corporations professionnelles ont été retirées des options. En conséquence, des possibilités comme la médecine, le droit et plusieurs autres ont été biffées. Au terme de cet élagage, il ne restait que deux facultés qui répondaient à mes critères.

La première était le département des sciences sociales. Toutefois, après analyse, je ne m'y sentais pas à l'aise. Tout m'apparaissait trop flou et peu porté vers l'action. La seconde faculté, et dernière sur ma liste, était l'École des hautes études commerciales (HEC). Je ne savais pas exactement de quoi il s'agissait, mais le cours durait trois ans et me semblait orienté vers le concret. De plus, la faculté était située, à l'époque, au coin des rues Saint-Hubert et Viger, donc plus facilement accessible pour moi. C'est comme ça que ma décision a été prise.

En fait, rien ne me destinait à cette voie plus qu'à une autre. Il n'y avait dans ma famille aucune tradition d'affaires, pas plus du côté de mon père que de celui de ma mère. Mais les HEC représentaient les seuls cours que je n'avais pas éliminés. Je m'y suis donc inscrit, et j'ai été accepté.

En septembre 1951, quand les cours ont commencé, j'ai découvert un petit collège. Presque intime. En première année, nous étions environ 80 ou 90 élèves, tous réunis dans la même classe. Les cours étaient ardus. Certains en particulier, comme celui intitulé « Sciences de l'économie », donné par François-Albert Anger qui avait la réputation d'être un professeur redoutable. Et comme il me fallait encore travailler de très nombreuses heures pour arriver à joindre les deux bouts et payer mes études, je devais trouver une façon d'étudier qui me permettrait de tout concilier. J'avais donc pris l'habitude, après les cours, de retranscrire toutes mes notes au propre et de vérifier, directement dans les manuels, les points qui me semblaient obscurs pour trouver les réponses. Et quand, malgré tout, un aspect me demeurait incompréhensible, je savais exactement quoi aller demander aux professeurs. En réécrivant toutes mes notes, je mémorisais, du même coup, toute la matière abordée pendant les cours, ce qui diminuait considérablement le temps d'étude et de révision. Le sort m'a favorisé à un autre égard. J'étais en effet l'un des rares élèves de ma promotion à être bilingue, or la plupart de nos volumes étaient en anglais et j'étais donc l'un des seuls à pouvoir lire les chapitres abordés en classe. Ce que je faisais toujours. De plus, je me suis rapidement rendu compte que les professeurs puisaient allègrement et directement dans ces volumes pour choisir les questions d'examen. Comme j'avais fait la plupart des exercices proposés dans ces manuels pour retranscrire mes notes, j'avais peu de problèmes lors des tests.

Ce qui a fait en sorte que j'ai très bien réussi mes cours de première année, même celui de M. Anger. J'ai aussi appris que j'aimais spécialement la comptabilité et l'administration. J'y voyais des choses très concrètes, et ça me plaisait beaucoup.

* * *

Pendant ce temps, avec Céline, la vie était belle et bonne. Nous nous voyions aussi souvent que mes horaires le permettaient. Elle travaillait alors pour une compagnie d'assurances et continuait à demeurer chez son frère qui avait déménagé d'Outremont vers un appartement du troisième étage d'un édifice du boulevard Saint-Joseph, près de l'avenue de l'Hôtel-de-Ville.

Son logement se trouvait sur la route que j'empruntais pour aller au bureau de poste de la rue Craig (qui est devenue la rue Saint-Antoine en 1976) et en revenir. Quand je finissais mon quart de travail, je lui donnais un coup de fil pour qu'elle soit à la fenêtre de sa chambre quand je passerais devant sa maison. Elle m'attendait et nous nous faisions des signes au moment où l'autobus arrivait devant chez elle. D'accord, ce n'était pas grand-chose, mais comme nous ne pouvions pas nous rencontrer souvent, sauf les fins de semaine, nous profitions de toutes les occasions pour nous voir. Même aussi brèves que celle du passage d'un autobus.

Cependant, je lui téléphonais aussi souvent que possible. Nous passions beaucoup de temps à parler. De tout et de rien. De l'avenir et de nos projets. Je me rappelle même lui avoir promis, qu'un jour, je lui achèterais un lave-vaisselle, une invention assez nouvelle et qui nous laisserait plus de temps pour faire autre chose que les tâches domestiques. Parfois, elle venait m'attendre à la sortie du bureau de poste. Nous revenions alors tous les deux et elle me quittait quand l'autobus arrivait à son arrêt.

Lorsque nous avions la chance d'être ensemble, nous écoutions de la musique classique. Et le plus souvent, quand nous sortions, c'était pour aller assister à un concert. Nous étions amoureux et c'était tout ce qui comptait.

Je l'emmenais à l'occasion à la maison. Or, entre Céline et mes parents, il y avait quelques accrochages. En vérité, au début, la relation a été assez froide. Mon père estimait que nous ne faisions pas partie de la même classe sociale. Il m'a dit un jour : « Si tu continues à sortir avec elle, tu vas ressembler à un quêteux monté à cheval. » Ce qui, pour lui, exprimait parfaitement la différence qui séparait nos deux mondes.

Ma mère aimait bien Céline, même si elle trouvait qu'elle ne tenait pas assez compte du protocole. Ma mère était, comment dire ? Assez conventionnelle ! Pour elle, il y avait un ensemble de vaisselle pour la semaine et un pour les jours de fêtes. Or, c'était le genre de détails qui laissaient Céline complètement indifférente.

À une certaine occasion, Céline a même rencontré la famille Reid. Je ne me souviens plus de ce qui nous réunissait, mais toute la parenté du côté de ma mère était à la maison. Voilà qui n'a certainement pas été le meilleur moment pour Céline qui ne parlait pas anglais.

Pour ma part, au cours de mes nombreuses visites chez elle, j'ai pu faire la connaissance de ses frères, sœurs, cousins et cousines, tantes et oncles. J'ai ainsi pu rencontrer son oncle Doris, le frère du père de Céline, qui s'était occupé de la succession au décès de ses parents. C'était lui qui avait dû s'arranger pour placer les enfants désormais orphelins. Oncle Doris était dentiste et avait, c'est le moins qu'on puisse dire, une grosse famille avec ses neuf enfants. Céline avait toujours été proche de ses cousins et cousines qu'elle voyait régulièrement. Parmi eux et elles, il y avait Françoise Graton, cette grande actrice québécoise. Françoise a été de la distribution de la célèbre « Famille Plouffe » qui a fait ses débuts à la télévision en 1953. C'est également elle qui a fondé, quelques années plus tard, la Nouvelle Compagnie Théâtrale au Gesù, qui est devenue par la suite le Théâtre Denise-Pelletier. C'est vous dire comme toute cette famille baignait dans le monde de la culture, ce qui était assez éloigné des priorités ouvrières que j'avais connues.

Oncle Doris habitait un nouveau quartier en développement à Mont-Royal. Une grande maison où Céline m'amenait parfois.

En somme, même si nous n'avions pas ce qu'il était convenu d'appeler « des fréquentations standards », nous menions une petite vie tranquille et heureuse consacrée entièrement aux études et au travail pour préparer notre mariage.

* * *

J'ai terminé ma première année aux HEC avec d'excellentes notes. Je n'étais certainement pas plus intelligent ou studieux que les autres, mais comme je parlais anglais et que je découvrais des matières qui me passionnaient, je réussissais bien.

L'été suivant, mon père m'a fait entrer aux usines Angus. Je ne travaillais plus en construction, mais bien pour les usines elles-mêmes, c'est-à-dire pour le Canadian Pacific Railways. J'étais dans la section où les rails étaient réhabilités. J'y ai appris que le passage des trains abîmait les rails mais presque seulement aux extrémités. Quand on décidait, quelque part en Amérique, de rénover des sections de voie, les rails usagés étaient rapportés dans mon département aux usines Angus. Là, à l'aide d'une immense scie à métal, les bouts trop usés étaient coupés, ce qui permettait de renvoyer les rails recyclés qui étaient alors installés de nouveau quelque part. Je travaillais à l'usine de 7 heures à 15 heures. Je revenais ensuite à pied à la maison familiale, sur la 17e avenue, près du boulevard Rosemont, où je prenais une douche, je me changeais et prenais une bouchée pour repartir vers le bureau de poste où je travaillais de 17 heures à 22 heures. Avec ce genre d'horaire, il était difficile de voir Céline régulière- ment. Mais nous avons toujours continué à nous parler au téléphone, aussi souvent que c'était possible, une habitude que nous avons conservée toute notre vie.

En septembre, les cours ont repris aux HEC. Plusieurs des élèves qui étaient là l'année précédente avaient abandonné ou changé de discipline. Nous n'étions plus qu'une soixantaine. La seconde année marquait aussi le moment de la spécialisation. Je me suis alors dirigé vers la comptabilité et non vers l'économie, un sujet qui m'ennuyait un peu.

C'est à cette époque, en discutant avec Céline, que nous nous sommes rendu compte qu'il devenait important d'afficher notre relation, mais nous ne savions pas comment y parvenir, jusqu'au jour où, en novembre 1952, j'ai appris que l'Université de Montréal offrait l'occasion à ses étudiants, lors de la messe de minuit, d'officialiser leur union par des fian- çailles communes. Nous avons sauté sur cette opportunité. Quelques jours plus tard, je me rendais au magasin Eaton où je me suis procuré une petite bague. Oh, il s'agissait de quelque chose de sobre et d'abordable. Mais c'était une belle bague ornée d'une perle qui me rappelait le moment où j'avais failli laisser passer mon trésor. Elle marquait aussi le premier lien concret, bien que symbolique, de ma relation avec Céline. Et c'est ainsi qu'avec une centaine d'autres couples, nous nous sommes fiancés aux Fêtes, dans le grand hall de l'Université de Montréal.

La cérémonie, et ce qu'elle représentait pour nous, marquait également une autre étape importante de notre vie et de notre union. Je me souviens d'avoir, plus tard, longuement discuté avec le comédien Marcel Leboeuf qui m'expliquait son voyage sur la route de Compostelle[9] en précisant qu'un peu partout il y a des haltes, des étapes, qui permettent de faire le point et de mieux repartir. J'ai souvent pensé que nos fiançailles ont été l'une de ces haltes dans ma vie. Un moment particulier pour recentrer et renforcer notre volonté d'aller plus loin et de continuer ensemble.

* * *

Toutefois, après cet engagement plus formel, l'envie de nous marier s'est avivée. Souvent nous en avons parlé dans les semaines qui ont suivi, notamment pour tenter de régler la question de la maison où nous pourrions vivre. Céline avait même suggéré que nous devenions concierges d'un édifice à logements. Cela nous aurait permis d'avoir un toit à bon prix, même s'il fallait faire des travaux dans l'immeuble. Mais malgré quelques tentatives, il était devenu évident que personne ne voulait avoir un concierge de 22 ans et son épouse d'à peine 20 ans.

Je me sentais un peu découragé. D'autant plus qu'en janvier 1953, avec la reprise des cours et du travail, nous réussissions à peine à nous voir. Et l'avenir ne s'annonçait pas plus facile. Céline avait encore déménagé et restait maintenant chez sa

---

9   La route de Compostelle est en fait un pèlerinage dont le but est d'atteindre le tombeau de l'apôtre Jacques qui est situé dans la cathédrale de Saint-Jacques de Compostelle en Espagne. Plusieurs chemins y mènent, dont quelques-uns partent de France. Les pèlerins s'y rendent à pied, à vélo ou par tout autre moyen de transport, mais généralement plusieurs étapes se font en marchant. Faire les routes de Compostelle à pied peut prendre plusieurs semaines, selon le point de départ et l'itinéraire choisi.

sœur Thérèse sur la rue Saint-Hubert près du boulevard Henri-Bourassa. Mais depuis quelque temps, Thérèse et son mari parlaient de s'acheter une maison dans le secteur de Saint-Lambert, sur la Rive-Sud de Montréal. Si jamais ils passaient aux actes, il me faudrait au moins une heure et demie juste pour me rendre chez Céline, ce qui était beaucoup trop. Si bien qu'un soir, j'ai dit à Céline qu'il vaudrait peut-être mieux nous laisser un peu. Tout au moins le temps que les choses se placent et que je termine mes études.

— Il n'en est pas question, m'a-t-elle répondu. Nous sommes deux et nous resterons deux, a-t-elle ajouté fermement.

— Dans ce cas, est-ce que tu veux m'épouser maintenant ? lui ai-je demandé.

— Oui !

Les choses évoluaient très vite. Et, malgré mes craintes, j'en étais très heureux.

Nous avons donc convenu de nous marier dans la paroisse où elle résidait à ce moment-là. Nous avons immédiatement contacté le presbytère pour qu'on puisse nous renseigner sur la façon de procéder. On nous a alors répondu que, considérant qu'il n'y avait pas de mariage durant le carême, il fallait plutôt songer à une date en avril, après la fête de Pâques.

— C'est trop tard, ai-je répondu. C'est impossible de trouver une date avant le carême ?

— La seule possibilité, c'est le 14 février, mais c'est dans quelques semaines seulement.

— Ce sera parfait.

Et c'est ainsi que nous nous sommes mariés le jour de la Saint-Valentin. J'aimerais pouvoir dire que c'était une volonté romantique de ma part, un choix judicieux et romanesque, témoi-gnage du grand amour que j'avais et que j'ai toujours pour Céline, mais ce n'est pas le cas.

Nous avions maintenant une date et une paroisse, il ne restait plus qu'à annoncer la nouvelle aux familles. Nous avons commencé par le dire à sa sœur et à son beau-frère qui étaient évidemment plus près de nous. Or, Jean Dostaler a considérablement refroidi notre enthousiasme. Jean était un homme de loi et de droit. Pour tout dire, Jean était notaire. Il connaissait très bien la situation légale de Céline qui vivait chez lui. Il savait qu'elle n'avait pas encore 21 ans et qu'elle n'était donc pas majeure [10]. Comme ses parents étaient décédés, elle ne pouvait pas se marier sans obtenir d'abord une autorisation. D'autant plus que, même s'il n'en a pas parlé ouvertement à l'époque, je savais qu'il nous trouvait trop jeunes. Céline n'était pas majeure, n'avait ni métier ni travail. Jean savait aussi que j'étais encore aux études et qu'il me restait au moins un an avant d'accéder au marché du travail. Il aurait certainement préféré que nous attendions quelques années avant de faire le saut. Il était clair qu'il aurait favorisé cette façon de faire. Mais nous étions décidés. Nous étions peut-être sans le sou et sans emploi, mais nous nous aimions et, tout en sachant que ce n'était pas une raison logique (ou peut-être était-ce plutôt la seule vraie raison de se marier), nous maintenions notre position et notre décision était irrévocable.

Jean nous a alors dit qu'il n'y avait qu'un moyen d'arriver à nos fins : convoquer un conseil de famille. C'était une condition *sine qua non*.

Puisqu'il n'y avait rien d'autre à faire, il fallait passer par cette formalité et réunir tous les frères et sœurs de Céline. Heureusement, sa sœur Marie, épouse de Pierre Harvey, venait de rentrer de Paris. Pierre, qui avait fait son cours et obtenu sa licence en sciences commerciales en 1948 aux HEC, s'était rendu dans la capitale française pour parfaire ses études. Son retour tombait donc à point et c'est dans leur résidence que, quelques jours plus tard, on devait tenir le fameux conseil de famille.

Entre-temps, nous avons aussi annoncé la nouvelle à ses autres parents, dont, principalement, à l'oncle Doris, qui était pratiquement le tuteur, au moins moral, de Céline. Je voulais lui demander officiellement la main de sa nièce. Il a assez mal pris la chose.

---

10 Le gouvernement québécois a fixé l'âge de la majorité à 18 ans en 1971.

Voici l'oncle Doris et sa femme, Hélène. C'est à lui que j'avais demandé la main de Céline.

— Ça n'a tout simplement pas de bon sens, nous a-t-il dit. Jean-Marc, tu es encore aux études et tu travailles presque à temps plein. Quand trouveras-tu le temps de t'occuper de ta femme ? D'autant plus, a-t-il poursuivi, que tu mets en danger autant tes études que ta famille en procédant trop vite.

— On va se débrouiller, lui ai-je répondu.

— Mais tu comprends que tu ne peux pas..., a-t-il plaidé.

Puis, semblant réfléchir à ce qu'il souhaitait m'expliquer, il a continué :

— Mets-toi à ma place. J'ai 60 ans, à peu près l'âge de ton père. Et je suis responsable de Céline. Elle est orpheline et a tout juste 20 ans. Et tu veux te marier avec elle, toi, un gars à peine plus vieux qui est aux études et qui n'a pas d'argent. Qu'est-ce que tu ferais à ma place ?

— Si j'étais à votre place, je me dirais probablement que le jeune en face de moi est un fou. Je sais très bien que ça a l'air insensé, lui ai-je répondu, mais c'est comme ça. Et, oncle Doris, ai-je continué, soyez assuré que pour nous, malgré les apparences, c'est pas pareil.

Voyant notre détermination, l'oncle Doris a conclu en disant : « Vous prenez un gros risque, mais..., a-t-il ajouté, souriant enfin, allez-y ! »

La nouvelle a été un peu mieux reçue par mes parents. En ce qui concerne mon père, le pacte que nous avions fait des années auparavant autour d'un verre de bière dans une petite taverne tenait toujours. C'était ma décision et ma responsabilité. Il l'acceptait. Évidemment, ma mère a un peu moins bien pris la chose. Pour elle, comme probablement pour toutes les mères, une fille, une étrangère, venait lui voler son fils, ce qui représentait (et représente toujours) un passage difficile. Mais globalement, ils étaient contents pour nous.

Le conseil de famille s'est réuni quelques jours plus tard en présence de Thérèse, Marie, Gilles et Fernand qui se sont ralliés rapidement à notre décision et un document officiel attestant leur consentement a été signé. Ce document a été joint au certificat de mariage et y est toujours.

* * *

Le 13 février au soir, tout était prêt. Nous avions opté pour une cérémonie assez intime et rapide. De toute façon, nous n'avions pas suffisamment d'argent pour faire autrement. Ce soir-là donc, j'étais assis dans la cuisine avec ma mère. Mon costume pour le lendemain était accroché à la patère, en parfait état. Ma mère y avait vu. Elle m'a alors demandé où étaient les fleurs pour les parents et les beaux-parents.

— Quelles fleurs ? ai-je répondu.

— Il faut des bouquets de corsage pour les mères. C'est comme ça. Tu dois avoir des fleurs.

— Et tu me dis ça maintenant. C'est le soir, maman. Je n'en trouverai jamais...

C'était le genre d'argument qui ne comptait pas pour ma mère. J'ai donc dû partir, parcourir la ville pour trouver ces fleurs un vendredi soir. Ce n'est que très tard que je suis finalement revenu, mais j'avais trouvé les fleurs.

Le lendemain matin, ma mère, mon père et moi sommes partis en taxi pour nous rendre à l'église Saint-Nicolas dans le quartier Ahuntsic. Comme je détestais être en retard, nous sommes arrivés au moins trois quarts d'heure avant la cérémonie, prévue pour 9 heures. Une quarantaine d'invités devaient participer au mariage et avaient été conviés à se rendre chez Thérèse, la sœur de Céline, pour les noces. Vers 8 h 50, je me suis installé à ma place, tout en avant dans l'église, en attendant mon Amour. Mais que faisait-elle ? Le temps passait à la vitesse d'un escargot somnolent. 9 heures... 9 h 05... 9 h 10 et toujours pas de Céline. Je me suis mis à douter. Avait-elle décidé que ce mariage n'était pas une bonne chose ? Que nous devrions attendre quelques mois ou quelques années ? Mais que se passait-il donc ?

En fait, Céline n'a jamais remis en question notre union. Elle était d'ailleurs déjà dans l'église, légèrement en retrait tout en arrière, et m'observait secrètement, sans que je le sache, se doutant bien que j'étais dans tous mes états. Mais elle attendait elle aussi. Elle attendait l'arrivée de son frère Fernand qui devait jouer à l'orgue la musique que nous avions choisie pour que Céline fasse son entrée. Or, Fernand n'a jamais été reconnu pour sa ponctualité.

Puis, alors que je ne savais plus du tout comment me tenir ni quoi penser, la musique s'est fait entendre : *Air sur la corde de sol de Bach*. Une musique extraordinaire que j'ai toujours adorée du plus profond de mon cœur et qui éveille encore en moi de merveilleux souvenirs. Et Céline est entrée. Magnifique comme un ange. Si la chose était possible, je dirais qu'elle était encore plus belle. En s'approchant de l'autel, elle me regardait en souriant. J'étais profondément ému et tellement amoureux qu'il n'y avait aucun doute dans mon esprit sur le bien-fondé de ce que nous allions faire. Nous allions nous marier pour la vie. Faire autrement aurait été inimaginable.

Je ne me souviens pas très bien de la cérémonie elle-même. Je pense que j'ai regardé Céline tout le temps, incapable de détacher mon regard d'elle. Il semble toutefois, enfin c'est ce qu'on m'a raconté par la suite, qu'effectivement je ne réagissais pas beaucoup pendant la messe. Sauf quand le prêtre m'a posé la célèbre question à laquelle j'aurais répondu par un « OUI » tonitruant et déterminé.

▲
Après notre mariage sur le parvis de l'église le 14 février 1953. 1re rangée : Louise Chaput (ma sœur), Gladys et Robert Chaput, moi et Céline, Joseph et Guilhémine Graton. 2e rangée : Gertrude Reid, Mable Reid, Juliette Reid, Alice Payant, Lucie Graton et Marie Harvey. 3e rangée : Gabrielle Chaput, Géraldine Reid, Louise Champagne, Marcelle Graton et Thérèse Dostaler. 4e rangée : Gordon Reid, Jean Dostaler, Hélène Graton, Fernand Graton, Louise Graton, Doris Graton et Azarie Chaput. J'espère que vous avez remarqué les bouquets de corsage de ma mère et de Guilhémine !

◀ Et nous voici, heureux nouveaux mariés devant l'église Saint-Nicolas d'Ahuntsic.

Ensuite, il y a eu les photos traditionnelles, puis nous nous sommes tous rendus chez Thérèse pour célébrer l'événement. Nos deux familles y assistaient. Pas seulement les frères, sœurs, tantes et oncles de Céline, mais aussi ceux de ma famille, dont les sœurs anglophones de ma mère. Je ne crois pas qu'il y ait eu par la suite une réunion aussi importante des Chaput-Graton. La seule autre personne présente était un de mes amis des HEC, Jean-Louis Lord, qui avait proposé de nous conduire avec sa voiture pour notre voyage de noces. Un des oncles de Céline, Lucien Pinoteau, un frère de sa mère, possédait un établissement à Mont-Tremblant, le Manoir Pinoteau, et il nous avait offert un séjour pour souligner cette grande occasion.

Quel merveilleux endroit ! Un hôtel très chic que fréquentaient beaucoup d'Américains. Il faut dire que c'était l'un des rares endroits où l'on servait de l'alcool fin et haut de gamme. Nous avions l'occasion d'y passer une semaine entière. C'est donc ainsi qu'en fin d'après-midi, M. et Mme Jean-Marc Chaput ont été débarqués à l'hôtel. Nous avons été reçus par Gilles Graton, l'un des frères de Céline, qui était le gérant et qui nous a même payé une bouteille de vin pendant le souper. Il nous a ensuite invités à aller prendre le café chez lui, dans une belle maison près de l'hôtel.

Nous avons discuté toute la soirée, comme si la vie entière nous appartenait et que rien ne nous pressait. En fait, je sais très bien ce qui nous retenait. J'étais probablement un peu inquiet et anxieux à l'idée de me retrouver seul avec Céline. Et je crois bien qu'elle pensait la même chose.

Vers minuit, Andrée, la femme de Gilles, nous a gentiment dit en souriant : « Vous savez, quand nous nous sommes mariés, Gilles et moi, nous étions comme vous, nous tardions à rentrer... » J'étais un peu gêné et nous avons souri à notre tour. J'avais alors réalisé que, sciemment, nous étirions la soirée. Céline et moi nous sommes donc éclipsés pour nous rendre à notre chambre. Je ne dévoilerai certainement pas ici les détails trop personnels. Je peux seulement vous dire que la nuit a été merveilleuse, que nous n'avons pas beaucoup dormi et que nous avons été régulièrement pris de fous rires. Des rires de joie et de naïveté. Mon Dieu que c'était beau !

Le Manoir Pinoteau à Mont-Tremblant où nous avons fait notre voyage de noces

Je pense encore souvent à cette nuit extraordinaire. Et, la plupart du temps, une pointe de tristesse m'envahit quand je vois les jeunes d'aujourd'hui. Je sais pertinemment que je fais un peu vieux jeu et que les relations de couple ont profondément changé. Mais quand j'entends des jeunes parler de « fuck friends » (pardonnez-moi l'expression, mais elle n'est pas de moi), je trouve qu'ils passent à côté de quelque chose d'inouï et de fantastique. Ma nuit de noces a été un moment vraiment privilégié. Un moment d'innocence et de candeur qui nous faisait découvrir non seulement la vie, mais notre partenaire, et tout ça dans la certitude que nous étions ensemble pour toujours. Mais voilà ! Rien ne sert d'être nostalgique et je ne veux surtout pas me montrer moraliste. La société a changé et il faut suivre les règles. Je veux simplement souligner que je ne regrette absolument pas l'expérience que j'ai vécue. Bien au contraire.

Alors cela dit, nous avons passé une excellente nuit. Au matin, pour le déjeuner, comme pour le reste de l'hôtel, tout était très « classe ». Les serveurs étaient aux petits soins pour nous. Si je me rappelle bien, j'ai pris du hareng fumé et j'ai adoré ça. Céline, alors que nous faisions ensuite une promenade, m'a fait remarquer qu'en présence du personnel, je prenais un accent un peu snob. Comme si je voulais m'ajuster à ce que vivait quotidiennement la haute société. Comme si je voulais leur montrer que j'en faisais aussi partie. Elle avait certainement raison, mais j'étais intimidé et ce fut ma façon de faire face à cette nouvelle réalité.

Le reste de la journée a été consacré à admirer ces paysages des Laurentides et à visiter certains établissements du coin, tout en nous promenant lentement, la main dans la main.

En m'éveillant le lendemain, j'ai regardé Céline, toujours aussi belle, et je lui ai dit : « Tu vois, ce matin c'est lundi, mes collègues des HEC sont en classe. Moi, je suis ici, en vacances avec ma femme. On est ensemble pour la vie. »

* * *

Une semaine, ça passe très vite et il nous a bien fallu revenir. Or, nous n'avions pas véritablement songé à ce qui nous arriverait au retour. Nous n'avions pas d'endroit où aller. Pendant les deux ou trois premières semaines, nous sommes restés dans ma chambre, chez mes parents. Nous avons ensuite trouvé un tout petit logement dans la rue Darlington, à Côte-des-Neiges. C'était minuscule, mais c'était chez nous. Notre première maison. En fait, c'était plus une chambre qu'un logement. La toilette, comme le bain, étaient au bout du corridor. La pièce était tellement petite qu'il fallait ranger le lit pour monter la table. Nos armoires étaient, en réalité, des caisses d'oranges. C'était, pour le moins, très rudimentaire.

Nous étions mariés depuis quoi ? Moins de deux mois ? Et Céline n'avait pas eu ses dernières règles. Cela ne pouvait avoir qu'une signification : j'allais être père.

Je me revois encore, le soir au coucher du soleil, regardant par la fenêtre, réfléchissant à cette nouvelle. Un train laissait entendre son cri langoureux. Je réalisais alors l'immensité de ce qui m'arrivait. J'avais une femme et nous allions bientôt avoir un enfant. Je me suis mis à pleurer.

— Tu n'es pas heureux ? m'a demandé Céline.

— Non, au contraire ! Mais je me rends compte que c'est moi qui suis le responsable. Je suis responsable de toi et de notre enfant à venir.

— Ne t'inquiète pas, m'a-t-elle dit en me prenant les mains. Nous sommes deux et nous allons traverser les obstacles ensemble. On sera toujours ensemble pour faire face à la vie.

Comme c'était sage, et cela s'est avéré juste. Quand je vous disais qu'elle est merveilleuse !

Pendant ce temps, sa sœur Thérèse et son mari avaient trouvé une nouvelle maison à Laval, près de la rivière des Prairies et de la voie ferrée. Elle occupait le rez-de-chaussée et louait le second à sa sœur Marie. Elle nous a proposé d'occuper un petit appartement au sous-sol. Nous y avons déménagé aussitôt que possible, transportant tous nos biens en un seul voyage.

* * *

L'année scolaire s'est poursuivie. J'étais le seul élève marié de ma classe et, en plus, j'attendais un enfant. Que de responsabilités. Je réalise que l'argent revient souvent dans mes contraintes de vie. En y repensant, je dois admettre que c'était une préoccupation majeure pour moi. Peut-être parce que je venais d'une famille ouvrière où l'argent était toujours assez rare, même si nous n'en manquions pas ; peut-être parce que j'ai connu des moments difficiles lors de la grande crise des années 30 ; peut-être parce que j'ai dû, très tôt dans la vie, assumer des responsabilités monétaires ; peut-être simplement parce que j'ai un caractère ou une personnalité qui font que je suis toujours incertain financièrement ; ou encore était-ce l'ensemble de ces raisons, je n'en sais rien. Mais l'argent a souvent pris une place importante dans ma vie et c'est pourquoi je travaillais tant. Pour joindre les deux bouts et faire face à cette insécurité.

Alors que se terminait l'année scolaire, je pensais déjà aux emplois que j'occuperais l'été suivant. Je me suis donc arrangé pour retourner aux usines Angus, j'ai également conservé mon travail au bureau de poste et je me suis trouvé un nouvel emploi en comptabilité. Avant l'été toutefois, Céline nous a fait une belle frousse. Elle a eu ce qu'on appelle des « pertes ». Elle a dû rester couchée pour le bien du bébé, menacée qu'elle était d'une fausse couche. Je dois vous dire que je ne connais pas la maladie. J'ai très rarement été malade. Je ne savais donc, pas plus à l'époque qu'aujourd'hui d'ailleurs, comment y faire face. De voir Céline ainsi alitée me rendait extrêmement nerveux. Je passais le plus de temps possible avec elle. J'étais moins assidu aux cours, mais j'étudiais quand même en restant à la maison, près d'elle, pour tenter de l'aider. Est-ce que ça l'a aidée vraiment que je sois là ? Difficile à dire. Ce qui était certain toutefois, c'était que je ne pouvais la laisser. Il est aussi certain que je n'ai pas réellement progressé pendant ce temps. Mon esprit était trop préoccupé. Malgré tout, j'ai réussi haut la main les examens. Tellement que, pendant un certain temps, je me suis même demandé si c'était vraiment utile d'étudier autant que je le faisais.

Bientôt, les « pertes » ont cessé et Céline s'est mise à grossir. Son état de santé s'améliorait considérablement et l'été s'est passé allègrement. Dans le cadre de nos cours, l'été précédant notre dernière année de scolarité marquait aussi le moment où il fallait déterminer le sujet de notre thèse. J'y pensais beaucoup pendant ces quelques mois. Puis, j'ai eu une révélation. Encore là, je crois que ma situation unique parmi les élèves des HEC y est pour quelque chose. J'étais face à une réalité que les autres étudiants ne connaissaient pas. J'avais une femme. Une femme qui ne travaillait pas parce qu'elle était enceinte, mais une femme qui pouvait travailler et qui l'avait déjà fait. Il m'est alors apparu que, au cours des années précédentes, à cause de la guerre principalement, le rôle des femmes dans la société avait changé et je me suis demandé si cela affecterait la société québécoise. C'est à partir de cette idée que j'ai élaboré un projet que je suis allé présenter à mon directeur de thèse, Pierre Harvey. (Oui, il s'agissait bien de mon beau-frère qui enseignait aux HEC. Il y a d'ailleurs enseigné pendant 30 ans.) Le titre de mon mémoire était « Le travail de la femme dans les manufactures québécoises ».

J'ai besogné avec acharnement sur ce dossier. J'ai puisé beaucoup de mes informations de base dans les statistiques gouvernementales et dans divers sondages réalisés à l'époque. Et je ne suis pas le seul à avoir contribué à écrire ce mémoire. Céline y a aussi travaillé, dactylographiant les 170 pages du document durant l'automne alors qu'elle était enceinte jusqu'au cou. Et, pour les jeunes, j'attire votre attention sur le fait qu'il n'y avait pas alors d'ordinateur ni de logiciel de traitement de texte. Quand on faisait une erreur de frappe avec la dactylo, il ne suffisait pas de reculer le curseur et de recommencer. Il fallait bouger la feuille sur le chariot, effacer la faute manuellement et reprendre. C'était long, délicat et souvent pénible. Mais Céline a parfaitement fait ce travail, m'aidant de plus à peaufiner tel ou tel passage et critiquant, à l'occasion, certaines conclusions ou certains raisonnements.

Les résultats m'ont étonné moi-même. J'y ai découvert des choses qui, si elles semblent courantes aujourd'hui, étaient surprenantes dans les années 50.

Ainsi, j'arrivai à la conclusion que les femmes devenaient de plus en plus instruites, que leur éducation devenait une valeur importante à leurs yeux et qu'elles envahiraient dans l'avenir, grâce à leur scolarisation, des domaines où elles étaient alors absentes. J'ai aussi pu extrapoler que, puisque les femmes prendraient de plus en plus de place dans le monde de l'emploi, les familles deviendraient graduellement de plus en plus petites. L'autre corollaire de cette constatation était le suivant : comme les femmes seraient moins souvent et longtemps à la maison car elles travailleraient à l'extérieur, la société aurait besoin d'offrir de nouveaux services, comme des garderies pour faire face aux obligations familiales. Voilà qui était troublant pour l'époque.

Quoi qu'il en soit, grâce à Céline, j'ai pu déposer ma thèse peu avant les Fêtes et je l'ai défendue, avec succès, en mars 1954.

* * *

Comme je l'ai expliqué plus tôt, nous vivions alors à Laval-des-Rapides. Une belle et grande maison, située au 292, boulevard des Prairies et entourée d'un immense terrain qui avait auparavant appartenu à une communauté religieuse.

Notre déménagement dans cette maison avait marqué une nette amélioration de notre situation. Bien sûr, le train passait très près de notre fenêtre, mais les trains avaient toujours fait partie de mon univers. Quand votre père a travaillé toute sa vie aux ateliers Angus, on connaît les trains sous toutes les coutures. Il y avait aussi la rivière tout à côté. Nous allions souvent nous promener au bord de l'eau et cela demeure l'un des plus beaux endroits que j'ai connus.

Après les problèmes de grossesse de Céline, tout s'est replacé et l'attente de notre premier bébé se faisait dans la joie. Quand est arrivé novembre, Céline sentait que le moment approchait. Elle a eu ses premières contractions. Ma mère se faisait un sang d'encre. Elle n'était pas inquiète pour la santé de Céline. De ce côté, tout allait bien, mais elle était préoccupée par la date de l'accouchement. Pour elle, il était important, essentiel en fait, que la naissance n'ait pas lieu avant le 14 novembre. Sinon, avec les mentalités de l'époque, plusieurs auraient pu croire que nous nous étions mariés « obligés », ce qui était inadmissible. Je ne sais pas si cette pression additionnelle de ma mère y a été pour quelque chose, mais les contractions de Céline ont aussitôt arrêté. J'étais, pour ma part, bien loin de m'inquiéter de ces commérages. Je savais parfaitement comment les choses s'étaient passées.

Toujours est-il que le 17 novembre, Céline a commencé à sentir ses vraies contractions et nous sommes partis pour l'hôpital de la Miséricorde qui était situé au 1051, rue Saint-Hubert, pas très loin de l'École des HEC. Cet hôpital était reconnu pour son centre de maternité et pour la qualité des soins qu'on y prodiguait. Il a fait place, en 1975, au centre hospitalier Jacques-Viger consacré aux soins de longue durée.

Bref, nous sommes partis de Laval pour nous rendre à l'hôpital. Je peux difficilement vous expliquer à quel point j'étais nerveux. Bien plus que Céline, je crois. En tout cas, dans mon souvenir, elle était considérablement plus calme que je ne l'étais. À cette époque, les pères n'assistaient pas aux accouchements. D'ailleurs, très rares étaient les femmes qui accouchaient naturellement. La césarienne n'était pas vraiment optionnelle. Céline était l'une des rares à insister pour accoucher de façon naturelle. J'ai donc pris mon mal en patience et j'ai attendu dans la salle du même nom. Je m'étais apporté des choses à étudier en prévision des examens de fin de session. Mais je me suis vite rendu compte que j'étais beaucoup trop nerveux pour apprendre quoi que ce soit en comptabilité ou en statistiques. J'ai donc, comme des centaines d'autres pères avant et après moi, fait les cent pas, espérant que tout irait bien. Il est toujours étonnant de constater que les pères n'étaient alors que des accessoires pendant les accouchements. Nous pouvions nous ronger les ongles jusqu'aux coudes, personne ne nous prêtait attention.

Mais quand on est finalement venu m'annoncer la naissance de mon fils, je peux vous dire que j'ai été transporté de bonheur et de fierté. Ça a été l'un des très grands moments de ma vie. J'ai enfin pu aller voir Céline et mon fils, Patrick, et je crois bien que j'ai encore versé quelques larmes.

Les semaines suivantes ont été extraordinaires. J'avais complété ma thèse et je passais pas mal de temps à la maison. Enfin, plus que d'habitude. Patrick était un bébé formidable. Calme et en santé, il dormait beaucoup et n'a pas été difficile.

Mais son arrivée ravivait mon sens des responsabilités et mon besoin de travailler pour apporter de l'argent et subvenir aux nécessités de ma famille. Or, c'était durant la dernière session à l'Université que des employeurs venaient rencontrer d'éventuels candidats. Heureusement, j'avais d'excellentes notes et j'espérais bien que des opportunités s'offrent à moi. Au printemps, la compagnie Shell m'a fait une proposition alléchante : aller travailler pour eux au salaire de 5200 $ par année, soit 100 $ par semaine. Une offre généreuse.

Pendant que j'y réfléchissais, le directeur des HEC, Esdras Minville, a souhaité me rencontrer. Minville n'était pas n'importe qui. Économiste de premier plan, doublé d'un sociologue averti, il fut le doyen de la faculté des sciences sociales de l'Université de Montréal avant de devenir le premier Canadien français directeur de l'École des HEC. Pas le genre de personne à se déplacer pour rien, même s'il était très près de ses étudiants. Esdras Minville était accompagné de Roger Charbonneau, directeur du département de marketing, alors une nouvelle option en administration. Les deux hommes sont donc venus me voir pour savoir si je voulais enseigner aux HEC. Le salaire qu'ils m'offraient était de 2330 $ par année, moins de 50 $ par semaine. C'était le salaire le plus bas offert parmi tous les finissants cette année-là !

J'en ai discuté avec Céline et j'y ai aussi beaucoup réfléchi de mon côté pour finalement accepter d'être professeur en administration. Encore ici, on voit bien le certain illogisme qui m'anime. D'un côté, je souffre d'insécurité financière, mais d'un autre, j'ai toujours respecté et suivi mes goûts et ce que me dictait mon instinct. Je n'avais pas été logique du tout lorsque j'avais pris la décision de me marier. Pourtant, cette décision, je ne l'ai jamais regrettée. Cette fois encore, j'allais faire à ma tête... C'est ainsi que, dès l'automne 1954, j'ai commencé à enseigner à l'École des hautes études commerciales.

Chapitre
5

Boston

J'ai profité de l'été 1954 pour préparer les cours que je devais donner quelques mois plus tard. Je souhaitais que le contenu soit intéressant et vivant, ce qui m'avait donné l'idée de tenter d'intégrer, aussi souvent que possible, une histoire vraie ou inventée pour expliquer la matière. Je savais, par expérience, que certains concepts d'administration et de comptabilité pouvaient être particulièrement ennuyants. J'avais décidé de faire appel à ce que j'avais appris en théâtre et à mes talents de conteur pour enseigner. La partie n'était pas gagnée d'avance, mais je tenais à explorer cette voie.

C'est aussi à cette période que j'ai commencé à travailler pour une entreprise appartenant à Roger Charbonneau. En plus de ses fonctions de professeur aux HEC, il avait, avec deux partenaires, David-Armand Gourd et son frère Jean-Joffre, mis sur pied une compagnie, Administration et Finance Inc., qui s'occupait essentiellement de la tenue de livres et de la comptabilité de quatre autres entreprises, dont trois étaient situées en Abitibi : Radio-Nord Inc., qui regroupait quatre stations radiophoniques à Rouyn, Val-d'Or, Amos et La Sarre ; le Rouyn-Noranda Press, une imprimerie qui possédait aussi le seul journal anglophone d'Abitibi et, finalement, le magasin général D. Gourd et fils à Amos. Ces compagnies appartenaient, en totalité ou en partie, à la famille Gourd, dont les deux fils étaient les partenaires de Roger Charbonneau. La dernière entreprise dont Administration et Finance faisait la comptabilité appartenait exclusivement à Roger Charbonneau. Il s'agissait d'Anglo-French Drugs, une compagnie montréalaise de fabrication et de distribution de produits pharmaceutiques qui existe d'ailleurs toujours.

Les bureaux d'Administration et Finance étaient à Montréal pour les simples et excellentes raisons que Roger Charbonneau était comptable agréé dans la métropole, qu'il y avait un cabinet de vérification appelé « Charbonneau, Murray », qu'il y vivait et qu'il enseignait aux HEC. Il avait connu la famille Gourd quelques années plus tôt quand il s'était intéressé et avait participé à l'exploitation de deux mines dans cette région du Québec. Il avait alors aussi investi dans Radio-Nord dont il était devenu propriétaire à part égale avec les frères Gourd et Jean Monette. Et c'est ainsi que s'étaient créés ces liens.

Le magasin général d'Amos appartenait au père de la famille Gourd, David Gourd, un personnage extraordinaire que j'ai eu la chance de rencontrer de très nombreuses fois. David Gourd avait été député fédéral de cette circonscription abitibienne pendant des années. Il avait été responsable de la colonisation de cette région. Homme politique habile et homme d'affaires expérimenté, il avait ouvert un magasin à Amos qui servait également de dépôt pour les chèques qui étaient remis aux colons. Parce que c'était l'époque, faut-il le rappeler, de la « colonisation » de l'Abitibi. Ces pionniers (je pense que le mot est juste) devaient donc passer à son magasin général pour récupérer le chèque qui leur venait du gouvernement. Ce faisant, ils en profitaient évidemment pour faire leurs emplettes. Au bout d'un certain temps, M. Gourd décida qu'il était plus simple de ne plus remettre en argent la différence entre les achats des colons et le montant de leur chèque et qu'un reçu, signé de sa main, ferait parfaitement l'affaire. Il avait inventé la fidélisation de la clientèle. Mais il a été encore plus loin. Rapidement, il a décidé de préparer d'avance des reçus à différentes dénominations. Ni plus ni moins que de l'argent en somme. Quand le colon venait changer son chèque et faire ses achats, il lui remboursait la différence en reçus monnayables. Par exemple, s'il fallait rendre 10,25 $, le client recevait un reçu de 10 dollars et un de 25 sous. Fini les tracasseries. Le seul problème toutefois, car il s'agissait ici d'un système monétaire parallèle au système monétaire canadien, c'est que c'était illégal. Le gouvernement s'en est rendu compte et M. Gourd a dû cesser ce genre d'opérations. Voilà toutefois qui donne une idée du type d'homme qu'était David Gourd. Un homme parfaitement adapté à ces régions dures qu'il fallait exploiter et construire. Un bâtisseur, comme tous les Abitibiens de l'époque, qui s'arrangeait pour que les choses marchent rondement. J'aimais bien ce trait de caractère. Je dirais même que je m'en inspirais car je me voyais aussi comme un bâtisseur en ce qui concerne Administration et Finance. Cette compagnie était comme une région nouvelle qu'il fallait exploiter et j'entendais bien y apporter ma contribution.

L'été 1954, j'ai donc commencé à travailler pour Administration et Finance dont les bureaux étaient situés au troisième étage d'un édifice de la rue Sainte-Catherine, à l'angle de l'avenue de l'Hôtel-de-Ville. Cela me facilitait beaucoup la vie, car l'École des HEC où j'allais régulièrement pour préparer mes cours et le bureau de poste, où je travaillais toujours, étaient dans le même secteur. Je dois aussi mentionner que le siège social d'Anglo-French Drugs, l'autre entreprise dont Administration et Finance faisait la tenue de livres, était dans le même édifice. En fait, ses bureaux étaient exactement au même endroit puisque la compagnie appartenait aussi à Roger Charbonneau et qu'il trouvait plus facile de tout regrouper.

Je me rappelle qu'un jour que j'y travaillais étaient arrivés des produits « Roter » en provenance de Hollande, quelque chose pour contrer l'acidité gastrique si mes souvenirs sont bons. Je m'en souviens surtout parce que ces produits étaient arrivés dans de solides caisses en bois et que j'en ai récupéré plusieurs pour un usage personnel. Mais j'y reviendrai un peu plus loin.

Dans le cadre de mon travail pour Administration et Finance, je partais, deux fois par mois, une semaine chaque fois, en Abitibi pour faire le tour des entreprises dont nous faisions la gestion. Je prenais l'avion, un DC-3 du CP Airlines, à Dorval, vers Rouyn, et de là, je me rendais vers les autres municipalités que je devais visiter. Pour chacune des compagnies dont nous nous occupions, il fallait faire la tenue de livres, les paies et s'occuper des comptes à payer, mais surtout, et c'est ce qui me passionnait, préparer un plan de marketing, assumer la direction des ventes et voir à l'administration.

Me voici, berçant Patrick, mon fils aîné, dans la fameuse chaise de notre logement du sous-sol de ma belle-sœur Thérèse.

Inutile de préciser qu'avec ce genre d'horaire, je n'étais pas souvent avec Céline et Patrick, mon fils. Heureusement, le logement de Laval permettait à Céline, que j'appelle maintenant affectueusement « Maman », d'être très proche de ses deux sœurs, lui évitant de se sentir isolée. J'adorais cependant chaque moment passé avec ma famille dans ce petit quatre-pièces qui était notre nid d'amour. Bien sûr, notre chambre était à moins de 5 mètres de la voie ferrée, mais il y avait plein d'autres avantages. Par exemple, comme je l'ai signalé, nous étions tout à côté de la rivière des Prairies. Je m'y rendais même parfois pour me baigner avec Patrick. Eh oui ! C'était possible à cette époque.

Tout notre mobilier nous avait été donné. Il y avait entre autres cette chaise berçante sans fond que j'aimais particulièrement. J'y avais installé sommairement deux planches pour la réparer et, quand je m'y assoyais avec Patrick sur mes cuisses, c'étaient des moments de pur bonheur. Nous avions aussi un petit tourne-disque et c'est grâce à lui que nous écoutions toujours de la musique. J'achetais régulièrement des enregistrements de musique classique, de chanteurs français de l'époque, comme Trenet, Brassens, Béart ou Montand, ou de musique liturgique, un style que j'avais appris à connaître au Collège Saint-Ignace et que j'aime encore beaucoup.

Il me restait d'ailleurs beaucoup d'habitudes issues de cette époque. Par exemple, j'allais encore à la messe tous les jours. Souvent, quand je devais être au centre-ville, j'allais le midi, parfois même en compagnie de Roger Charbonneau, à l'église Saint-Jacques, dont il ne reste plus aujourd'hui que la façade à l'angle des rues Saint-Denis et Sainte-Catherine.

Nous ne manquions de rien, même si je dois avouer que nos armoires de cuisine contenaient très peu de réserves. Céline préférait acheter au fur et à mesure. Nous avons toujours vécu avec cette espèce de sobriété ou de frugalité alimentaire. Pas seulement à cause de nos ressources financières limitées, mais par goût et par habitude. Cela gênait toutefois Céline quand ma mère décidait de nous rendre visite. Pour elle, avoir de la nourriture en abondance dans la maison était signe de prospérité. Aussi, quand ma mère venait faire son tour, Céline montait chez ses sœurs pour vider leur garde-manger et remplir le nôtre.

Patrick était toujours un enfant facile et docile. Il dormait beaucoup et prenait son temps pour différents apprentissages. Ainsi, il a marché et parlé assez tard. Mais quand ça a débloqué, ça s'est fait d'un coup. Céline s'intéressait déjà énormément au développement moteur et psychologique des enfants. Elle lisait tout ce qui s'écrivait sur le sujet, car elle voulait les comprendre et les aider à se développer. Elle avait, entre autres, lu plusieurs livres de la Dre Françoise Dolto, une psychiatre et pédiatre française qui s'était consacrée à la psychologie de l'enfance. Tout cela pour dire qu'elle ne s'est jamais inquiétée pour Patrick, disant qu'il prenait son temps simplement parce qu'il réfléchissait beaucoup. Et c'était certainement vrai puisqu'il est devenu un homme intelligent et cultivé qui a bien réussi tant dans sa vie familiale que professionnelle. Vous me direz peut-être que je ne suis pas parfaitement objectif... C'est bien possible. Je trouve quand même qu'il est devenu un très bel humain, comme d'ailleurs le sont devenus tous mes enfants et petits-enfants.

Je me rappelle également que Céline était une excellente cuisinière. Elle réussissait des tours de force avec peu de choses. Je ne peux cependant pas dire que nous avions une alimentation conventionnelle pour l'époque. Par exemple, nous avons toujours mangé de la viande chevaline, ce que plusieurs Québécois considéraient alors comme une hérésie. Mais pour nous, il s'agissait essentiellement d'une question de goût... Et un peu de prix, car cette viande était moins chère que le bœuf. Nous mangions aussi régulièrement ce qui pouvait s'apparenter à du risotto, même si nous ne connaissions pas le nom à l'époque. Mais la recette était étrangement la même, alliant riz, légumes, saucisses, viande ou poisson et sauces. Toutefois, mon approche de la nourriture était un peu décevante pour celui ou celle qui préparait mes repas. J'aimais tout de façon assez égale et cela fâchait souvent Céline. J'ai toujours cru que mes années dans les cafétérias de collèges m'avaient amputé de cette faculté d'apprécier vraiment la bonne nourriture. On y servait de telles bouillies que j'ai pris l'habitude de manger parce que j'étais obligé de le faire, mais sans jamais savourer ce que j'avalais. À franchement parler, au fond, j'aimais bien ces ratatouilles. Ce que je n'ai jamais pu développer, je crois, c'est cette faculté de percevoir tous les goûts et toutes les différences de saveurs dans les mets. Je trouve tout bon. J'ai, malheureusement encore aujourd'hui, la même approche face à mes repas. La compagnie est plus importante que le menu. Et je crois que Céline n'a toujours pas accepté, même après 60 ans de mariage, ce trait de caractère. Le seul profit qu'elle en a tiré m'a-t-elle déjà dit, c'est qu'elle n'a pas eu besoin de devenir un vrai cordon-bleu pour me satisfaire. L'adage qui dit que le cœur des hommes passe par leur estomac n'a jamais été vrai pour moi.

* * *

Fort de ma licence ès sciences commerciales (qui était ni plus ni moins que l'équivalent de l'actuelle maîtrise), j'ai commencé à enseigner en septembre 1954. J'avais 23 ans, et j'étais sans expérience. J'enseignais à des élèves de première et deuxième année dont certains étaient plus vieux que moi. Je donnais des cours sur la vente, la tenue de livres, la comptabilité et l'administration, ce dernier élément étant alors et étant toujours, à mon avis du moins, à la base du leadership. J'ai vraiment fait de grands efforts pour rendre vivante la matière en racontant des histoires de compagnies qui vivaient la situation que nous devions étudier. Cette approche m'apparaissait comme étant non seulement plus intéressante pour les étudiants et moi-même, mais aussi plus dynamique et plus efficace. Et, je dois avouer que j'aimais beaucoup raconter ces histoires. Ce qui est encore le cas aujourd'hui à 80 ans.

C'est Steve Jobs, le président-directeur général de l'immense compagnie qu'est Apple, qui a dit un jour : « Connect the dots. [11] » Il expliquait que, dans la vie, nous laissons des points un peu partout. Ces points représentent les différentes expériences que nous vivons, autant sur le plan personnel que professionnel. Il faut, ajoutait-il, que nous réunissions ces points pour réussir dans la vie. Transposée à ma situation, j'ai toujours pensé que cette notion de relier les points entre eux était omniprésente. Les histoires que j'aimais raconter en sont un modèle. Ainsi, j'aimais raconter des histoires (un point) ; j'aimais le théâtre (un point) ; j'avais appris d'excellentes techniques d'improvisation avec les Compagnons de Saint-Laurent (un point) ; je comprenais bien les notions d'administration (un point) ; j'aimais les gens, ce qui est particulièrement important dans la vente (un autre point), etc. Or, dans les cours que je donnais, je réunissais tous ces points pour finalement boucler la boucle. On peut même considérer que ces cours ont été ni plus ni moins que les premières ébauches des conférences que j'allais donner plusieurs années plus tard. Je rencontre, encore aujourd'hui, après plus de 55 ans, des élèves à qui j'ai enseigné. Ils se rappellent, et me relatent parfois, certaines histoires que je racontais dans mes cours. Et nous rions encore en nous les remémorant. J'adorais cette facette de l'enseignement.

---

11 « Reliez les points. »

Voilà donc ce que représente pour moi le concept de *connect the dots*. Une notion que s'est avérée juste très souvent dans ma vie, et je ne crois pas me tromper en disant qu'elle a été probablement vraie dans la vie de plusieurs d'entre vous.

Dès le début de l'année, Esdras Minville m'a expliqué qu'il importait que j'aille me perfectionner dans une autre université pour compléter ma formation. C'est d'ailleurs ce que Pierre Harvey (mon beau-frère et mon directeur de thèse) avait fait quelques années auparavant en allant étudier en France. Roger Charbonneau a suggéré que je m'inscrive à l'Université Harvard de Boston qu'il avait lui-même fréquentée pour parfaire ses études. Comme j'étais parfaitement bilingue, cette option représentait une voie naturelle.

On a fait venir les formulaires d'inscription qui incluaient un examen écrit assez astreignant et obligatoire pour tout étudiant qui désirait entrer dans une université américaine. Les documents comprenaient aussi plusieurs questions plus personnelles sur mes aspirations et mes motivations, et le tout devait être accompagné d'une attestation, remplie par quelqu'un de mon université qui me connaissait bien et qui assurait que j'avais toutes les capacités pour réussir là-bas. Une fois toutes ces conditions réunies, les formulaires ont été envoyés pour mon inscription, en septembre 1955, au *Master in Business Administration* d'Harvard.

Sur le coup, je n'avais pas trop réfléchi à ce que tout cela impliquait. Toutefois, quand j'ai reçu, au mois de mai suivant, une réponse positive de l'Université de Boston, je me suis senti à la fois fier et content, mais aussi très inquiet. Je me souviens parfaitement de ces sentiments ambivalents qui m'habitaient pendant que nous soupions à la maison, Céline et moi, pour célébrer la nouvelle. À cette occasion, nous avions même acheté une bouteille de vin pour célébrer les choses en grand. Je réalisais cependant, pour la première fois, que cette acceptation impliquait que je devrais quitter le Québec pendant deux ans avec une femme qui ne parlait pas anglais et un enfant d'un an et demi.

Bien sûr, Esdras Minville s'était assuré que les HEC continuent à me verser mon salaire pendant mon séjour aux États-Unis et l'Alliance Nationale, compagnie mutuelle d'assurance-vie, offrait aussi une bourse pour les étudiants d'ici qui allaient se perfectionner à l'extérieur du pays. Hervé Belzile, ancien professeur aux HEC, assumait alors la direction générale de cette compagnie et a certainement usé de son influence pour me décerner cette bourse qui paierait les frais d'inscription à l'université pendant deux ans. Cependant, si ces sommes permettaient d'assumer les frais de base, il me fallait quand même prévoir me bâtir un fonds personnel assez considérable car, une fois là-bas, je ne pourrais plus travailler. Mon salaire des HEC représenterait donc la totalité de mes revenus pendant tout le temps que j'étudierais à Harvard. Heureusement, j'avais un peu prévu le coup et j'avais commencé à épargner dès l'automne, moment où j'avais fait mon inscription. Or, je gagnais alors assez bien ma vie. Je travaillais beaucoup et l'argent rentrait régulièrement. J'avais mon salaire des HEC d'environ 45 $ par semaine, auquel s'ajoutaient mes revenus du bureau de poste où je travaillais encore, environ 35 $, plus mon salaire de chez Administration et Finance Inc. qui était de près de 80 $. À tout ça s'ajoutait aussi un petit revenu d'appoint de 10 $ par semaine puisque j'avais commencé à écrire pour le journal *Les Affaires*. Au total, un revenu d'environ 170 $ par semaine, ce qui était un excellent salaire dans les années 50. Je n'avais donc pas de vraies raisons de m'inquiéter, si ce n'est cette foutue insécurité financière dont je souffrais.

Un soir du mois d'avril, Céline m'a appris une autre grande nouvelle. Elle était de nouveau enceinte. Une annonce merveilleuse, mais qui mettait encore plus de pression pour boucler les frais de notre séjour aux États-Unis et ravivait mes appréhensions monétaires.

* * *

C'est au mois d'août que j'ai fait mon premier voyage à Boston. Je m'y suis rendu pour trouver un logement. Une amie nous avait présentés à Gabriel Lapointe, un Québécois qui vivait à Boston. En vérité, le chemin qui nous a conduits à ce contact est beaucoup plus tortueux que je ne le dis maintenant et représentait déjà une forme de réseautage. Il s'agissait en fait d'une information transmise par Lisette Gervais, belle-sœur de Jeanne Sauvé, amie de Françoise Graton, cousine de Céline. Vous voyez le genre ? Toujours est-il que Gabriel, frère de Jean Lapointe, le chanteur, comédien et sénateur, était avocat et complétait ses études à Harvard. Il a été assez gentil pour m'accueillir et visiter avec moi quelques logements. Il m'aurait bien prêté sa voiture, mais je ne savais pas conduire et il m'a donc accompagné pour cette tournée.

Après quelques visites, j'ai opté pour un logement situé au deuxième étage d'un immeuble à appartements sur Washington Street, dans le quartier Brighton, qui devrait nous convenir puisqu'il y avait deux chambres à coucher, un salon et une cuisine. J'ai immédiatement signé le bail et payé le premier mois de loyer, puis, dès le lendemain, je suis revenu à Montréal.

Le départ vers Boston. Le DC-3 nous attend pour un nouveau départ.

Les préparatifs du déménagement ont été simples, car nous avions peu de meubles et de bagages. Nous en avions tellement peu que nous avons déménagé en avion, et que la totalité de nos maigres possessions a été embarquée dans le DC-3 avec une très légère surcharge de bagages. Nous avons tout apporté, sauf cette chaise berçante sans fond que j'aimais, mais qu'il a été impossible de faire entrer dans la soute. Elle était trop grosse pour la porte, si bien qu'elle a été rapportée à Laval.

La journée du départ était particulièrement ensoleillée en cette fin d'été quand des amis nous ont reconduits à l'aéroport. Aujourd'hui, je réalise que ce voyage a marqué une autre étape dans notre vie. Aller à Boston pour une période de deux ans signifiait, dans mon esprit en tout cas, une coupure qui, je l'espérais, améliorerait notre avenir. C'était aussi une décision importante et difficile pour Céline qui allait être loin de ses sœurs et qui ne parlait pas un mot d'anglais. Le sort en était toutefois jeté...

Les procédures douanières à Boston ont été relativement rapides. J'avais déjà en ma possession le « Student Exchange Visa » qui facilitait les formalités, mais qui me garantissait surtout de ne pas avoir à faire le service militaire américain et qui prévoyait, dans le cas de la naissance d'un enfant, ce qui était notre situation, qu'il lui serait possible, à sa majorité, de choisir sa nationalité. De l'aéroport, tous nos bagages ont été mis dans deux taxis qui nous ont amenés à notre nouvelle résidence.

Quand nous sommes arrivés au logement, nous étions complètement dépaysés. Tout ici se passait évidemment en anglais. De plus, la rue Washington était un grand boulevard où il y avait en permanence une bonne circulation. Le premier soir, après avoir couché Patrick, Céline et moi regardions les autos passer quand elle m'a dit, en pleurant : « Eux, ils savent exactement où ils vont. Nous, nous n'en savons rien. » Ce qui reflétait bien l'état d'esprit dans lequel nous nous trouvions.

Dès le lendemain, nous avons terminé l'aménagement des pièces. Ce ne fut pas très difficile puisque nous n'avions pratiquement rien. J'avais pris les caisses de médicaments en bois récupérés chez Anglo-French Drugs pour tout transporter, puis, une fois vidées, je les avais remisées au sous-sol en prévision de notre retour. Il y a d'ailleurs une anecdote amusante à ce sujet. Nous nous sommes en effet rendu compte que personne ne nous parlait dans l'édifice. Nous étions pourtant arrivés et installés depuis un moment, mais tous ceux que nous croisions ne nous faisaient qu'un vague signe de la tête. Ce qui n'était pas normal pour les Américains qui, généralement, parlent à tout le monde n'importe où. Un jour, m'interrogeant sur le peu de relations que nous avions avec nos voisins, j'ai posé la question à l'un d'entre eux. Il m'a répondu qu'il avait vu nos caisses de déménagement et, comme tout sur celles-ci était écrit en hollandais, il pensait, comme tous les autres résidents de l'édifice, que nous venions de ce pays. Puisqu'ils nous entendaient parler français, langue qu'ils ne comprenaient pas, cela confirmait que nous étions hollandais, et ils n'osaient pas nous adresser la parole. Après avoir expliqué la situation, les choses se sont replacées d'elles-mêmes, les échanges devenant plus nombreux et amicaux. Du moins dans mon cas, puisque Céline ne parlait toujours pas beaucoup l'anglais.

C'est aussi durant ces premières journées à Boston que nous sommes partis à la découverte de notre quartier et, surtout, à la recherche d'une épicerie pour nous procurer ce qu'il nous fallait et faire notre premier marché. Celle que nous avons trouvée était à une demi-heure de marche de la maison. Nous y avons connu un autre dépaysement. Non seulement y avait-il peu de produits et de marques que nous connaissions, mais en plus, comme Boston était une ville portuaire et de pêcheurs, nous y avons trouvé beaucoup de poissons, dont de la morue vivante que nous pouvions choisir dans des aquariums géants. Je dois aussi souligner que le prix de la morue était spécialement abordable. À partir de ce moment, et au cours des semaines suivantes, nous avons mangé de la morue deux fois par jour, tous les jours. Ce qui aurait facilement pu nous lasser pour la vie. Or, ce n'est pas le cas puisque j'aime toujours la morue, particulièrement quand j'ai la chance d'aller en Gaspésie.

Il a aussi fallu trouver un médecin pour nous assurer que la grossesse de Céline se passerait bien. Nous avons été chanceux en découvrant le Dr Habib, obstétricien au St. Marguerite Hospital. J'accompagnais presque toujours Céline lors de ses visites, d'une part parce que je voulais suivre de près cette grossesse, mais aussi à cause, évidemment, de la pauvreté de son anglais. En fait, elle ne comprenait rien. Elle avait donc pris l'habitude de toujours répondre « non » aux questions que le docteur lui posait. Il faut aussi souligner que l'approche de ce médecin était complètement différente de ceux du Québec. Il était beaucoup plus familier et amical que la majorité de ceux que nous avions connus à Montréal, qui gardaient toujours une distance dans leur comportement et leurs propos. Dès la première rencontre, le Dr Habib s'est adressé à Céline en lui disant : « So, my dear Céline, how are you[12] ? » Céline en est restée bouche bée. Jamais un médecin ne lui avait parlé avec autant de familiarité. Il a d'ailleurs fallu un peu de temps pour qu'elle s'habitue à cette façon d'agir.

L'anglais de « Maman », encore assez limité, lui a aussi joué quelques tours. Je vous ai dit qu'elle avait pris l'habitude de toujours répondre « non » aux questions du médecin qu'elle ne comprenait pas, ce qui était d'ailleurs généralement le cas. Elle répondait donc très souvent par « No ». Un jour, après l'avoir examinée, le docteur lui demande gentiment : « And so, Céline, do you feel the life of the baby[13] ? », ce à quoi elle a évidemment répondu « No », provoquant une réaction immédiate du médecin qui croyait que le bébé ne bougeait pas et qu'il pouvait donc y avoir un problème. Or, il n'en était rien et le bébé se portait à merveille.

C'est donc le Dr Habib qui a suivi Céline pendant toute sa grossesse. Il nous avait d'ailleurs fait un excellent prix pour son travail, enfin c'est ce qu'on nous a dit à l'époque. Il nous avait facturé 1200 $ (américains évidemment) pour le suivi et l'accouchement. Je me suis donc félicité d'avoir prévu cette dépenses dans les frais que nous devrions payer durant notre séjour à Boston.

* * *

Le campus de l'Université Harvard était magnifique avec ses principaux bâtiments en briques rouges sur lesquels poussaient des vignes (ou des lierres, je ne suis pas certain) et ses grands parcs. C'était et c'est d'ailleurs toujours l'une des universités les plus prestigieuses au monde. Comme elle est située dans le

---

12 « Alors, ma chère Céline, comment allez-vous ? »
13 « Et alors, Céline, sens-tu le bébé vivre ? »

secteur de Cambridge, il me fallait plus d'une heure pour m'y rendre en autobus depuis la maison.

Dès mon arrivée, j'y ai rencontré des élèves dont la plupart étaient d'autres domaines que ceux de l'administration ou de l'économie. La très grande majorité d'entre eux venaient en effet y acquérir une spécialisation qui leur servirait dans leur champ d'activités et dans leur profession. J'y ai donc fait la connaissance d'ingénieurs et d'avocats pour qui la comptabilité était une notion assez nouvelle et pour qui le langage des affaires avec ses termes consacrés n'était pas familier.

L'enseignement à Harvard était aussi assez particulier. Tout était concentré sur des analyses de cas réels. Et tout avait un prix. Par exemple, chaque semaine, pour chaque cours, on nous vendait un document d'une vingtaine de pages (entre vingt et quarante généralement), qui expliquait clairement la situation d'une entreprise, avec des données sur ses états financiers, ses comptes à recevoir ou à payer, sa production, ses employés, etc. Ensuite, pendant les cours, dans des classes de cinq à six cents élèves, nous en discutions. Il n'y avait rien de didactique. Il fallait trouver nos sources. Chacun pouvait apporter ses impressions, son avis ou ses commentaires, et c'était ainsi que nous avancions et que nous apprenions.

De plus, au début de chaque semaine, parmi tous les cas présentés dans tous les cours, les professeurs décidaient de celui qui servirait de travail hebdomadaire. Nous avions donc six jours pour procéder à l'analyse de cette compagnie et dégager nos conclusions que nous devions rédiger sur des feuilles prévues à cette fin (et qui étaient également vendues). Notre rapport ne devait pas dépasser sept pages, nous n'avions pas le droit d'écrire dans les marges et nous devions le remettre dans une boîte à cet effet avant 19 heures le samedi suivant. Ce travail état appelé le « Written analysys of cases » ou « WAC ». Or, toutes les notes étaient basées exclusivement sur ces WAC. Voilà aussi pourquoi la pression était toujours énorme le samedi, journée de remise de nos rapports.

Je suivais alors des cours portant sur le marketing, les finances, l'administration, la gestion du personnel et la gestion de bureau. Pour chacun d'entre eux, nous procédions à une analyse concrète de cas réels dont les documents de présentation nous étaient vendus. Il s'agissait d'une façon efficace de mettre les étudiants dans le bain en les obligeant à aller chercher l'information, à réfléchir et à apporter des correctifs aux problèmes que ces compagnies rencontraient. Il n'était d'ailleurs pas rare que les propriétaires ou les gestionnaires des entreprises dont nous avions étudié les cas se présentent en classe pour écouter ce que les étudiants avaient à dire et à proposer.

En ce qui me concernait toutefois, j'avais rapidement vu des lacunes à cette façon d'enseigner. Essentiellement parce que j'étais certainement le seul à avoir déjà l'équivalent d'une maîtrise en administration et que je travaillais déjà depuis un bon moment à la gestion d'entreprises de par mon emploi chez Administration et Finance, je n'apprenais rien de nouveau.

Encore ici, je n'avais pas l'impression d'avoir de mérite particulier ni un talent exceptionnel, car j'avais eu une très solide formation à l'École des HEC et j'avais déjà étudié la plupart des cas que nous devions voir à Harvard. Sans dire que c'était de la routine, c'était quand même du déjà-vu.

J'avais donc passablement de facilité pour réussir et j'ai obtenu les meilleures notes pour les 4 premiers « WAC ». À tel point d'ailleurs que plusieurs camarades me demandaient des conseils et venaient même à la maison pour préparer leur analyse hebdomadaire. Ils venaient le soir et les fins de semaine et il y avait parfois tellement d'étudiants que plusieurs étaient assis par terre dans la cuisine. Céline m'avait fait remarquer qu'il venait beaucoup de monde à la maison. Un peu trop à son goût. Avec un enfant en bas âge et elle, qui était enceinte, cela ajoutait une pression terrible.

* * *

C'est durant cette période, c'est-à-dire vers la mi-octobre, que Céline a connu des problèmes de grossesse. En quelques jours elle s'est mise à enfler, principalement des mains et du visage, et a pris peut-être un peu plus de poids que prévu. Le médecin a alors diagnostiqué une prééclampsie. Il nous a interrogés sur nos habitudes de vie et nous lui avons expliqué, entre autres, que nous avions mangé beaucoup de poisson au cours des dernières semaines. En fait, pour être honnête, il aurait fallu dire que nous mangions presque exclusivement de la morue. Or, comme dit le vieux proverbe, « Trop, c'est comme pas assez ». Mais pour nous, enfin pour Céline surtout, c'était beaucoup trop. Il y avait trop de sel dans ce poisson de mer. Le docteur lui a donc interdit, à compter de ce moment, à la fois le poisson et le sel.

Pendant quelques semaines, Céline a dû se rendre tous les jours à l'hôpital où on prenait sa tension. Elle était suivie de très près. La situation s'est donc replacée assez rapidement. Pour Maman, les journées étaient souvent longues, d'autant plus que je n'étais pas très présent. J'avais beau ne pas connaître beaucoup de problèmes dans mes études, j'assistais quand même aux cours et je travaillais avec application pour préparer les devoirs. Si on

Céline est enceinte et surveille Patrick qui s'amuse dans un parc à Boston.

ajoutait le temps consacré au transport, j'étais absent une bonne partie de la journée.

Céline passait le plus clair de son temps à s'occuper de Patrick. Elle marchait beaucoup dans le quartier et avait découvert de petits parcs qu'elle parcourait et où elle laissait notre fils s'amuser. À d'autres moments, elle allait simplement dans le stationnement de notre édifice où il s'amusait avec d'autres enfants. Le reste de la journée était largement consacré aux tâches domestiques (juste le lavage des couches en coton, sans laveuse ni sécheuse, prenait un temps fou) et à la préparation des repas (comme nous n'avions pas un garde-manger bien garni, cela l'obligeait à aller tous les jours à l'épicerie). Si on ajoutait les visites quotidiennes pour les prises de tension artérielle, ses journées étaient aussi très chargées. Bien entendu, je l'accompagnais aussi souvent que possible, mais il lui arrivait de devoir faire seule ces déplacements. En fait, si mes souvenirs sont exacts, je l'accompagnais surtout pour les visites chez le médecin, mais plus rarement pour les examens à l'hôpital. Heureusement, son anglais, sans être bon, s'améliorait quand même beaucoup. Elle le parlait même assez pour échanger quelques mots avec nos voisines et ainsi sortir un peu de son isolement.

Mais je me rendais surtout compte que nous perdions énormément de temps juste pour les déplacements quotidiens. Nous en avons alors discuté et nous avons décidé qu'il devenait important d'acquérir une voiture. Comme je ne voulais pas piger dans nos économies, j'ai contacté mon père pour lui demander s'il pouvait me prêter 2000 $ pour que nous puissions acheter une bonne voiture d'occasion. Bien entendu, je lui rendrais cette somme aussitôt que possible. Mon père a accepté, mais n'avait évidemment pas autant d'argent comptant en sa possession et a dû lui-même faire un emprunt. Bref, tout s'est quand même réglé en quelques jours et il a été convenu que ma mère viendrait, par train, nous rendre visite et nous apporter la traite bancaire.

Il me fallait aussi apprendre à conduire. Or, à cette époque (je sais que les choses ont bien changé depuis), conduire à Boston était un peu fou. C'était un réseau complexe d'autoroutes et de périphériques où il était préférable de toujours connaître son itinéraire et les sorties que l'on devait prendre. On m'a souvent dit que si j'avais réussi à obtenir mon permis de conduire à Boston, je pourrais probablement conduire dans n'importe quelle ville et dans n'importe quelle situation. Tout ce que je peux dire à ce sujet, c'est que j'ai maintenant 80 ans, et que je conduis encore. Cela dit, j'ai donc suivi mes cours à Boston où j'ai réussi à obtenir mon permis américain.

Quand ma mère est arrivée, nous avons été heureux de la voir et de l'accueillir. Elle n'est pas restée très longtemps, mais sa présence m'a fait du bien. Céline me répétait souvent, pendant notre séjour à Boston, que je n'avais pas l'air heureux. En fait, elle disait que j'étais triste et que je pleurais assez régulièrement. Elle avait évidemment raison et mon sentiment de tristesse était essentiellement lié à ce qui se passait à l'université et pas du tout à notre vie familiale. Tout ceci pour dire que la visite de ma mère m'a fait un bien fou.

Et, pendant sa brève visite, j'ai reconnu son caractère... spécial. Car, même si elle n'est pas restée longtemps, ma mère n'est pas passée inaperçue. Je vous ai déjà dit qu'elle ne parlait pas français (enfin pas beaucoup), même si elle ne le comprenait pas trop mal quand elle le voulait. Eh bien, quand elle est arrivée à Boston, allez savoir pourquoi, elle s'est mise à toujours parler français quand elle s'adressait à des Américains. Je devrais plutôt dire qu'elle baragouinait un peu de français, mais comme les autres ne comprenaient pas un traître mot de ce qu'elle racontait, elle semblait satisfaite d'elle-même.

Nous avions aussi, à cette époque, gardé l'habitude de ne pas avoir beaucoup d'aliments dans le garde-manger. Céline avait donc décidé d'y voir avant que ma mère n'arrive et elle était allée faire des courses. Elle s'était rendue, chez le boucher, acheter un gros « *roast-beef* ». Mais son anglais n'était pas parfait. Donc, quand le boucher, après avoir coupé la pièce de viande lui a demandé si elle désirait qu'il la roule et la ficelle, comme tout rôti doit l'être, elle n'a pas compris et a répondu son traditionnel

« non ». Si bien qu'au lieu d'avoir un beau rôti rond et appétissant, nous avons eu quelque chose qui ressemblait à une grosse tranche de viande. Le repas a cependant été délicieux, même si la présentation nous a surpris.

Patrick dans notre logement de Boston.

Ma mère est retournée, peu après, à Montréal et je suis allé m'acheter une auto, une magnifique DeSoto usagée, rouge, semi-automatique à quatre portes. Une voiture vraiment extraordinaire produite par Chrysler et qui était tout à fait dans la lignée de ces immenses voitures qui ont fait l'âge d'or de l'automobile américaine. Je n'étais pas parfaitement à l'aise durant les premiers jours, mais finalement tout a bien été. Cette voiture nous permettait beaucoup plus de liberté et de temps libres. Toutefois, comme vous le savez déjà, je souffre parfois d'insécurité. J'avais donc étudié, sur une carte, les routes pour nous rendre à l'hôpital lors de l'accouchement de Céline. Je les avais aussi pratiquées plusieurs fois pour connaître exactement le meilleur itinéraire pour y aller sans me perdre quand le moment viendrait, car les sens uniques me forçaient à ne pas utiliser le même chemin à l'aller et au retour. La grossesse se poursuivait maintenant normalement et Céline semblait, comme la plupart des femmes enceintes, parfaitement épanouie.

Nous songions aussi souvent à l'arrivée de ce nouvel enfant. Céline trouvait que notre logement était peut-être un peu petit pour quatre. Nous avons donc utilisé l'auto pour aller visiter des maisons et voir si nous pouvions trouver quelque chose de bien, de plus grand et de pas trop cher. Nous en avons d'ailleurs vu

▲
Cette photo a été prise alors que nous visitions des maisons près de Boston, dont celle où il y avait tant de « *closets* ». Dave Morehead et se femme nous accompagnaient.

une splendide près de la mer et qui comptait quatre chambres à coucher. Pour le plaisir, nous avions demandé s'il était possible de la visiter. La propriétaire, une femme charmante, avait accepté avec empressement. Elle nous avait fait inspecter la maison de fond en comble, s'attardant particulièrement aux chambres puisqu'elle avait compris que c'était ce que nous cherchions. Dans chacune d'elles, elle se faisait un point d'honneur de nous parler de la luminosité des pièces et des placards qu'on y trouvait. Or, le mot placard, se traduit en anglais par « *closet* » qui peut aussi signifier les toilettes. Céline, qui continuait son apprentissage de l'anglais et n'en possédait assurément pas encore toutes les notions, une fois sortie, s'est tournée vers moi et m'a demandé, le plus sérieusement du monde : « Mais pourquoi diable les gens ont-ils besoin de toilettes dans chaque chambre ? » J'avais été pris d'un fou rire qu'encore aujourd'hui elle me pardonne difficilement.

Le jeudi 24 novembre 1955 marquait la journée du Thanksgiving, une fête très importante pour les Américains. Cela signifiait que j'avais aussi quatre jours de congé puisque l'université était fermée. Comme je sentais l'ennui me gagner chaque jour un peu davantage, nous avons décidé de nous rendre à Montréal, question de revoir notre monde et notre ville. Je savais que c'était un peu risqué, car Céline en était à son huitième mois de grossesse, mais je crois qu'elle en avait autant besoin que moi. Elle a d'ailleurs accepté, pour ce voyage, de porter, pendant tout le trajet, un gros corset qui lui soutenait le ventre. Comme ça n'avait pas l'air confortable du tout, il fallait vraiment qu'elle ait envie d'entreprendre ce déplacement.

Nous avons pris la route pour un voyage qui s'est éternisé. En chemin, il s'est mis à neiger, ce qui nous a considérablement ralentis. Il n'y avait que quelques semaines que je conduisais et je n'avais pas encore beaucoup d'expérience. En vérité, je n'avais aucune expérience de la neige. Si bien que le trajet a duré environ douze heures. Heureusement, Céline était très patiente et Patrick était un enfant calme, parce que moi, à cause du stress de la route, j'étais nerveux et même un peu maussade.

J'ai profité de ce voyage pour aller montrer l'auto à mon père, mais surtout pour recharger mes batteries, psychologiquement parlant. Cela nous a également permis de revoir la famille de Céline et de constater que Boston n'était, finalement, pas si loin de Montréal.

* * *

Les cours à l'université ont recommencé dès notre retour. Mais j'avais de plus en plus l'impression de perdre mon temps et de ne rien apprendre. La méthode des « cas » ne me satisfaisait pas. Je n'étais satisfait ni de la façon d'enseigner ni de la rapidité de mon apprentissage. Mes cours aux HEC m'avaient préparé à aller beaucoup plus loin et beaucoup plus vite.

Au début du mois de décembre, j'ai été rencontrer mon professeur de marketing, un certain M. Brown. Je n'apprenais pas grand-chose de nouveau dans son cours, mais j'appréciais l'homme. J'avais discuté avec lui, m'ouvrant sur mes sentiments et mon impression de ne rien apprendre de neuf. Sa réponse m'a profondément surpris. Il m'a simplement regardé et il dit : « You are right[14] ! » Il m'avait expliqué qu'effectivement, selon lui, j'avais dépassé cette étape. J'étais, sur le plan scolaire, plus avancé que tous les autres. Il m'a donc suggéré d'aller rencontrer le recteur du département pour tenter de m'inscrire au doctorat d'Harvard. Bon, ce n'était pas vraiment un recteur pour ce département puisque l'université avait une autre structure que celle que nous connaissions au Québec, mais c'était certainement ce qui s'en rapprochait le plus. Je suis donc allé rencontrer le recteur pour lui parler de mon avenir. Il a fait sortir mon dossier, examiné mes résultats, regardé les notes et les remarques de mes professeurs et a convenu que je pouvais effectivement aller plus loin. Il m'a alors proposé de m'inscrire, dès la session suivante, soit en janvier, au doctorat. En réponse à mes questions, j'ai appris que ce statut ferait en sorte que je pourrais enseigner au MBA pendant mes études, ce qui me donnerait un revenu additionnel. Quand je lui ai demandé ce que m'apporterait et sur quoi déboucherait un doctorat, il m'a répondu que je pourrais

| 14 « Vous avez raison ! »

être professeur et qu'il était certain que je pourrais enseigner un jour, même à Harvard.

Je crois que je suis sorti de cet entretien encore plus troublé qu'à mon arrivée. Cette nouvelle option me mettait mal à l'aise sans que j'en connaisse vraiment la raison. Ce soir-là, « Maman » et moi en avons parlé longuement dans notre petit logement. L'idée de passer ma vie à enseigner ne m'enchantait pas vraiment. D'autre part, il était clair qu'un doctorat de la prestigieuse Université Harvard représentait énormément. J'étais extrêmement troublé. Il me fallait réfléchir...

▲
Jean-François vient de naître. Il a à peine quinze jours et, avec Patrick, je souris de bonheur.

La semaine suivante, les contractions de Céline ont commencé. Nous nous sommes donc immédiatement rendus à l'hôpital. Le Dr Habib nous y attendait ; il semblait très intéressé par cette grossesse. En effet, Céline avait insisté pour accoucher, encore cette fois, de façon naturelle, ce qui ne s'était jamais fait dans cet hôpital. Il s'agissait d'une première et le médecin était, je crois, fier que ce soit sa patiente qui la réalise. En tout cas, il était entouré d'étudiants en médecine qui ont tous suivi de près l'accouchement. Ils ont tous pu y assister, sauf moi évidemment, qui ai encore dû faire les cent pas en me rongeant les ongles d'inquiétude. Pourtant, encore une fois, tout a parfaitement bien été et Jean-François est né le 17 décembre 1955. J'étais père d'un deuxième enfant et je venais tout juste d'avoir 25 ans. Je me sentais... comment dire ? Parfaitement, et absolument heureux de son arrivée dans ma vie. Néanmoins, cela mettait une pression additionnelle étant donné mon statut d'étudiant dans un pays étranger. J'avais une famille et une femme que j'adorais, mais j'étais, malgré tout, profondément malheureux dans ma vie « professionnelle ».

* * *

Les jours suivants n'ont pas ébréché le bloc de ressentiments que je vivais. Après une semaine à l'hôpital, Céline est revenue à la maison et nous avons commencé tout doucement à nous habituer à la vie à quatre. Jean-François était un enfant très différent de Patrick. Autant le plus vieux était calme et tranquille, ayant profité pleinement de presque deux années seul avec sa mère, autant le second était nerveux et pleurait souvent. Même quand il n'avait que quelques jours ou quelques semaines. Je me suis d'ailleurs souvent demandé si mon désarroi de l'époque ne l'avait pas influencé et créé chez lui cette anxiété et cette agitation qui le faisaient pleurer. Je n'étais certes pas heureux et j'ai quelques fois eu peur que cette attitude, que je ne pouvais dissimuler, ait une influence sur lui. Mais je n'en sais toujours rien. Or, je savais que je n'allais pas bien. On me dirait aujourd'hui que je suis passé près d'une dépression, ce que je ne pourrais pas réellement nier.

Le lendemain de Noël, j'ai téléphoné à Roger Charbonneau pour lui expliquer la situation. Il m'a répondu qu'il fallait que nous puissions en parler de vive voix et m'a suggéré de prendre l'avion pour aller le rencontrer. Ce que j'ai fait entre Noël et le Jour de l'An.

Je ne suis resté à Montréal que deux jours, mais j'ai eu l'occasion d'avoir une réunion avec Roger Charbonneau et Esdras

Minville. Je leur ai expliqué, en détail, ce que je vivais et comment je me sentais. Charbonneau avait lui-même fréquenté Harvard. Mais c'était à une époque où les cours des HEC se bâtissaient et n'avaient pas encore la valeur de ceux que j'avais suivis. Les choses avaient beaucoup changé depuis quelques années. Roger considérait cependant que l'opportunité qui m'était offerte par Harvard était très intéressante. Il estimait qu'un professeur des HEC ayant en poche un doctorat de cette université apporterait à l'école une crédibilité importante tout en me permettant de m'ouvrir de nombreuses portes. Esdras Minville nous a écoutés sans beaucoup intervenir. Puis, il m'a seulement demandé :

— Es-tu heureux ?

— Non, lui ai-je répondu.

— Alors reviens !

Ce fut son seul commentaire et cela mettait du même coup fin à la réunion. Dans cette seule remarque, j'ai vu aussi toute la sagesse de cet homme. Je savais pertinemment que Minville souhaitait toujours améliorer son école et avoir les professeurs les meilleurs et les plus compétents. Il est évident qu'un enseignant possédant un doctorat de Harvard aurait été un atout additionnel pour les HEC. Et malgré tout ça, il n'avait pas hésité à me dire de revenir, même sans diplôme. Pour la première fois depuis de nombreuses semaines, il me semblait voir la lumière au bout du tunnel. Je me sentais libéré. Pas encore bien dans ma peau, mais soulagé d'un fardeau que je portais presque seul depuis trop longtemps.

Aussitôt de retour à Boston, j'ai relaté à Céline nos discussions. Elle m'a immédiatement appuyé et était prête à faire les bagages pour revenir à Montréal. En y repensant aujourd'hui, je crois que Céline a porté aussi ce fardeau dont je parlais plus haut. Et elle l'a peut-être porté encore plus que moi, mais toujours en silence.

Le lendemain, je suis allé voir M. Brown. Il me semblait normal de lui expliquer ma décision puisqu'il m'avait soutenu dans mes démarches auprès de l'Université. Il s'est dit triste, mais comprenait parfaitement ce choix. Le même jour, j'ai téléphoné à mes parents pour leur dire que nous rentrions, que l'expérience de Boston était terminée.

Si bien que le 6 janvier 1956, nous avons pris le chemin du retour, tous nos biens dans les fameuses caisses de médicaments. Encore une fois, mes sentiments étaient ambivalents. Je me sentais soulagé de revenir, mais, en même temps, je me disais que je n'avais pas réussi mon pari avec Boston, que j'avais abandonné. J'avais l'atroce sensation de l'échec.

Chapitre

6

Le monde des affaires

otre dernière nuit à Boston fut difficile. Spécialement pour moi. J'étais très fatigué, surtout psychologiquement, à cause de tous les événements qui venaient de se passer. Au plus profond de moi, je savais parfaitement que cette décision d'abandonner Harvard représentait un échec. J'ignorais aussi complètement ce que l'avenir nous réservait. J'étais bouleversé et frustré, même si je ne voulais pas l'admettre. Ce soir-là, Jean-François pleurait beaucoup et Céline n'arrivait pas à le consoler ni à le calmer. Il avait moins d'un mois et il est excessivement difficile de faire comprendre quelque chose à un enfant de cet âge. Il ne pleurait pas parce qu'il était malade ou qu'il souffrait, Céline s'en était assurée. Il pleurait simplement parce qu'il devinait ou sentait que la situation était très tendue. Je crois surtout qu'il pleurait parce qu'il était (et est toujours) extrêmement sensible. Une sensibilité très développée qui lui faisait malheureusement ressentir ce que je vivais.

Cette nuit-là, toutefois, pour une des rares fois de ma vie, pour une des très rares fois même, je me sentais blessé et en colère contre moi. Je n'ai pas crié, ce n'était pas mon genre, mais je me suis défoulé en frappant violemment sur le mur, que j'ai d'ailleurs défoncé. Un coup de poing que je souhaitais m'infliger à moi. Mais le trou était là, témoin de cette rage et de cette insatisfaction intérieure. Je ne crois pas être quelqu'un de violent. C'est plutôt le contraire. Mais ce soir-là, les fils se sont touchés, comme le dit l'expression. Le verre avait débordé et j'ai craqué.

Ce geste m'a tout de suite ramené à la réalité et je me suis instantanément calmé, surpris moi-même de ce comportement. Et Dieu que j'étais gêné et que je n'étais pas fier de ma réaction. Ça m'a servi de leçon pour la vie. Jamais plus je n'ai répété un tel geste.

Je ne me souviens d'ailleurs pas de ce que nous avons fait de ce trou. Céline m'a dit qu'elle avait voulu dédommager le propriétaire pour les dégâts, mais il avait refusé en disant que ça allait. Je me sentais vraiment embarrassé. Bref, au matin, nous avons mis les choses dans la voiture d'un ami qui venait nous reconduire à l'aéroport de Boston (en effet, j'avais été obligé de revendre ma voiture avant de partir) et nous sommes partis pour Montréal.

Nous avons eu un autre petit ennui en passant aux douanes canadiennes. Jean-François venait de naître et n'avait évidemment pas de papiers d'identité. Le douanier ne voulait pas le laisser entrer au Canada malgré le fait que mon visa d'étudiant ait été clair à ce sujet. Céline, qui était fatiguée du voyage et qui était surtout excédée de ces formalités et de l'attitude incompré-hensible et bureaucratique des fonctionnaires, s'est tournée vers lui et lui a lancé : « C'est bon. Dans ce cas-là, gardez-le. Quand vous aurez trouvé ses papiers, retournez-le-nous... En passant, a-t-elle ajouté, il est nourri au sein, alors il faut le prévoir ! » Et elle a tourné les talons pour partir, leur laissant le bébé. La réaction a été immédiate. Soudain, les formalités n'étaient plus aussi rigoureuses et importantes, si bien que nous avons pu continuer tranquillement notre voyage. Une fois dehors, je l'ai regardée avec un grand sourire et je lui ai dit qu'elle était formidable. Elle est la femme forte des psaumes. C'est ainsi que nous sommes rentrés à Montréal, le 6 janvier 1956, jour de la fête des Rois.

Pendant longtemps j'ai gardé en moi cette sensation d'avoir raté un rendez-vous avec le destin. L'expérience de Harvard se terminait en queue de poisson. En fait, même aujourd'hui, j'ai toujours un goût amer en repensant à l'expérience de Boston. Je suis pourtant convaincu d'avoir alors pris la bonne décision.

Non seulement je n'y étais pas heureux, mais je suis aussi certain qu'un avenir d'enseignant là-bas m'aurait été néfaste. J'étais trop attiré par le travail de terrain, plus concret et plus réel à mes yeux, et auquel j'avais déjà goûté en me frottant à l'administration des compagnies, pour me contenter uniquement d'enseigner. De plus, j'étais et je suis toujours un vrai gars du Québec. J'ai les deux pieds dans cette « terre de chez nous [15] ».

Nous avons réintégré notre logement du sous-sol à Laval où, confortable-ment assis dans ma chaise, je berce mes deux garçons, Patrick avec son sourire enjôleur et Jean-François, ce bébé ragoûtant.

Cela dit, l'avenir redevenait incertain. Je n'avais devant moi rien de précis. Heureusement, nous avons pu réintégrer notre petit logement de Laval qui était encore libre, où Céline a été très heureuse de retrouver ses sœurs.

Rapidement, Roger Charbonneau m'a redonné du travail à Administration et Finance. L'École des hautes études commer-ciales m'a aussi permis de donner quelques cours, mais, bien entendu, comme professeur remplaçant, puisque la session d'hiver était déjà amorcée.

Dès les premières semaines de notre retour j'ai aussi contacté la compagnie d'assurances L'Alliance pour leur expliquer la situa-tion et, surtout, pour leur proposer de rendre la bourse qu'ils m'avaient accordée. Je ne voulais absolument pas, à cause de ma décision d'abandonner Harvard, qu'un autre étudiant soit privé

---

15 NDLR - Jean-Marc Chaput fait ici allusion à la revue *La Terre de chez-nous*, un journal qui traite de la vie rurale et agricole du Québec et qui est publié depuis 1929.

de cet argent. Ils ont toutefois refusé ma proposition, considérant que le dossier était clos. Je les en remercie encore.

Comme j'avais vendu ma belle DeSoto pour rembourser mon père, nous nous retrouvions donc à pied. Or, quand on a goûté la liberté qu'apporte une voiture, on est accroché. Là aussi, le sort a été bon pour nous. Dollar Charbonneau, qui était venu nous reconduire à l'aéroport quand nous étions partis pour Boston, vendait la sienne. Celle-là même qui nous avait amenés à Dorval. Un vieux modèle Ford qui dépassait largement les 100 000 milles au compteur mais qui fonctionnait encore bien. Céline et moi l'avons aussitôt achetée.

* * *

Aux HEC, je tentais de m'intégrer au corps professoral. À 26 ans, j'étais le plus jeune du groupe et ce n'était pas facile. Je m'imaginais qu'ils considéraient mon bref séjour à Harvard comme un échec. Peut-être n'était-ce que dans ma tête. Cependant, je me sentais isolé et... presque rejeté. Il y avait, dans mon esprit en tout cas, un réel malaise.

Souvent, le soir, en discutant avec Céline, je remettais en question mon rôle de professeur. Si je ne me voyais pas être enseignant toute ma vie à Harvard, pourquoi est-ce que ça devrait être différent aux HEC ? J'avais fait une coupure avec Boston, devais-je en faire aussi une avec l'enseignement ? Récemment, j'ai lu un volume écrit par le Dr Henry Cloud s'intitulant *Necessary Endings*, ce qui pourrait, littéralement, se traduire par « les fins nécessaires ». Il y parle de l'importance de savoir faire des coupures avec son passé pour pouvoir avancer et réussir d'autres projets. Je n'entrerai pas dans les détails, mais en y repensant, c'est bien de cela qu'il s'agissait pour moi, à l'époque. J'avais énormément de difficultés à mettre un terme à l'expérience de Boston, comme à celle de l'enseignement, pour passer à autre chose. Lorsque l'on procède à ces coupures, explique le Dr Cloud dans son livre, il y a généralement un vif sentiment d'échec qui émerge et c'était exactement ce que je ressentais. J'avais l'impression, probablement assez vraie par ailleurs, que je n'avais pas été jusqu'au bout de l'aventure potentiellement extraordinaire de Harvard. Toutefois, sachant que je n'y étais pas heureux et étant certain que je ne pourrais pas m'y épanouir, j'ai fait une coupure que je n'acceptais pas, ce qui m'empêchait de me réorienter et d'aller ainsi plus loin. Il m'a fallu beaucoup de temps pour passer à travers ce sentiment de déception. En fait, j'estime que c'est en entrant dans le tourbillon du travail et des obligations familiales que j'ai réussi à oublier cette impression d'avoir raté quelque chose, peut-être la chance de ma vie.

Quoi qu'il en soit, on m'a offert, vers la fin du printemps, un poste de professeur à temps plein aux HEC pour les étudiants de deuxième année en administration. Croyant encore que c'était ce qu'il me fallait, j'ai accepté et je me suis mis à préparer ces cours en cherchant des histoires qui cadreraient avec la matière. Cependant, ma décision quant à mon avenir comme professeur n'était assurément pas prise.

Par ailleurs, à ce moment-là, je travaillais à temps plein pour Administration et Finance, et j'adorais ça. Quand on présente les choses ainsi, il devient clair que je n'allais pas rester longtemps dans le monde de l'enseignement. Mais comme je vivais tout ça au quotidien, rien ne m'apparaissait ni aussi évident ni aussi logique. Je dois être lent à prendre mes décisions...

* * *

Le printemps 1956 nous a apporté une autre grande nouvelle : Céline était de nouveau enceinte. En conséquence, même si nous aimions notre logement, il devenait bien trop petit pour notre famille, d'autant plus que Bernard, le jeune frère de Céline, était, depuis quelque temps, venu vivre avec nous. « Maman » s'est toujours sentie responsable de lui. Aussi, quand il avait quitté le Collège de Sainte-Thérèse, ne sachant pas où aller, il était normal qu'il se tourne vers sa sœur. La succession nous donnait alors sept ou huit dollars par semaine pour assumer ses dépenses de nourriture et de logement. Ce n'était pas beaucoup, mais, en vérité, ce n'était pas non plus une question d'argent. Bien au contraire. Il était tout simplement normal qu'il vienne résider chez nous.

Céline et moi avons fait notre possible pour qu'il n'éprouve pas de sentiment de rejet ou d'isolement. Bernard adorait la lutte et nous lui donnions toujours un peu d'argent pour qu'il puisse aller voir les combats à la télé dans un dépanneur du coin en sirotant un « coke ». En y pensant, je trouve toujours étonnant de voir comment les choses, parfois, se répètent. Il y a près de cinquante ans, nous hébergions Bernard qui ne savait plus où aller et, il y a quelques années, nous avons ouvert notre porte à un de nos petits-fils qui était encore aux études et qui cherchait vers qui se tourner. Une autre boucle qui se referme ? Peut-être... Pour conclure à son sujet, Bernard ne nous a finalement pas accompagnés dans notre nouveau logement. Les quelques mois qui restaient avant notre déménagement lui avaient permis de compléter les cours qu'il suivait et lui avaient surtout donné le temps de retomber sur ses pieds.

Bref, nous avions besoin d'une plus grande maison et je faisais assez d'argent pour que nous puissions chercher autre chose. J'avais en effet repris mes vieilles habitudes et je cumulais encore plusieurs emplois. Nous avons eu la chance de trouver un appartement dans la rue Olympia, dans le nord de Montréal. Un six et demie, au rez-de-chaussée, avec une vaste cour qui nous garantissait d'avoir toujours de la place à l'extérieur pour les enfants. Mais cette fois, nous avons décidé de faire les choses en grand. Comme il restait de l'argent des économies prévues pour le séjour à Boston, nous étions prêts à faire une folie et à nous meubler entièrement à neuf, ce qui, après trois ans de mariage, n'était finalement pas un luxe.

Nous sommes allés rencontrer un décorateur pour qu'il nous conseille. Sylva Rivest, père du premier copain de Céline, Jean Rivest, était décorateur au magasin Ogilvy de Montréal. Nous lui avons expliqué que nous souhaitions nous acheter tout le mobilier, et que nous avions besoin de conseils pour trouver quelque chose de pratique, à cause des enfants, mais également de beau. Il nous a parlé des meubles dits « scandinaves » qui étaient alors très à la mode. Avec lui, nous avons choisi tout le mobilier de la maison, sans oublier la coutellerie et la vaisselle qui devaient s'harmoniser avec le décor. Il aura cependant fallu attendre plusieurs mois avant de tout recevoir et la maison n'a été prête que pour le temps des Fêtes, même si nous en avions pris possession en mai.

Céline et les enfants ont passé pratiquement tout l'été dehors, dans notre nouvelle cour. Nos voisins, les Lacasse, avaient six enfants et tout ce beau monde jouait allègrement ensemble. Je n'avais pas pris de vacances cette année-là (comme d'habitude, dirait « Maman »). La préparation des cours aux HEC et le travail chez Administration et Finance m'accaparaient énormément, si bien que je travaillais sept jours par semaine. J'étais content que l'année scolaire aux HEC soit terminée, car j'y étais assez malheureux dans mes fonctions de remplaçant. J'espérais que tout irait mieux en septembre quand j'aurais une charge complète de professeur.

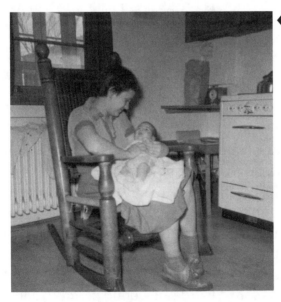

Peu de temps après la naissance de Pierre-Yves, Céline le berce dans notre nouvelle maison de la rue Olympia.

Pour pallier cette absence de la maison, je téléphonais très régulièrement à Céline pour savoir tout ce qui se passait. Même si je ne les voyais pas aussi souvent que je l'aurais souhaité, je savais toujours ce qui arrivait aux enfants et comment s'étaient déroulées les journées.

* * *

Durant l'été, j'ai donc beaucoup travaillé à Administration et Finance et je voyais presque quotidiennement Roger Charbonneau. Un jour, il m'a présenté son beau-frère, Gérard Plourde, comptable de formation, qui était, depuis 1951, président-directeur général de la compagnie United Auto Parts dont il deviendra, en 1970, président du conseil, poste qu'il occupera jusqu'en 1986. Gérard Plourde pensait qu'il y avait place à amélioration au chapitre de l'administration de son entreprise. Il m'a donc engagé pour faire l'analyse de certains départements et tenter d'y apporter des correctifs, s'il y avait lieu. J'y ai examiné les procédures et les méthodes de fonctionnement dans le travail de bureau pour ensuite lui faire certaines suggestions. La plupart d'entre elles ont été appliquées et cette réorientation s'est avérée très profitable. Nous nous sommes ensuite rencontrés régulièrement pour discuter de cas précis liés à l'administration et nous sommes devenus amis. UAP commençait alors à utiliser les « cartes perforées », qui sont, ni plus ni moins, que les ancêtres des ordinateurs. Et cette question m'intéressait au plus haut point. J'avais eu la chance, à l'Université Harvard, de travailler sur le premier ordinateur géant, appelé « UNIVAC ». C'était une machine immense qui occupait presque tout un étage de l'édifice où il se trouvait. Comme elle fonctionnait avec des lampes du même genre que celles qu'on trouvait dans les anciens postes de radio, UNIVAC dégageait énormément de chaleur et devait être refroidi par un vaste système à l'eau. Sa capacité de travail, compte tenu de sa grosseur, serait aujourd'hui qualifiée de ridicule. Pourtant, c'était à l'époque ce qu'il y avait de plus avancé dans le domaine. Et j'étais certain que ce genre de machine représentait l'avenir. Gérard Plourde m'a donc permis d'aller voir ce système de cartes perforées et j'ai été enthousiasmé. L'idée d'adapter cette technologie pour la comptabilité et de l'implanter chez Administration et Finance m'a alors traversé l'esprit. Et, même s'il y avait beaucoup de travail à faire pour y arriver, j'étais convaincu qu'il faudrait passer par là.

Pendant ce temps, vers la fin du mois de juillet, Roger Charbonneau, que j'appelle toujours « le Chef », m'a invité à dîner pour discuter d'avenir. Il voulait surtout parler du mien, car il avait senti mon malaise.

— Maintenant que tu es bien revenu à Montréal, comment vois-tu la suite des choses ? m'a-t-il demandé.

— Il y a beaucoup de choses dont je ne suis pas encore certain, lui répondis-je, mais plus j'y pense, plus je crois que je suis un homme de terrain et non un enseignant.

— Je suis d'accord avec toi, mais je ne crois pas que tu devrais laisser entièrement l'éducation. Si tu veux, je vais en parler à Esdras Minville et tu pourrais être professeur à mi-temps plutôt que d'avoir une charge complète.

Voilà comment, tout doucement, j'ai pris mes distances de l'enseignement. En septembre, avec l'accord de monsieur Minville, j'ai obtenu une charge partielle aux HEC, ce qui me permettait de me consacrer davantage au développement d'Administration et Finance.

J'ai commencé à travailler à fond pour repenser et améliorer tous les systèmes de contrôle et le développement des entreprises dont nous assumions l'administration. À cette époque, j'allais encore très souvent en Abitibi et j'ai implanté, au magasin général d'Amos, une vision abitibienne des fameux timbres « Pinky ». Pour ceux et celles qui n'auraient pas connu cette époque, je dois ici rappeler que les timbres Pinky avaient été mis de l'avant par les magasins d'alimentation Steinberg pour fidéliser leur clientèle. Chaque fois que vous faisiez votre épicerie dans l'un des magasins Steinberg, on vous remettait des timbres, que vous deviez coller dans un livret, et que vous pouviez ensuite échanger contre des cadeaux.

J'avais donc mis en place un système du même genre au magasin de M. Gourd à Amos. En même temps, j'ai suggéré plusieurs transformations dans l'établissement. Tous les étalages ont été refaits ; les vitrines réaménagées ; j'ai fait ajouter beaucoup d'éclairage à des endroits stratégiques, etc. Un jour, pendant que l'on procédait à toutes ces rénovations, M. Gourd, qui m'avait laissé carte blanche, est entré dans son commerce. Il a regardé les travaux, a fait le tour de ce qui avait déjà été aménagé et s'est ensuite approché de moi. Avec un air un peu découragé, il m'a dit : « Tu es fou. Tu vas nous ruiner », et il est sorti sans ajouter une parole et sans me laisser le temps de rien lui expliquer. Malgré ce qu'il pensait, je savais parfaitement ce que je faisais. Enfin, je l'espérais. Et j'ai eu raison, puisque la réponse de la clientèle a été excellente. Le nouveau décor du magasin, plus moderne et plus lumineux, plaisait beaucoup, sans compter que le système des timbres a été immédiatement adopté par tous les clients qui y voyaient une façon d'économiser et d'obtenir des biens qu'ils n'auraient peut-être pas pu avoir autrement. L'accueil a été si enthousiaste que le propriétaire d'une mercerie d'Amos nous a proposé une association afin de pouvoir lui aussi offrir nos timbres qui deviendraient échangeables dorénavant dans les deux magasins.

Au-delà de cette réussite, cette expérience me prouvait surtout que je ne voulais pas enseigner. Ma décision était enfin prise, et c'était clair que je deviendrais un homme d'affaires, un entrepreneur. C'est dans ce secteur que je pouvais m'épanouir.

J'avais rencontré, à peu près à cette époque, Fernand Dansereau et Jacques Godbout qui réalisaient pour l'ONF un documentaire intitulé *Les Administrateurs*. Leur enquête cinématographique visait à examiner la place des gestionnaires canadiens-français, l'influence qu'ils exerçaient au sein des entreprises ainsi que le rôle qu'ils seraient amenés à y jouer. J'avais été l'un des entrepreneurs filmés. Dansereau m'avait, entre autres, demandé pourquoi j'avais, au sortir des HEC, refusé un emploi chez Shell pour opter d'abord pour l'enseignement et ensuite pour ces fonctions de gestionnaire chez Administration et Finance. Quand j'ai vu le film qui a été présenté en 1961, j'ai trouvé ma réponse peut-être un peu prétentieuse. Mais elle cadrait parfaitement avec ce que je ressentais. J'avais répondu que je préférais modeler l'entreprise dans laquelle je travaillais plutôt que de me faire modeler par elle, comme ç'aurait été le cas si j'avais été au service d'une compagnie aussi grosse que Shell. Chez Administration et Finance, je pouvais influencer directement l'essor et le développement de l'entreprise. C'est ce qui me passionnait. Et, à bien y penser, c'est ce qui m'a toujours passionné.

* * *

Tout l'automne s'est passé essentiellement à travailler, même si j'essayais d'être à la maison le plus souvent possible. La troisième grossesse de Céline se poursuivait normalement et je gagnais suffisamment d'argent pour être à l'aise financièrement.

Nous avons continué d'acheter des disques que nous écoutions souvent en famille. Mais Jean-François devenait... Comment dire ? Fébrile quand il entendait de la musique. On aurait dit que ses émotions étaient trop à fleur de peau. Il était d'un tempérament très émotif et d'une extrême sensibilité. Céline lui a alors fait écouter doucement, à son rythme et pour de brèves périodes d'abord, plusieurs chansons populaires et des airs classiques. Et il est rapidement devenu un amateur, si bien qu'il y a aujourd'hui toujours de la musique chez lui.

Lorsque j'étais à la maison, nous avions aussi pris l'habitude d'aller manger des petites collations à l'extérieur, comme de la crème glacée, tout en faisant un tour de voiture. Il faut par ailleurs souligner qu'à une certaine époque, énormément de familles faisaient la même chose. Souvent, après le souper et avant d'aller au lit, les enfants, déjà vêtus de leur pyjama, montaient dans la voiture et on allait « faire un tour de char ». Et c'était très agréable.

À la fin de l'automne, tous nos meubles étaient arrivés et installés et il a été convenu que nous recevrions mes parents pour les Fêtes. Les conseils du décorateur étaient excellents puisque la maison était vraiment très belle.

Quand mes parents sont venus pour Noël, j'ai remarqué une expression bizarre dans les yeux de mon père. Oh, il ne m'en aurait jamais parlé. Pour lui, l'entente conclue plus de vingt ans auparavant était encore bonne et ma vie ne concernait que moi. Cependant, je suis certain qu'il pensait que je m'étais endetté jusqu'au cou pour avoir une telle maison. Si j'avais tenté de le convaincre du contraire, j'aurais perdu mon temps car son idée était faite. Ma mère a aussi réagi, comme il fallait s'y attendre. Il faut que je vous explique que mon parrain, Rolland Chaput, avait été gérant des ventes chez Dominion Textile avant d'obtenir le même poste pour la compagnie de mélasse Granma. Mais Rolland était surtout un joueur compulsif et avait perdu énormément d'argent au jeu. En voyant la maison et la décoration, ma mère s'est dit que je devenais comme mon parrain et que je lui ressemblais de plus en plus. Elle le cachait autant qu'elle le pouvait, mais elle trouvait tout ça exagéré. Pour elle, femme d'ouvrier pour qui chaque sou a son importance, c'était beaucoup trop luxueux. Je n'ai évidemment pas pu la convaincre que je ne jouais pas à l'argent car lorsqu'elle avait une idée dans la tête... Toutefois, elle a ajouté plus tard dans la soirée, pendant que nous étions un peu à l'écart et en me regardant directement dans les yeux : « More money than brain[16] ! » pour montrer son désaccord. Je crois qu'elle et mon père ont toujours eu l'impression que je deviendrais comme mon parrain. Peut-être parce que j'avais le tempérament d'un vendeur, comme lui, ont-ils toujours eu cette appréhension. Et, honnêtement, ça m'a toujours chagriné.

Il y a eu une autre réunion mémorable dans ce nouveau logement. Au début de l'année 1957, une grande amie de Céline lui a appris qu'elle allait se marier. Il s'agissait d'Aimée Sylvestre, mieux connue sous le nom de Dominique Michel, qui allait unir sa vie à Camille Henri, un joueur de la Ligue nationale de hockey.

Céline et Aimée se connaissent depuis toujours. Elles étaient ensemble au couvent de Lachine avec les sœurs de Sainte-Anne. Céline voulait être chef d'orchestre et apprenait le violon, Aimée étudiait le piano. Elles ont été ensemble jusqu'au moment où Céline est partie vivre chez son frère, mais sont par la suite restées en contact. Par exemple, quelques années après le couvent, Aimée a participé à un concours d'amateurs très populaire qui s'appelait, si je me souviens bien, *En chantant dans le vivoir*. Elle y a présenté une sonate pour piano de Mozart. Et elle était déçue de ne pas avoir gagné.

Céline et Aimée Sylvestre (Dominique Michel) entretiennent une amitié qui remonte au couvent de Lachine. Cette photo prise dans les années 40 montre deux jeunes filles magnifiques et débordantes de vie.

Elle avait dit à Céline que la musique classique ne semblait pas avoir la faveur des juges. Céline lui avait suggéré de plutôt présenter une chanson populaire. Elles s'étaient rendues dans un magasin pour se procurer les feuilles de musique d'une chanson d'Alys Robi. Aimée était, un peu plus tard, retournée tenter sa chance au même concours d'amateur et y avait gagné le premier prix. Une montre qu'elle avait d'ailleurs donnée à Céline.

Céline avait aussi beaucoup profité de son amitié avec Dominique Michel pour que nous puissions nous voir plus souvent. Vous vous souvenez que Fernand, le frère aîné de Céline, estimait que nos fréquentations devaient se limiter à une fois par semaine, ce qui lui paraissait amplement suffisant pour des jeunes comme nous. Céline avait alors pris l'habitude de dire à son frère qu'elle allait voir son amie Aimée pour une heure ou deux. Et c'était là que je la retrouvais.

Bref, Céline avait décidé de préparer un « shower » pour célébrer le prochain mariage de sa grande amie. Et cette soirée s'était tenue chez nous. Pour l'occasion, Céline avait invité la plupart de leurs anciennes camarades du couvent et ça avait été un moment extraordinaire que de les recevoir. Je me souviens encore que tout le monde avait été emballé par la décoration et le style de notre nouvelle demeure. Et je dois avouer que j'en étais très fier.

* * *

Un soir, au début de février 1957, Céline et moi étions installés devant la télé et les contractions ont commencé. Ce n'était pas le premier accouchement. Aussi, moins nerveux, lui ai-je proposé d'attendre la fin de l'émission avant de partir pour l'hôpital de la Miséricorde, ce qu'elle a accepté. Le feuilleton terminé, peut-être 15 ou 20 minutes plus tard, toutes ses affaires étant déjà prêtes, nous avions pris l'auto pour nous rendre à l'hôpital de la Miséricorde. En chemin, Céline a senti que c'était urgent.

C'est pourquoi, aussitôt arrivé, j'ai laissé l'auto dans la rue, près de la porte, et j'ai conduit Céline à l'intérieur pour l'installer dans un fauteuil roulant, puis je suis ressorti quelques instants, deux minutes au maximum, pour aller stationner la voiture. Je suis revenu en courant et... Céline n'était plus dans le couloir. Une infirmière m'a indiqué la direction dans laquelle Maman avait été amenée. Je me suis élancé vers l'endroit qu'elle montrait et je suis arrivé à une de ces grandes portes que l'on retrouve dans les hôpitaux, juste au moment où elles s'ouvraient pour laisser le passage au médecin de Céline. Il m'a regardé en souriant et a dit : « C'est un garçon. Félicitations, Jean-Marc ! » Pierre-Yves venait de naître, le 2 février 1957, et j'étais désormais père de trois magnifiques garçons que j'adore toujours passionnément.

Dès sa naissance, Pierre-Yves a démontré son caractère. En fait, même son arrivée laissait voir qu'il serait toujours un petit vite. Il est né en moins de deux et il a aussi toujours été un rapide dans la vie. Dans le même sens, à la naissance, il avait continuellement un petit sourire au coin des lèvres. Or, tout jeune, Pierre-Yves est devenu un véritable clown. Il était espiègle à souhait. Il parlait tout le temps, adorait faire du bruit et était d'une curiosité débordante. On dit que c'est signe d'intelligence et je le crois volontiers. Il a toujours adoré les gens et nous avons rapidement constaté qu'il avait le tempérament d'un vendeur. En fait, je crois que de mes cinq enfants, c'est celui qui me ressemble le plus. Au point où c'est probablement celui avec lequel les relations ont parfois été les plus difficiles. Ce n'est vraiment pas évident d'être confronté avec quelqu'un dans lequel on se reconnaît autant ; comme un miroir de nos forces et de nos faiblesses. Par ailleurs, Pierre-Yves a aussi été celui qui me témoignait le plus son affection. Pendant très longtemps, chaque soir avant d'aller au lit, il est venu m'embrasser. J'adorais cette habitude !

Quoi qu'il en soit, moins d'une semaine après l'accouchement, Céline est revenue à la maison avec le bébé, le troisième en 39 mois. La tâche était imposante et les couches s'accumulaient à une vitesse sidérante. Or, les couches jetables n'existaient toujours pas. Il fallait tout laver tous les jours pour ne pas être rapidement enterré sous... Bref ! Encore une fois, Maman allaitait son fils, ce qui, je le répète, était quand même assez rare à cette époque. Devant la somme de travail que tout cela représentait, ses deux sœurs, Marie et Thérèse, lui ont dit qu'elle avait besoin d'aide et qu'elle devrait faire appel à une fille-mère pour lui donner un coup de main. Elles avaient d'ailleurs fait la même chose à la suite de leurs propres grossesses. Après en avoir discuté, nous avons décidé de faire la demande à l'hôpital de la Miséricorde qui accueillait beaucoup de jeunes filles enceintes venues de partout au Québec, toujours à recherche de familles d'accueil pour les héberger. L'histoire des ces jeunes filles était presque toujours la même. Elles étaient jeunes, trop jeunes, pas mariées et avaient souvent été maltraitées dans leur milieu.

Il fallait garder cela secret, d'où cet exil à Montréal. Bref, après quelques jours, l'hôpital nous a envoyé Aline, une jeune femme du Lac-Saint-Jean. Elle était enceinte de quelques mois et avait quitté son village pour Montréal avant que ses rondeurs ne soient trop évidentes, prétextant une tuberculose que seul un établissement spécialisé de la métropole pouvait soigner. Dans les faits, elle devait accoucher au début de l'été. Aline donnait un bon coup de main à la maison, mais Céline se sentait responsable d'elle.

Aline a accouché au mois de juin et a immédiatement donné son enfant pour adoption. Sa tristesse et sa peine faisaient mal à voir quand elle est revenue à la maison. Cette fois, c'est

Céline qui lui a donné un coup de main, démontrant encore son immense compassion et son amour des autres.

Un jour, après l'accouchement, Aline a reçu une lettre de son village où les gens s'interrogeaient sur l'évolution de sa maladie. Pour l'aider, nous avons décidé de trafiquer un peu la vérité. Nous avions à ce moment une amie qui était hospitalisée à l'hôpital Sacré-Cœur et nous lui avons demandé, après lui avoir expliqué la situation, si nous pouvions « emprunter » sa chambre quelques heures, ce qu'elle a accepté volontiers. Nous nous sommes donc

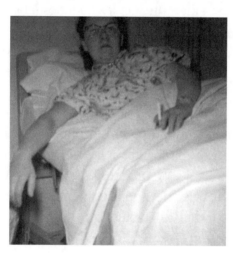

Voici Aline Bilodeau, cette fille-mère qui était venue aider Céline avec les 3 garçons. Cette photo a été prise dans une chambre de l'hôpital Sacré-Cœur pour rassurer ses proches.

rendus à Sacré-Cœur où nous avons pris des photos d'Aline alitée (qui n'avait maintenant plus son gros ventre), de la chambre, de la vue depuis sa fenêtre, de l'entrée de l'hôpital, etc. Aline a ensuite fait parvenir ces photos à sa famille, indiquant qu'elle était bien soignée et que la convalescence se poursuivait normalement. Nous nous sommes follement amusés à tout mettre en scène. Un bien petit mensonge finalement pour calmer les appréhensions des proches et des amis de notre protégée.

Bien des années plus tard, je donnais une conférence à Montréal, au terme de laquelle un jeune homme, un jeune professionnel de toute évidence, est venu me parler.

— Je suis content de vous voir enfin, monsieur Chaput, m'a-t-il dit.

— Ça me fait aussi plaisir, lui ai-je répondu en me demandant bien si je le connaissais ou non.

Sentant mon questionnement, il a simplement ajouté :

— Je suis le fils d'Aline... Le bébé qu'elle a laissé en adoption à l'hôpital de la Miséricorde.

J'étais sidéré. Il m'a alors expliqué que le retour d'Aline dans son village avait été très difficile. Elle se sentait salie non seulement de ce qui lui était arrivé, mais aussi d'avoir dû laisser son enfant. Elle avait connu des jours sombres, mais avait pu reprendre sa vie normale. De son côté, le bébé avait été adopté par une famille et avait été élevé à moins de trente kilomètres de l'endroit où vivait sa mère naturelle. Plus vieux, il avait cherché à connaître la vérité et avait voulu savoir d'où il venait. C'est comme ça qu'il avait rencontré sa vraie mère qui lui avait tout raconté, y compris son séjour chez les Chaput et l'aide qu'elle avait reçue.

Il est toujours étonnant de voir comment le monde est petit et comment, malgré tout, l'amour est la seule vraie chose. C'est l'essence même de la vie. Je me suis toujours senti privilégié d'avoir eu le bonheur de rencontrer des gens comme Aline, d'avoir aimé et été aimé par Céline et d'avoir eu de si beaux enfants.

Bref, pour conclure cette anecdote, j'ajouterai que nous avons revu Aline assez régulièrement par la suite. Nous allions lui dire un mot chaque fois que je devais donner une conférence dans sa magnifique région. Et elle a toujours fait un peu partie de la famille.

* * *

Le printemps et l'été 1957 sont (encore une fois, me direz-vous) sous le signe du travail. J'occupais mon poste aux HEC à mi-temps, et j'étais, le reste du temps, chez Administration et Finance. Vers la fin de l'été, j'ai eu une discussion avec Roger Charbonneau sur l'avenir de son entreprise. Je lui ai expliqué qu'à mon avis, il était primordial d'élargir la clientèle et de trouver de nouveaux clients. Pour y arriver, il fallait sérieusement songer à mécaniser la compagnie. À l'automne, Administration et Finance a loué une IBM à cartes perforées, une 407 pour ceux qui s'en souviennent. L'objectif était d'ensuite « louer » du temps de travail sur ce genre de machines à d'autres compagnies qui ne voulaient ou ne pouvaient pas investir les sommes nécessaires pour s'en procurer une. Ces dernières nous faisaient parvenir leurs documents que nous traitions afin de leur retourner les rapports dans les heures ou les jours qui suivaient. Il y avait, à ce moment, seulement deux autres entreprises qui, comme nous, offraient ce genre de service. L'une d'elles était, évidemment, IBM et l'autre était connue sous le nom de Statistical Recording, une filiale de Remington Rand[17].

Cependant, la véritable préoccupation de Roger Charbonneau demeurait Anglo-French Drugs, dont il était le seul propriétaire. Il s'était arrangé pour que j'y consacre de plus en plus de temps et m'avait nommé, un peu plus tard, secrétaire-trésorier. J'étais devenu ni plus ni moins que son bras droit. Mais je croyais toujours aux possibilités immenses qui s'ouvraient pour Administration et Finance. Le destin s'en est mêlé quand, quelque temps plus tard, les frères Gourd, proprié-taires avec Charbonneau, ont décidé de vendre leurs parts d'Administration et Finance. Je me suis alors associé à Gérard Plourde et nous avons chacun acheté un tiers de la compagnie. Je devenais donc propriétaire d'Administration et Finance dont je m'occupais déjà beaucoup, tout en continuant à travailler à temps plein pour Anglo-French Drugs.

Au fil des mois, mes partenaires m'ont laissé les coudées franches pour Administration et Finance, à tel point qu'au début 1958, j'en ai eu toute la responsabilité. Mes deux associés ne s'impliquaient pratiquement plus directement dans l'entre-prise même s'ils continuaient à s'intéresser activement à son développement.

J'enseignais toujours aux HEC, mais à l'automne 1958, j'ai changé de tâche une fois de plus, et je suis devenu chargé de cours. Cela impliquait que, dorénavant, je donnerais des cours trois ou quatre soirs par semaine et que je serais payé à l'heure, ce qui était beaucoup plus avantageux pour moi.

| 17 Notez que Remington Rand, disparue en 1955, était le fabricant initial de l'UNIVAC, premier ordinateur
commercial construit aux USA.

Quand je vous disais que je les berçais souvent ! Ici, en 1958, je rayonne littéralement de bonheur avec Jean-François, Pierre-Yves et Patrick.

* * *

Quand a débuté l'année 1959, une idée commençait à germer dans ma tête. Et pas seulement dans la mienne, car Céline y pensait aussi beaucoup. Nous avons donc décidé de ne pas renouveler notre bail du logement de la rue Olympia et de plutôt acheter notre propre maison. Nous voulions nous faire construire pour avoir quelque chose qui nous plairait et correspondrait à nos besoins. Nous nous sommes donc promenés dans différents secteurs pour voir ce qu'il y avait de disponible. C'est ainsi que nous sommes un jour passés devant un grand terrain sur le boulevard Gouin, près de l'hôpital Notre-Dame-de-la-Merci, le long de la rivière des Prairies. Un emplacement magnifique. J'ai téléphoné au vendeur qui m'a appris qu'il demandait 65 000 $ pour le terrain. Une fortune à l'époque. C'était beaucoup trop cher pour nos moyens. Avec une telle somme, on pouvait avoir maison et terrain dans d'autres secteurs. Mais je me suis alors dit qu'un jour, oui un jour, nous habiterions dans notre maison sur le bord de la rivière. Je brûle les étapes, mais nous y sommes arrivés au début des années 2000 quand nous avons finalement acheté un condo qui donne directement sur la rivière et c'est là que nous vivons encore aujourd'hui.

Toujours est-il qu'en 1959, nous avons continué nos recherches. Nous avons rencontré les Aubin, entrepreneurs de Laval, qui avaient des terrains à Duvernay, dont un au coin des rues Champfleury et Du Verger, aujourd'hui rue d'Youville. C'était un nouveau secteur qui allait se développer au cours des mois suivants. Le terrain était grand et très bien situé et nous avons décidé de prendre l'un des modèles qu'ils proposaient, mais de le faire modifier pour répondre à nos besoins. C'est ainsi que la maison avait été allongée de 4 pieds, que le toit était devenu plat, que les murs avaient été recouverts de stuc, que le garage avait été transformé en salon, etc. Les Aubin nous ont proposé un forfait où l'ensemble des travaux, incluant le terrain, s'élevait à environ 25 000 $. Notre décision était prise. Nous allions avoir notre maison à Laval.

Je n'avais évidemment pas cette somme et je me suis rendu à la Banque Royale, à l'angle des rues Saint-Denis et Sainte-Catherine, pour obtenir un prêt hypothécaire. Il ne devait s'agir que d'une formalité puisque l'établissement me connaissait et que j'avais suffisamment de revenus pour effectuer facilement les paiements. Après deux semaines, je n'avais eu aucune réponse de l'institution. J'y suis donc retourné pour rencontrer le responsable de mon dossier.

— J'ai le regret de vous dire que votre demande a été refusée, m'a-t-il dit d'entrée de jeu.

— Mais c'est impossible, lui ai-je répondu, estomaqué.

— Monsieur Chaput, vous n'avez pas assez de revenus et, comme vous avez déjà fait une faillite, il nous est impossible de vous consentir ce prêt. Je suis désolé.

— Mais je n'ai jamais fait faillite. C'est une erreur, ai-je plaidé. Révisez votre dossier !

— Je l'ai devant moi et il est clairement indiqué que Jean-Marc Chaput a fait faillite.

J'étais abasourdi. D'où tiraient-ils leurs informations ? J'ai encore argumenté pour qu'ils refassent leurs calculs et revérifient leurs dossiers. Ils se sont finalement rendu compte qu'ils avaient, dans la même succursale, deux Jean-Marc Chaput, dont les numéros de compte se ressemblaient et qui avaient à peu près le même âge, mais pas du tout le même profil d'épargnant. L'histoire est amusante aujourd'hui, mais sur le moment, je vous avoue que je ne trouvais rien de drôle à cette situation.

Les fonds obtenus, la maison a aussitôt été mise en chantier. Les fondations ont été creusées dans la neige au mois de mars. Nous y avons emménagé au mois d'août. La maison, un *split-level*, comptait trois chambres à l'étage, pour nous et les enfants, et une autre au rez-de-chaussée, pour les invités ou pour accueillir une autre fille-mère, puisque Céline était de nouveau enceinte. Quand nous sommes arrivés dans notre nouvelle maison, la rue n'était pas encore faite et les canalisations n'étaient même pas installées, ce qui a fait le bonheur des garçons qui se sont amusés tout l'été dans la terre et la boue à jouer aux travailleurs de la construction. Patrick entrait à l'école Saint-Maurice en septembre, un établissement à quelques rues de la maison. Pour nous, l'achat de cette résidence marquait surtout une autre étape : nous étions enfin propriétaires !

* * *

L'essor d'Administration et Finance s'est aussi poursuivi. J'ai réussi à dénicher de nouveaux contrats grâce à la mécanisation de l'entreprise. Nous avions notamment des ententes avec plusieurs villes pour faire les comptes de taxes. Les administrations municipales nous faisaient parvenir les informations concernant l'évaluation des propriétés de leur territoire, incluant les dimensions du terrain et de la maison, et, à partir du taux de taxation établi, nous préparions les comptes de taxes qui étaient ensuite acheminés aux propriétaires.

À ce moment, Céline et moi faisions aussi partie d'une ligue de quilles. Cela représentait l'une de nos sorties hebdomadaires. Nous y avons fait la connaissance d'un couple avec lequel nous nous sommes liés. Il s'agit de Jean et Marcelle Coutu. Jean possédait alors trois pharmacies qui s'affichaient sous la bannière Locas. Au fil des discussions, je suis parvenu à convaincre le pharmacien, qui est devenu un bon ami, que je pouvais m'occuper de la comptabilité de ses magasins. J'ai obtenu le contrat, ce qui a encore contribué au développement et à la diversification d'Administration et Finance.

C'est aussi en 1959 que Roger Charbonneau a décidé de vendre ses parts. Je n'avais pas assez d'argent pour les acheter, mais Gérard Plourde s'en est porté acquéreur. Il possédait dorénavant les 2/3 d'Administration et Finance. Nous avions convenu que nos bureaux, partagés avec Anglo-French Drugs, étaient devenus trop petits et qu'il fallait déménager, ce que nous avons fait cet été-là en transférant nos affaires au deuxième étage d'un édifice de la rue Craig (aujourd'hui Saint-Antoine), à l'ouest de la rue De Bleury. Ce n'étaient pas des bureaux très haut de gamme, mais ils étaient plus spacieux et Administration et Finance occupait, seule, tout l'espace. De plus, nous avions alors un employé à temps plein pour m'aider, compte tenu de tous les contrats que nous avions déjà. Quelques jours après y avoir installé nos affaires, alors que Gérard Plourde et moi faisions visiter les locaux à Céline, il lui a dit : « Ainsi naissent les grandes entreprises », car il croyait aussi aux possibilités d'avenir qui s'ouvraient à nous. J'avais 29 ans, bientôt 4 enfants et une entreprise qui avait le vent dans les voiles. Je me sentais invincible.

Au fil des semaines et des mois, de nouveaux contrats se sont ajoutés. J'ai engagé d'autres employés, dont un certain M. Kayler, qui est devenu responsable de la programmation de la machine à cartes perforées. La programmation de ces engins était très délicate et complexe. Mais Kayler y excellait. Il faut savoir que tout se faisait manuellement. Pour chaque travail que nous voulions faire, il fallait, sur ce qu'on pourrait appeler un tableau, relier certaines connexions avec des fils pour que la machine fasse les opérations que nous désirions obtenir. Chacun de ces tableaux pouvait contenir des centaines de fils, selon la complexité des calculs à effectuer. Et nous avions des centaines de ces tableaux pour les contrats ou les volets de contrats que nous devions assumer. Il est difficile aujourd'hui de réaliser l'ampleur du travail que cela représentait.

Mais je peux vous jurer que M. Kayler était un génie dans ce domaine et que, sans lui, j'aurais eu d'énormes problèmes. Étonnamment, ces machines, selon les fabricants, ne pouvaient qu'additionner et soustraire. Or, il avait réussi, par je ne sais quel moyen, à leur faire faire des multiplications et des divisions qu'il était parvenu à intégrer à sa programmation. Comme quoi la vie met souvent sur notre route, au bon moment et de la bonne façon, des personnes qui occupent une place cruciale.

Kayler était un bourreau de travail. Il occupait déjà à temps plein (environ 45 heures par semaine) un emploi en comptabilité pour la Fédération des œuvres de charité canadiennes-françaises. Le soir et les fins de semaine, il travaillait pour Administration et Finance une quarantaine d'heures additionnelles. D'origine alsacienne, M. Kayler était un grand bonhomme, très costaud, d'environ 50 ans. Il avait combattu du côté des Allemands pendant la Première Guerre mondiale et du côté des Français durant la Seconde Guerre. Il avait, en 1940, été fait prisonnier par les Allemands qui, voyant qu'il pouvait parler à la fois français et allemand, en avaient fait un interprète dans les camps de travail. La vie n'y était évidemment pas facile, mais il s'agissait de camps de travail et pas de camps d'extermination. De plus, la position privilégiée de Kayler lui laissait quand même un peu plus de temps libres et probablement de meilleures conditions que les autres prisonniers. Pour s'occuper l'esprit, il avait décidé d'apprendre l'anglais. Pour y arriver, il avait réussi à emprunter des livres qui traînaient dans les bureaux des Allemands. Lentement, il était parvenu à lire parfaitement cette langue, avec cette particularité qu'il n'avait jamais entendu personne la parler et ne comprenait rien si on lui parlait en anglais.

Quand il est venu travailler pour moi, je lui ai donné les guides d'utilisation des machines que nous utilisions. Il les a lus et je peux affirmer qu'il en saisissait parfaitement les subtilités, mieux, souvent que tous ceux qui étaient qualifiés de spécialistes. Mais si jamais je lui posais une question en anglais, il n'avait aucune idée de ce que je pouvais lui dire.

J'allais donc rencontrer des représentants des villes ou des administrateurs d'entreprises pour leur proposer nos services, et, quand je revenais, je lui expliquais clairement ce que nous devions faire. Il partait de son côté et programmait un « tableau » pour que la machine accomplisse les tâches dont nous avions besoin. C'était mon homme de confiance et un ami.

Pour vous donner une idée du personnage, un été, pour ses vacances, il a décidé d'aller visiter la ville de Sherbrooke. Il a acheté des billets de train pour sa femme et ses filles, mais pas pour lui. Il a plutôt décidé de s'y rendre à pied pour découvrir la route et les paysages le long du trajet. Ou encore, toujours pendant ses vacances d'été, il partait parfois avec ses filles et sa femme pour le terminus d'autobus. Là, au comptoir des billets, il demandait où allait le prochain autobus. Si la destination lui plaisait, il achetait les billets et le prenait. Rendu à destination, il pouvait y passer quelques jours, puis retournait au comptoir d'autocars pour recommencer le même manège pour une autre destination. Il aimait se fier à son instinct et ne pas planifier ses vacances. Cet état d'esprit m'a toujours impressionné. J'aurais souhaité pouvoir faire comme lui. Encore aujourd'hui, il m'arrive de me dire que nous devrions, Céline et moi, nous rendre à l'aéroport et prendre le premier avion, quelle que soit sa destination. Partir à l'aventure comme le faisait M. Kayler. Il m'a appris qu'il ne faut pas toujours tout prévoir. Que le moment présent est important et qu'on doit faire en sorte de vivre sa vie, de mordre dedans à pleines dents. Et je lui suis encore reconnaissant de cette leçon.

Ça fait aussi partie de l'ambivalence qui me caractérise parfois. D'une part, j'aime planifier et savoir ce qui s'en vient, d'autre part, j'adore les surprises. D'une part, je ressens une certaine insécurité financière, d'autre part, l'argent ne m'est pas essentiel puisque j'ai toujours su que je pourrais gagner mon prochain repas, même quand j'ai eu de grosses difficultés monétaires. En ce qui me concerne, j'ai toujours travaillé et voulu travailler beaucoup, même si cela impliquait souvent d'être absent de la maison. Je travaillais fort parce que c'était indispensable pour mon développement personnel que de relever des défis. Mais, au-delà de cela, ma femme et ma famille sont les seules choses absolument vitales et fondamentales dans ma vie. Quand je vous dis que je suis ambivalent...

Toujours est-il que M. Kayler venait au bureau d'Administration et Finance tous les jours en fin de journée. Un soir, vers 19 h 30, comme il n'était toujours pas arrivé, j'ai décidé de donner un coup de fil chez lui pour savoir ce qui se passait. Quand j'ai interrogé sa fille, j'ai entendu sa voix trembler et se voiler d'un grand chagrin. Son père était mort, l'après-midi même, à son bureau de travail de la Fédération. Foudroyé par une crise cardiaque. Je perdais non seulement un employé et un bras droit incomparable, mais je perdais surtout un ami. Mais au-delà de ma propre peine, j'aurais tant souhaité pouvoir enlever un peu de tristesse des épaules de cette jeune fille qui venait de perdre son père.

* * *

Je consacrais donc beaucoup d'efforts à convaincre des entreprises qu'Administration et Finance pouvait les aider dans leur travail. Et je réussissais souvent. Parmi celles qui m'ont fait confiance, il y avait plusieurs entreprises pharmaceutiques, des administrations municipales, et même des bureaux de comptables. Dans tous les cas, les besoins étaient différents et nous devions nous adapter. Pour donner un exemple, j'avais aussi comme client la Ferme Saint-Laurent qui était une coopérative laitière réunissant plusieurs centaines de laitiers. Nous nous occupions de plusieurs facettes de cette entreprise, notamment la tenue de livres de la coopérative et la facturation du lait acheté par les membres chaque semaine. Nous nous occupions même de la gestion des achats d'essence des laitiers s'approvisionnant chez Ferme Saint-Laurent qui avait négocié elle-même un contrat global avantageux auprès d'un raffineur. C'est d'ailleurs dans le cadre de cette facturation que j'ai, un jour, reçu une plainte d'un des laitiers. Il m'a expliqué qu'on lui avait envoyé une facture d'essence de 80 $ pour la semaine précédente. Je lui ai répondu qu'il s'agissait d'un montant raisonnable pour un camion qui était utilisé sept jours par semaine pour livrer les produits laitiers. « Oui, a-t-il répliqué sans hausser le ton, le problème c'est que je n'ai pas de camion. J'ai un moteur à poils. Je livre mon lait avec une voiture tirée par mon cheval ! »

Après quelques secondes de stupéfaction, je me suis mis à rire. Il avait raison d'être insatisfait. Après avoir pris certaines informations additionnelles, nous nous sommes rendu compte qu'il y avait eu une erreur d'entrée dans le numéro qui était attribué à chacun des laitiers, ce qui expliquait la méprise. Il avait vraiment raison d'être surpris de cette facture...

À la maison, je parlais souvent de ce contrat avec la laiterie. Si bien qu'un jour où l'enseignante a demandé à ses élèves de décrire ce que faisait leur père, mon fils Pierre-Yves a répondu que mon travail consistait à compter les bouteilles de lait de la Ferme Saint-Laurent. C'était le genre de caricature qu'il pouvait lancer spontanément, signe de son humour incisif. Je dois toutefois dire qu'il était très proche de la réalité. C'est certainement celui de mes enfants qui a le mieux compris mon travail. Parce qu'au fond, c'était exactement ce que je faisais pour la laiterie, compter les bouteilles vides. Cela démontrait également toute la puissance de son intuition. Or, c'est une qualité extraordinaire pour un vendeur.

Chemin faisant, les profits commençaient à apparaître chez Administration et Finance. J'étais propriétaire du tiers de l'entreprise et pourtant je veillais seul à son exploitation. Gérard Plourde n'intervenait pour ainsi dire jamais. Je me suis toutefois rapidement rendu compte que les profits ne m'apportaient pas grand-chose. Si nous faisions, 30 000 $ de gains, par exemple, Plourde empochait 20 000 $ et moi 10 000 $. Sans compter, surtout, que la valeur aux livres de l'entreprise continuait à augmenter. Si bien que plus Administration et Finance réussissait, plus nous faisions d'argent, plus il me devenait impossible de racheter les parts de Plourde qui, elles aussi, augmentaient proportionnellement. Une clause, incluse dans l'entente qui nous liait, prévoyait que, dans le cas de rachat des parts, le prix de celles-ci serait déterminé par la valeur aux livres de l'entreprise. Il devenait clair que plus je travaillais au développement et au succès d'Administration et Finance, moins je pouvais en devenir l'unique propriétaire, ce dont j'avais toujours rêvé.

Je suis donc allé rencontrer Plourde pour lui en parler. Il comprenait parfaitement la situation, mais disait que c'était ainsi que nous l'avions prévu au départ. Mais, lui ai-je répliqué, ça signifiait que je travaillais contre moi, car plus la compagnie ferait d'argent, plus j'aurais de difficulté à acheter ses parts. Il m'a simplement répondu que c'étaient les affaires.

Le soir de cette discussion, une fois à la maison, j'en ai évidemment beaucoup parlé avec Céline. Je me sentais dans une impasse. Tout ce qu'il me restait à faire, et c'est ce que nous avons alors convenu, Maman et moi, c'était de démissionner. Démissionner d'Administration et Finance et lui laisser toute la compagnie.

J'ai écrit une lettre à Plourde, reprenant les arguments que je lui avais présentés tout en indiquant qu'étant donné mon âge (je n'avais pas encore 30 ans), ma famille et mon besoin de continuer à développer le patrimoine familial, j'avais besoin de relever de nouveaux défis. En conséquence, je l'informais que je démissionnais de mon poste de secrétaire-trésorier d'Administration et Finance et que cette décision prenait effet dès le mois suivant.

Pendant une semaine, je n'ai eu aucune nouvelle de Gérard Plourde. Puis, j'ai reçu un coup de fil de Roger Charbonneau me demandant ce qui se passait et ce qui m'arrivait. J'ai donc repris la discussion que j'avais déjà eue avec Plourde. Je lui ai expliqué qu'il nous fallait, entre nous, convenir d'un prix fixe pour la valeur de la compagnie sinon, ce serait impossible de continuer. Nous avons longuement parlé sans que cela apporte aucun changement à la situation.

Quelque temps après, il m'a recontacté pour me dire que je n'avais qu'à faire un chèque pour qu'Administration et Finance soit à moi. Gérard Plourde me cédait ses parts en échange de quelques dizaines de milliers de dollars. Je ne les avais évidemment pas puisque je venais de faire construire notre maison.

Je suis allé demander un nouveau prêt et un excellent ami, Robert Faust, m'a alors endossé pour me permettre de l'obtenir. Robert, que je connaissais depuis les HEC, m'avait souvent incité à trouver une façon d'acheter Administration et Finance. Il savait tout l'intérêt que j'y portais et comprenait ma vision de l'avenir. J'ai ainsi facilement négocié ce nouvel emprunt.

Après quoi j'ai fait parvenir un chèque visé à Plourde et je suis devenu, à l'automne 1959, le seul actionnaire d'Administration et Finance. Pour moi, il s'agissait d'une autre étape importante de ma vie. Comme celle, à l'âge de 12 ans, quand j'étais devenu un « homme » responsable, comme celle qui avait changé ma vie après l'échec de la prêtrise à Saint-Ignace, comme celle de mon mariage, comme celle de mes enfants, comme celle de Harvard, comme celle de notre maison. Une étape qui serait déterminante.

J'ai toutefois un immense regret quant à la façon dont tout s'est passé. Gérard Plourde et moi ne nous sommes plus parlé pendant 25 ans, jusqu'au jour où, pendant une cérémonie quelconque, je l'ai revu et j'ai été le saluer. Et il y avait toujours un contentieux entre nous. J'aurais pu agir différemment. En fait, j'aurais dû agir différemment. Mettre quelqu'un au pied du mur, comme je l'avais fait, n'est généralement pas dans ma nature. J'aurais dû lui parler et lui expliquer encore et encore ma position. J'aurais dû prendre le temps de lui « vendre » ma façon de voir plutôt que de couper les ponts. La vente et les communications étaient, et sont toujours, parmi mes grandes forces et je ne les avais pas alors utilisées. Je ne sais évidemment pas comment se seraient passées les choses si j'avais agi différemment, mais je suis encore triste d'avoir perdu un mentor, un bon partenaire d'affaires et un ami.

Chapitre
7

Administration et Finance

L'année 1959 avait été marquée par le changement. Nous avions déménagé dans notre nouvelle maison ; nous avions travaillé à son aménagement ; les bureaux d'Administration et Finance avaient déménagé également et j'en étais devenu l'unique propriétaire. Tout ça représentait des transformations importantes de nos vies et de nos habitudes.

L'automne s'est donc passé sous le signe du travail. Si j'avais cru jusqu'à ce moment m'être largement investi dans le boulot, les semaines et les mois suivants allaient me démontrer que je pouvais y consacrer encore plus de temps. J'avais pris un pari important en misant tout sur Administration et Finance. J'étais toutefois convaincu des possibilités étonnantes qui s'ouvraient et que je pouvais développer. Tout était encore à faire. La compagnie avait déjà commencé à grandir et continuait de croître. Mais rien n'a été facile pendant ces premiers mois, surtout du côté des liquidités. Il n'était pas rare, pour assumer les dépenses de l'entreprise, que je me prive de salaire. J'étais le seul propriétaire, donc j'avais un salaire s'il restait de l'argent après que tous les autres frais avaient été payés. Avec les obligations de la maison et le prêt additionnel pour la compagnie, le budget familial était excessivement serré. Un peu comme si nous étions revenus aux premiers jours de notre mariage. Cela ne changeait toutefois absolument rien à mon enthousiasme et à ma passion d'entrepreneur. J'étais devenu un développeur, un peu comme ces bâtisseurs de l'Abitibi que j'avais côtoyés pendant des années et que j'avais admirés.

Ce tournant me faisait penser à celui qui était survenu avec mon père quand j'avais 11 ans. Je sentais que j'étais, de nouveau, le seul responsable de ce qui m'arrivait et de ce que je décidais. J'avais mon sort entre mes mains et je pouvais modeler la compagnie comme je le souhaitais. Il ne me restait qu'à prendre les moyens pour que tout réussisse. Je devais trouver de nouveaux contrats, me procurer de nouvelles machines, plus grosses et plus performantes, planifier le développement à venir et le travail à faire. Une tâche colossale. Tout était sous ma responsabilité : la prospection de nouveaux clients, la vente, la tenue de livres, la production, tout.

Je partais de la maison, sept jours par semaine, vers 6 heures le matin pour ne revenir qu'en soirée, souvent vers 20 heures. Pour la première fois de ma vie, mon rôle de père semblait passer au second plan. Souvent, quand j'arrivais à la maison, Maman demandait aux enfants d'aller se coucher et de ne pas faire de bruit pendant que nous soupions, car elle m'attendait toujours. C'était seulement de cette façon que nous pouvions avoir quelques moments ensemble. Un jour, un peu avant que je n'arrive, Patrick lui a demandé :

— Pourquoi il faut aller nous coucher quand papa arrive ?

— Parce qu'il a eu une grosse journée et qu'il est fatigué. Il travaille fort pour nous.

— J'aime pas ça quand papa est là, parce que tu nous envoies nous coucher, a-t-il ajouté en tournant les talons et en bougonnant.

Céline, ce soir-là, m'a rapporté ce que Patrick lui avait dit. Ça m'a donné un coup énorme. Elle n'avait que 27 ans et était encore enceinte, j'en avais 29 et nous avions trois garçons. Les responsabilités étaient gigantesques : elle devait gérer presque seule la famille et la maison et moi, je devais tenir les rênes d'une compagnie qui avait des possibilités énormes. Mais tout ça n'est rien si on met dans la balance la réalité de la famille. Administration et Finance prenait une place importante, mais ne devait pas, ne devrait jamais, passer devant ma famille et ma femme. Patrick venait de me donner une leçon. Je ne pouvais faire autrement que de consacrer beaucoup de temps à l'entreprise, mais il fallait trouver une façon de réaligner mes priorités. À compter de ce jour, j'ai passé les fins de semaine à la maison (même si j'apportais parfois du travail) et je faisais tout pour être aussi présent que possible. De son côté, Céline n'a plus demandé aux enfants d'aller se coucher avant mon retour. Nous avons recommencé à nous voir et, surtout, à avoir une vie familiale.

J'étais quand même peu souvent présent à la maison. Je continuais cependant à téléphoner (au moins) cinq ou six fois par jour à Maman pour être tenu au courant de tout ce qui arrivait. La seule chose qui m'inquiétait demeurait la grossesse de Céline. Tout allait à merveille, mais la date de l'accouchement approchait et je ne voulais, sous aucun prétexte, rater ce rendez-vous. Elle voyait régulièrement le Dr Léon Journet, son obstétricien, qui l'avait accouchée pour Patrick et Pierre-Yves et qui s'assurait que tout allait pour le mieux pour la nouvelle grossesse. Céline était donc en de bonnes mains.

Le matin du 9 novembre, j'étais au bureau depuis quelques heures quand Céline m'a donné un coup de fil pour m'apprendre que les contractions avaient commencé. Nous avons convenu, sachant que les choses se passent parfois très vite, qu'elle prenne un taxi immédiatement pour se rendre à l'hôpital et que j'allais l'y rejoindre.

Aussitôt arrivée à la maternité, où heureusement le Dr Journet se trouvait déjà, Céline a été assise dans un fauteuil roulant. Et c'est là, dans un couloir, pendant que le docteur procédait aux examens, que Céline a accouché. Au moment même où j'arrivais! Tout s'est fait très vite. En quelques secondes, les infirmières l'ont entourée et le docteur s'est retrouvé avec un bébé dans les bras. Céline, qui m'a vu au bout du couloir, m'a alors crié : « Papa! C'est une fille! »

Vous dire la joie et le bonheur qui m'ont assailli serait difficile. Je pense que le seul mot que j'ai pu prononcer, c'est ce « sacrafaisse », que tout le monde connaît maintenant. Les émotions se bousculaient dans mon cœur et dans ma tête. Je voyais que

Céline allait très bien et qu'elle tenait dans ses mains un minuscule cadeau du ciel qui prenait déjà une place immense. Isabelle, ma première fille, venait de faire une entrée remarquée dans notre vie et dans le monde. Je l'avais à peine entrevue, mais je l'adorais déjà. J'étais un père comblé.

Deux grandes nouvelles en cette année 1959. Nous avons maintenant notre propre maison à Duvernay, mais surtout, Isabelle est venue s'ajouter à notre belle famille.

Céline est rentrée quelques jours plus tard à la maison où nous attendaient les trois garçons. Isabelle devait faire la rencontre de ses frères. Honnêtement, pour Patrick et Pierre-Yves, ce nouveau bébé n'avait pas un grand intérêt. C'était tout petit et ça ne jouait pas. Il en a été autrement pour Jean-François. C'est lui qui a été le plus impressionné. Dès les premiers jours, il a commencé à jouer à la poupée avec elle. Un jour, par exemple, Céline a demandé aux enfants de rester calmes et tranquilles pendant qu'Isabelle faisait dodo et qu'elle-même en profitait pour faire une petite sieste. À son réveil, le berceau était vide. Jean-François avait délicatement porté sa sœur en bas où il jouait avec elle. Isabelle et Jean-François ont d'ailleurs toujours été très proches l'un de l'autre. C'est encore vrai aujourd'hui.

C'est aussi à peu près à cette période que les impressions de Céline sur l'orientation sexuelle de Jean-François se sont confirmées. Pour Maman, il avait toujours été clair que la sensibilité et la délicatesse de François révélaient son homosexualité. Il lui faudra cependant encore des années pour en prendre conscience. De mon côté, si Céline ne m'en avait pas parlé, je crois bien que je ne l'aurais jamais remarqué. Paraît qu'on est comme ça, les hommes...

* * *

Les années 60 débutaient. Elles apportaient nouveauté et dynamisme sur le Québec. C'était la décennie de la Révolution tranquille. Au printemps de cette année-là, Jean Lesage a pris le pouvoir, amenant un vent de jeunesse sur la société et réorientant le rôle de l'État. Une nouvelle identité québécoise était en train de se créer. C'était aussi une époque d'effervescence dans le domaine de la culture et même dans celui des affaires où les Québécois prenaient de plus en plus de place.

Tout le monde devait se préparer à de grands changements et, partout, ça discutait et argumentait pour déterminer les meilleures façons de bâtir cette future société. Céline et moi nous intéressions beaucoup à ces questions, même si Céline était probablement plus impliquée politiquement que je ne l'étais. Je me souviens d'un soir, par exemple, durant ces quelques années de bouillonnement et de brassage d'idées, où il y avait eu une réunion dans le sous-sol d'un cousin de Céline ; une assemblée politique en quelque sorte. Un des invités était René Lévesque. Il était en politique depuis quelques années et avait été nommé, par le gouvernement Lesage, à la tête du nouveau ministère des Richesses naturelles qui regroupait les anciens ministères des Mines et des Ressources hydrauliques. René Lévesque était quelqu'un de déjà très connu et aimé des Québécois. Il avait animé, pendant les années 50, la fameuse émission *Point de mire* à Radio-Canada et avait décidé, en 1960, de se lancer en politique. Bref, nous étions réunis ce soir-là et René Lévesque, qui commençait à penser que la nationalisation de l'électricité était un facteur incontournable de l'avenir du Québec, nous a parlé de son projet. Et je dois avouer que nous avons eu une prise de bec à ce sujet. Pour Lévesque, il s'agissait de prendre le contrôle d'une de nos richesses et de l'exploiter afin que des entreprises, de grosses entreprises en particulier, viennent s'installer ici, créant des emplois et apportant une richesse collective. J'étais évidemment d'accord avec cette approche mais je craignais malgré tout que cette nouvelle compagnie d'État ne devienne une façon déguisée de taxer davantage les citoyens. Le ton a monté et Céline m'a fait comprendre discrètement que ça suffisait. Qu'il valait mieux arrêter. J'ai toujours eu énormément de respect pour M. Lévesque et pour tout ce qu'il a fait pour le Québec, mais cette discussion a laissé des marques et je dois admettre que nos relations ont été assez froides par la suite. C'est d'autant dommage que je suis moi-même plutôt nationaliste et que je crois à la capacité qu'a le Québec d'assumer son avenir.

Céline avait aussi son opinion sur le futur et n'hésitait pas à poser des gestes pour le montrer. Par exemple, nous recevions alors des chèques d'allocation familiale du gouvernement fédéral pour nos quatre enfants. Aussitôt que notre situation financière s'était améliorée, Céline avait pris l'habitude d'endosser ces chèques et de les envoyer au Rassemblement pour l'indépendance nationale (RIN) qui a été fondé en 1960 et auquel Pierre Bourgault s'est joint plus tard. Elle souriait en pensant aux fonctionnaires qui verraient à quoi servait cet argent.

De mon côté, les affaires allaient de mieux en mieux. Et, comme je l'ai dit, notre situation financière s'améliorait constamment. J'avais trouvé de nombreux et importants clients, dont Charles Duranceau, un influent entrepreneur qui avait obtenu un contrat pour creuser des sections du futur métro de Montréal. Je l'avais convaincu qu'Administration et Finance pouvait l'aider à calculer précisément le tonnage de terre qui sortirait des excavations. Il s'agissait d'une donnée importante puisque ces informations lui permettraient de suivre, presque en temps réel, la quantité de débris extraite. Il pouvait ainsi facturer en suivant précisément le devis qu'il avait présenté aux autorités.

Laissez-moi vous expliquer comment le tout fonctionnait en simplifiant au maximum la complexité du dossier.

Quand il avait préparé sa soumission pour creuser le tunnel, Charles Duranceau s'était basé sur les informations qu'on lui avait remises concernant la nature du sol qu'il devait travailler. Il savait que sa machinerie pouvait extraire telle quantité de débris en un temps donné, selon tel type de composition du sol. Par exemple, s'il devait travailler dans le calcaire, il pouvait sortir tant de camions par 24 heures, mais s'il devait creuser dans du granit, c'était beaucoup plus lent. Nous avions donc fait installer, à la sortie, des balances qui pesaient les camions une fois pleins puisque nous connaissions déjà, pour chacun d'eux, le poids à vide. Ces informations nous étaient ensuite acheminées, nous les traitions et nous pouvions remettre à Charles Duranceau un rapport quotidien indiquant le tonnage exact qui avait été retiré. Comme il facturait à la tonne, il s'agissait de données essentielles. Ainsi, si pendant une journée ses ouvriers sortaient (et je prends un chiffre pour donner un ordre de grandeur) 120 tonnes de matière du tunnel et qu'on avait prévu en sortir 400, cela impliquait probablement qu'ils étaient tombés sur un secteur beaucoup plus dur à creuser que prévu. Charles Duranceau pouvait ensuite comparer ces informations avec celles fournies par la Ville sur la composition du sol, comprendre d'où venait le problème et, s'il y avait une erreur dans le dossier de la Ville, facturer différemment, preuves en mains, de ce qui avait initialement été prévu au devis, ce qui ajoutait évidemment à son profit.

Cette façon de faire était aussi avantageuse pour la Ville puisqu'elle avait des données précises et vérifiables sur la quantité de débris qui étaient excavés. Il faut souligner ici que ce genre de travaux était énorme et faisait appel à de nombreux sous-traitants. Or, on nous avait expliqué que certaines compagnies de transport avaient installé des espèces de faux planchers dans leurs camions pour qu'ils soient remplis plus rapidement, ce qui leur permettait de faire plus de voyages et ainsi de facturer davantage. Ils ne transportaient donc pas le volume ni le tonnage qu'ils devaient sortir. Or, avec la méthode que nous avions mise au point, ce subterfuge devenait inutile, car ils étaient payés selon le poids net de chaque chargement.

Grâce à nos machines, nous étions probablement une des seules entreprises capables de traiter et d'analyser toutes ces données pour que Duranceau connaisse, en tout temps, l'évolution des travaux.

Administration et Finance avait donc acquis ses lettres de noblesse pour tout ce qui touchait au traitement de données. J'ai ensuite obtenu un contrat un peu similaire avec la firme Désourdy qui avait reçu le mandat de faire le remplissage pour les îles prévues pour l'Expo 67. Il s'agissait cette fois de créer des îles, et donc d'apporter de la terre plutôt que d'en sortir, mais le principe de vérification et de suivi restait le même. Et nous avons mis en place un système de contrôle et de pesée semblable a celui utilisé pour le métro, afin de nous assurer que tout était toujours conforme à la réalité.

C'est aussi Administration et Finance qui, pendant l'Expo 67, avait été mandatée pour s'occuper des banques de données relatives à l'hébergement des touristes. Les responsables de l'exposition savaient qu'il n'y aurait pas suffisamment de chambres d'hôtel pour répondre à la demande des dizaines de milliers de visiteurs qui viendraient. Ils avaient donc demandé à la population, ceux pour qui c'était possible, de louer des chambres dans leur maison. Et la réponse avait été fantastique. Des milliers de chambres étaient ainsi devenues disponibles. Dans chaque cas, il fallait compiler des dizaines d'informations, ce qui représentait, au total, des dizaines, peut-être des centaines de milliers de renseignements. Or, nous administrions cette banque de données et nous étions payés en fonction du nombre de dossiers qui étaient enregistrés.

Plusieurs années plus tard, en 1968 ou 1969, si ma mémoire est bonne, des inspecteurs du gouvernement, dans le cadre d'un vaste contrôle des dépenses liées à l'organisation de l'Expo universelle de 1967, étaient venus vérifier nos données et les rapports que nous soumettions. Au terme de leur analyse, ils ont conclu que nous nous étions légèrement trompés et que nous n'avions pas suffisamment facturé pour le nombre d'entrées que nous avions dans nos banques. Si bien que nous avons reçu un chèque pour couvrir cette petite erreur.

Dans le même ordre d'idées, j'avais approché, à peu près à la même époque, la firme d'ingénieurs qui devait déterminer le tracé de la future autoroute des Laurentides. Il s'agissait de quelque chose d'important et de confidentiel puisqu'il fallait aussi éviter de créer des bulles spéculatives sur les terrains qui seraient peut-être finalement expropriés. Bref, cette fois, nous avions mis en place un système de comptage des voitures sur presque toutes les routes situées dans l'axe nord/sud dans cette région. Les données à compiler et à analyser étaient extrêmement considérables et envoyées directement à nos bureaux. Avec tous ces chiffres, la firme avait préparé une formule mathématique qui nous permettait, à partir des données que nous avions compilées, d'établir des scénarios estimant le nombre de véhicules qui utiliseraient cette nouvelle autoroute selon différents tracés possibles. C'est ainsi qu'a pu être déterminé le plan définitif de l'autoroute des Laurentides. Quelques années plus tard, Administration et Finance a eu le même genre de défi à relever pour l'établissement du plan de l'autoroute des Cantons-de-l'Est.

Avec ce genre de contrats, qui s'ajoutaient à ceux que nous avions déjà et à certains autres obtenus grâce à mes sollicitations, le travail ne manquait pas. Nos installations devenaient trop petites et je devais continuellement améliorer les machines qui nous servaient à réaliser tout ce travail. Or, ces nouvelles machines, de nouveaux ordinateurs en fait, nécessitaient beaucoup d'espace et des pièces pratiquement aseptisées pour bien fonctionner. Si bien qu'en mai 1961, nous avons déménagé pour nous établir, cette fois, au 9525, boulevard Saint-Laurent, près de la rue Chabanel. C'était beaucoup plus grand et j'avais fait installer le tout sur mesure pour répondre à nos besoins spécifiques. Ainsi, la pièce qui accueillait l'ordinateur avait un plancher surélevé, la qualité et la température de l'air y étaient contrôlées, tous les bureaux étaient climatisés, il y avait une cuisine et une aire de repos pour les employés (qui devaient être une cinquantaine à ce moment), etc. Bref, Administration et Finance était une compagnie prospère. Pour la première fois, j'avais un bureau que l'on pouvait qualifier de luxueux. Il était situé à l'angle de l'édifice, avait beaucoup de fenêtres et me permettait d'accueillir, dans le confort, mes clients, actuels ou à venir. J'avais compris que la première impression est souvent déterminante dans ce genre d'échanges et de négociations. Mon bureau répondait à ces critères.

Administration et Finance avait été la première entreprise à louer (il était, je crois, impossible de les acheter à l'époque) un ordinateur B-260 de Burroughs Business Machines. Une dépense extravagante de 150 000 $, ce qui représente, aujourd'hui encore, une véritable fortune. Cet ordinateur fonctionnait avec des rubans magnétiques, mais pouvait aussi accepter les cartes ou les rubans perforés. Or, Administration et Finance comptait 40 machines de perforation en opération. Avec les caisses de papiers et d'informations qui entraient tous les jours, il fallait deux équipes de travail à raison de 8 heures chacune, pour venir à bout de tout le boulot à abattre sur ces 40 machines. Inutile de vous dire que le bruit dans la salle où étaient réunis ces engins était absolument intolérable. C'était assourdissant. Il me fallait trouver une solution pour les malheureuses et les malheureux qui y travaillaient et qui, de façon générale, ne restaient pas bien longtemps au service de la compagnie. L'aspect humain dans une entreprise est fondamental. C'est une des règles d'or à respecter si vous désirez un jour vous lancer en affaires : la personne est essentielle. Chacun des employés devient un partenaire de votre compagnie et doit y trouver son compte, non seulement sur le plan salarial, mais aussi sur le plan humain. Or, dans cette pièce où étaient réunies les perforatrices, les solutions étaient rares. Bouchons d'oreilles et casques antibruit n'étaient que des palliatifs, d'ailleurs nettement moins performants que ceux qui existent aujourd'hui. C'est alors qu'il m'est venu une idée.

Je me suis rendu à l'Institut des sourds-muets qui se trouvait à l'angle de Saint-Laurent et Jean-Talon. En discutant avec les responsables, j'ai appris qu'il y avait beaucoup de personnes malentendantes (c'est comme ça qu'il faut dire aujourd'hui) qui possédaient toutes les compétences requises pour Administration et Finance, mais qui avaient énormément de difficulté à se trouver un boulot. En les embauchant, je faisais d'une pierre deux coups. Je leur permettais d'avoir un emploi stable et bien payé et je réglais mon problème de bruit dans la salle des perforatrices.

Au parc, près de notre maison de Duvernay, nous allions régulière-ment patiner, souvent avec les enfants.

* * *

À cette époque pendant laquelle tout bougeait au Québec, je me sentais moi aussi en pleine effervescence. Je savais que je faisais partie de ce tourbillon d'idées nouvelles qui fleurissaient un peu partout. Je créais une entreprise comme je pensais qu'elle devait l'être. Je modelais Administration et Finance afin d'exploiter ces nouveaux champs d'activités qu'étaient le traitement de données et la sous-traitance. Voilà pourquoi je tenais toujours à avoir les meilleurs ordinateurs et les meilleures équipes pour répondre aux attentes. Je tenais à ce que nous soyons toujours à la fine pointe de la technologie.

Vendre les services d'Administration et Finance devenait de plus en plus facile. Il me suffisait d'expliquer à nos clients, preuves à l'appui, que nous pouvions faire plus et mieux pour moins cher que s'ils le faisaient eux-mêmes et, surtout, que nous étions capables de leur donner rapidement ces informations vitales qui leur permettaient de prendre des décisions justes. Parce que c'était finalement cela qu'Administration et Finance leur proposait : des outils conçus pour qu'ils sachent non seulement comment évoluait leur entreprise, mais aussi pourquoi, ce qui leur permettait de toujours prendre, le plus rapidement possible, les décisions sous le meilleur éclairage. C'est ce que nous faisions, et c'était ce qui me passionnait.

* * *

À la maison, c'était également une belle période. Après les ajustements nécessaires que nous avions faits, je m'arrangeais pour y être le plus souvent possible et pas seulement physiquement, si vous voyez ce que je veux dire. Je travaillais encore de nombreuses heures au bureau, mais je gardais de bons moments pour la famille. De plus, le 10 août 1962, Geneviève, notre deuxième fille et notre cinquième enfant vint au monde. Pour moi, c'était toujours

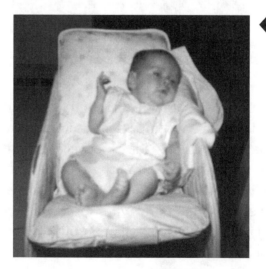

◀ Voici la belle Geneviève. Elle est née en août 1962.

D'un côté, Céline encore toute jeune et de l'autre, Geneviève. Avouez qu'elles ne peuvent pas se renier ! Ma fille est une copie conforme de sa mère, comme nous disons.

l'émerveillement. Geneviève était, comme ma première fille Isabelle, tout simplement adorable. Et, peut-être parce que j'étais plus souvent à la maison, peut-être parce que nous avions un peu plus d'argent, peut-être aussi parce qu'au fond, je savais que c'était notre dernier enfant, je me suis occupé davantage de Geneviève que des autres. Quand j'y pense aujourd'hui, je me rends compte que j'étais proche de mes enfants, mais que je ne m'occupais pas beaucoup de la routine quotidienne. Je n'avais jamais changé une couche, je ne les avais jamais mis au lit et je ne leur avais jamais même donné le biberon. C'était, dois-je dire pour ma défense, une époque bien différente de celle que l'on connaît maintenant. Les congés parentaux (quand ils existaient) étaient réservés à la femme et, les plus vieux s'en souviennent, même pour elles, la période de congé était très courte. Penser à un congé pour le père relevait alors de la pure fantaisie. Heureusement, les choses ont changé pour le mieux. Quoi qu'il en soit, j'ai voulu améliorer les choses pour Geneviève. Je serais présent !

Mais les résultats n'ont pas été probants. Ainsi, je me souviens du regard découragé de Maman quand j'ai décidé de changer la couche de Geneviève. J'avais réussi à la piquer avec l'épingle à couche, sans compter que je l'avais si mal attachée qu'elle ne retenait rien. Je n'ai pas eu beaucoup plus de succès avec le biberon. Geneviève, après avoir bu, a tout régurgité sur moi. Juste avant de partir au travail. Vous voyez le genre. De là à dire que je n'avais pas de grandes aptitudes, il n'y a qu'un pas que je vous laisse franchir. Maman m'a ensuite convaincu de me contenter de la bercer.

Et c'est ce que j'ai fait avec un plaisir toujours renouvelé. J'adorais l'avoir sur mes genoux, la bercer en lui racontant des histoires. Je crois que j'ai profité de chaque instant et que ça nous a beaucoup rapprochés.

Bref, vous conviendrez que je n'étais pas d'une grande utilité pour aider Maman dans la maison. C'est pourquoi, cette fois encore, nous avons fait appel à une fille-mère pour aider Céline avec le bébé, les autres enfants et l'entretien de la maison. Mais notre demande a été refusée par les responsables de l'hôpital de la Miséricorde. Je m'imagine très bien les sœurs discutant de notre demande et considérant que de s'occuper d'une maison où il y avait cinq enfants était un mandat trop lourd pour une jeune fille enceinte. Et elles avaient probablement raison.

Nous avons donc placé une petite annonce pour trouver quelqu'un qui viendrait assister Céline. Parmi les réponses reçues, il y avait celle d'un homme. Peut-être par simple curiosité, nous l'avons rencontré. Et nous avons été très surpris. Il s'appelait Abel et possédait toute une liste de références irréprochables. C'est ainsi qu'il a été convenu qu'il commencerait à travailler à la maison où il avait une chambre réservée. Il passait la semaine avec nous et retournait chez lui les fins de semaine. Il s'occupait des repas et allait régulièrement conduire et chercher les enfants à l'école. Il s'occupait aussi de l'entretien général, de la lessive et de plein d'autres choses. Mais il n'était de toute évidence pas habitué dans une maison comme la nôtre. Il nous disait souvent qu'il avait déjà été au service de riches familles anglaises et qu'il y avait pris des habitudes. En fait, nous expliquait Abel, il était tisserand de métier. Comme cette profession n'existait plus, il s'était recyclé. Nous n'avons jamais vraiment cru à ce qu'il nous contait. Il était « pittoresque », mais, avec de pareilles expériences de vie et de travail, qu'aurait-il fait dans une petite famille bien ordinaire de Laval ? Il est vrai qu'il avait certains comportements auxquels nous n'étions pas habitués. Ainsi, régulièrement, le matin, il se tenait près de moi et voulait toujours tartiner mes rôties. Nous n'avions jamais besoin de demander du café, il semblait sentir le moment où il fallait réchauffer nos tasses. Or, je n'appréciais pas ça. Nous n'avions pas été élevés pour nous faire servir et je trouvais qu'il en faisait trop.

Je me souviens même d'un jour, alors que Céline attendait des amies, qu'il s'était approché d'elle pour lui demander si elle préférait qu'il porte son veston bleu marine ou le blanc pour la réception. Si bien que nous lui avons fait comprendre que ça ne fonctionnait pas chez nous. Que nous devions nous en séparer.

Le plus étrange est survenu quelques années plus tard. Nous avions été, Céline et moi, dans une exposition où l'on présentait plusieurs œuvres d'art, dont quelques tapisseries. Or, près de l'une d'entre elles, ayant appartenu à la famille royale, il y avait une photo du tisserand serrant la main du prince, sous le regard de la reine. Et ce tisserand n'était nul autre que notre Abel. Comme quoi la vie nous réserve toujours des surprises.

Abel n'était pas resté très longtemps chez nous et, après son départ, nous nous étions remis à la recherche d'aide pour Céline. Mais cette fois, Maman avait décidé qu'elle avait plutôt besoin d'une femme de ménage quelques jours par semaine et non d'une personne à temps plein. Et c'est comme ça que Mme Reeves est entrée dans notre vie. Une femme extraordinaire qui venait de la Gaspésie et qui a passé plusieurs années avec nous. En trois ou quatre jours, elle faisait tout : le ménage, les repas, la lessive, tout. Une femme fantastique.

Mais surtout, Mme Reeves était fabuleuse avec les enfants, qui l'adoraient. Cette présence familière nous a aussi permis, à Céline et à moi, de reprendre des activités sociales. Nous avions ainsi été approchés par Jean Dostaler et sa femme, la sœur de Céline, pour donner, dans différentes paroisses, des cours de préparation au mariage. Pourquoi nous, alors que nous n'en avions jamais suivi ?

Difficile à dire. C'est vrai que notre mariage fonctionnait bien et que nous avions dû faire face à plusieurs obstacles dans notre union. Il est aussi vrai que j'étais (et je le suis toujours) très croyant et pratiquant. Bref, quelles que soient les raisons, nous avons commencé à rencontrer des futurs mariés pour tenter de leur expliquer certaines réalités de la vie en couple. Nous donnions ces cours ensemble, Céline et moi, une fois par semaine devant une cinquantaine de jeunes qui allaient bientôt s'unir. Nous avons, avec eux, abordé toutes sortes de sujets aussi variés que le voyages de noces, les premiers six mois de la vie de couple, le budget familial, l'amour et le bonheur, l'importance de la tendresse, les enfants, etc. Il y avait 12 cours de préparation au mariage que nous donnions ainsi. Je me souviens aussi qu'un des ces cours portait spécifiquement sur ces deux aspects de la vie d'un couple que sont le foyer et la profession. Vous aurez compris que généralement, à cette époque, on entendait par foyer le royaume de la femme et par profession le métier qui amenait l'homme à l'extérieur. Vous comprendrez aussi que, pour préparer cette session en particulier, j'ai dû faire un bilan de ce que je vivais et de ce que j'avais vécu. J'ai dû réfléchir à ce qu'il convenait de proposer comme dosage entre le travail et la famille. Je savais pertinemment que je n'avais pas été le plus présent des pères. Je connaissais aussi le fardeau des responsabilités de celui qui doit apporter l'argent dans la maison. On disait aux participants que la famille devait toujours être la priorité. Pour être cohérent avec moi-même et pour ne pas mentir à ces jeunes couples (ma formation de jésuite me l'interdisait), il a vraiment fallu que je fasse des réajustements dans ma propre vie. Et ça été une bonne chose.

Je peux aussi vous dire que la préparation de ces cours nous a permis, à Céline et à moi, de nous questionner énormément sur notre couple et notre façon de vivre. Ces sessions, que nous avons données pendant plusieurs années, nous ont énormément rapprochés. À travers les discussions que nous avions avec ces jeunes couples, ces fiancés, nous nous sommes retrouvés et nous avons réaffirmé notre amour.

* * *

Au milieu des années 60, nous avions assez d'argent pour faire certaines folies. Oh, pas du genre à nous procurer un château. Ce n'était vraiment pas notre style et notre maison correspondait encore parfaitement à nos besoins. Mais nous avons commencé, avec quelques amis, à fréquenter des restaurants plus gastronomiques et même prestigieux. J'étais ainsi devenu membre du « cercle universitaire », une espèce de club privé pour diplômés de l'Université de Montréal, dans lequel on retrouvait un restaurant extraordinaire, mais aussi plusieurs petites salles

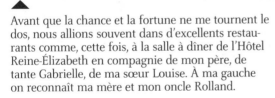

Avant que la chance et la fortune ne me tournent le dos, nous allions souvent dans d'excellents restaurants comme, cette fois, à la salle à dîner de l'Hôtel Reine-Élizabeth en compagnie de mon père, de tante Gabrielle, de ma sœur Louise. À ma gauche on reconnaît ma mère et mon oncle Rolland.

Été1962. J'avais commencé à enseigner aux enfants les rudiments du plongeon.

confortables et chaleureuses où il était possible de discuter et de prendre un verre ou un excellent café en toute tranquillité. Nous allions aussi régulièrement au Pavillon de l'hôtel La Salle. Un endroit très « chic ». Nous nous y rendions avec des couples d'amis comme les Rochon, les Rivest, les Bourgeois ou les Beauchemin. Nous aimions tous beaucoup cet endroit, non seulement parce que la nourriture y était exceptionnelle, mais aussi parce que nous pouvions y danser. Nous y avions nos habitudes. Pour la première fois de notre vie, nous pouvions enfin profiter vraiment de l'argent que je gagnais. Par exemple, chaque fois que nous y allions, nous commandions, pour terminer le repas, une bouteille de Château d'Yquem. Une petite folie. En fait, peut-être pas aussi petite que cela, car mon petit-fils Nicolas, qui adore les vins et s'y intéresse depuis plusieurs années, me disait récemment qu'une telle bouteille pourrait valoir aujourd'hui jusqu'à 1400 $. Je veux bien croire que l'inflation des dernières décennies a été galopante, mais quand même...

Nous allions aussi assez souvent, et régulièrement avec les enfants, chez Bardet, un autre bon restaurant qui malheureusement a fermé ses portes au début des années 80. Cela dit, l'argent, et c'est bien là encore un signe de l'ambivalence qui m'habite parfois, est là pour être dépensé. Il ne sert à rien, à mon avis, de travailler comme un forcené pour en amasser si on ne peut pas en profiter.

Vers le milieu des années 60, nous avons aussi découvert les vacances et les voyages. Notre première expérience a commencé drôlement. Un samedi matin, je lisais la section « Voyages » du journal *La Presse*. On nous décrivait et nous proposait toutes sortes de destinations pour des voyages dans les Caraïbes. Sans réfléchir, je demande à Céline : « Est-ce qu'on fait un voyage ? On pourrait partir une semaine dans le Sud. Qu'est-ce que tu en penses ? » Céline a évidemment accepté avec l'enthousiasme qui la caractérise. Elle a téléphoné à une agence durant la semaine pour obtenir des suggestions :

— Nous aimerons partir dans le Sud, a-t-elle expliqué au représentant, mais nous souhaitons quelque chose de pas cher. Rien de luxueux. On peut même apporter nos affaires de camping si c'est moins cher...

— Je ne pense pas que ce soit essentiel, a-t-il répondu en riant. Il y a beaucoup d'opportunités à des prix abordables...

Et il lui a proposé un forfait à Nassau, aux Bahamas. Un hôtel (le Dolphin) situé en plein cœur de la ville, cependant près de la mer et de la plage. Quelque chose de simple, mais de très convenable. Nous avons sauté sur l'occasion et au mois de mars

1966, après avoir réquisitionné ma sœur pour garder les enfants, nous sommes partis. Pour la première fois en 13 ans de mariage, nous avions l'occasion de partir pour un nouveau voyage de noces. Nous étions très excités.

Mais le jour où nous avons dû quitter les enfants, nous avions tous les deux le cœur gros. C'était la première fois que nous les laissions. Céline aurait plutôt dit que nous les abandonnions. Arrivés à l'aéroport de Dorval, nous nous sommes regardés et nous nous sommes mis à pleurer.

Le trajet en avion n'était pas direct et comportait une escale à Philadelphie. Et Maman pleurait toujours.

— Écoute, lui ai-je dit, si tu es pour pleurer pendant une semaine, on devrait revenir à la maison.

— Non, m'a-t-elle répondu. J'ai le goût d'y aller et d'être avec toi, mais je ne peux m'empêcher de penser aux enfants. S'il leur arrivait quelque chose...

— Mais tu sais qu'il ne leur arrivera rien. Et si quelque chose survient, Louise est là et elle peut nous contacter sans problème.

— Je sais que tu as raison, mais c'est plus fort que moi.

Je l'ai donc serrée dans mes bras pour la réconforter en attendant de reprendre l'avion qui nous conduirait à destination. Pendant que Céline pleurait, j'ai remarqué une autre femme, assise près de nous, qui pleurait également. « Est-ce que c'est l'air de Philadelphie qui fait ça aux femmes ? » m'étais-je demandé. J'ai alors reconnu Judith Jasmin, cette grande journaliste, l'une des premières femmes « grand reporter » au monde. Elle était à cette époque au service de Radio-Canada comme correspondante à l'ONU et à Washington. J'ai su plus tard, je ne me souviens plus de quelle façon, qu'elle venait d'apprendre qu'elle était malade. J'ai toujours trouvé étonnantes ces rencontres fortuites qui peuvent survenir à n'importe quel moment et n'importe où sur la planète.

Bref, nous avons finalement atteint notre destination. Je me souviens encore de la bouffée de chaleur qui nous a accueillis à notre descente de l'avion. Nous venions de quitter l'hiver et nous nous retrouvions soudainement en pleine canicule. Tous ceux qui ont eu la chance d'aller passer des vacances dans un pays chaud ont connu cette première impression qui reste gravée pour toujours dans nos mémoires. Le soleil nous accueillait avec toute sa splendeur. Ce voyage a été extraordinaire. Une semaine de pur bonheur. Nous passions nos journées sur la plage et, le soir, nous marchions dans les rues à la recherche de restaurants où nous découvrions des spécialités locales délicieuses. La grande vie ! Sortir sans les enfants nous a permis de retrouver cette spontanéité et cette fraîcheur du début de notre relation.

En prenant l'avion au retour, Céline s'est mise à pleurer.

— Bon ! Qu'est-ce que tu as ? lui avais-je demandé. Dans quelques heures nous serons avec les enfants. Faut pas pleurer...

— Une semaine, ça passe trop vite, m'a-t-elle alors répondu en sanglotant. C'est tellement beau ici ! J'aimerais rester...

Cette première expérience a été si merveilleuse que nous avons attrapé la piqûre. Le temps des voyages venait de commencer. D'ailleurs, dès le mois de novembre suivant, nous sommes repartis, accompagnés cette fois par un couple de voisins. À notre retour, nous avons invité Marie et Pierre Harvey à venir souper à la maison. Nous avons partagé avec eux notre enthousiasme naissant pour le voyage et la découverte de nouveaux pays. Si bien qu'à la fin de la soirée, nous avions convenu qu'il nous fallait repartir, mais cette fois tous ensemble avec nos familles. Voilà comment, un peu avant Noël, Pierre, sa femme et leurs cinq enfants, Fernand, le frère de Céline, sa femme et leurs deux enfants, et nous avec nos cinq enfants sommes montés à bord de nos voitures et avons pris la route de la Floride. Deux jours et demi plus tard, nous arrivions à Boca Raton, une ville un peu au nord de Fort Lauderdale. Nous y avons déniché un petit établissement, l'Ocean Lodge, situé, comme son nom l'indique, sur le bord de la mer. Encore une fois, le voyage a été formidable. Les trois familles, déjà unies, se sont encore rapprochées. Mais surtout, une tradition était née. L'année suivante, nous avons découvert la ville de Naples, sur le golfe du Mexique, qui est devenue notre ville d'adoption. Toutes les années qui ont suivi, nous avons, Maman, les enfants et moi, passé le temps des Fêtes en Floride.

* * *

Professionnellement, j'ai continué à développer Administration et Finance. En 1964, j'ai entendu parler d'une association qui s'appelait American Data Center Association. Les dirigeants m'avaient approché pour savoir si j'étais intéressé à joindre leur confrérie. Il s'agissait d'un regroupement d'entreprises, généralement beaucoup plus grosses que la mienne, qui offraient le service de traitement de données à d'autres compagnies. Je me suis alors rendu à une réunion qui avait lieu à New York. À un moment donné, nous étions plusieurs autour d'une table, dont Ross Perot, à expliquer ce que faisaient nos organisations. Pour vous situer, M. Perot, qui avait le même âge que moi, était à la tête d'Electronic Data System (EDS), une compagnie déjà immense qui s'occupait d'infogérance informatique. Il a été très intéressé par mon approche puisque la sienne, dans le secteur de la sous-traitance, enregistrait des pertes. Loin de moi l'idée que j'aie eu une influence déterminante sur cet homme d'affaires colossal, mais, secrètement, j'espère que les explications que je lui ai données sur le fonctionnement d'Administration et Finance lui ont insufflé l'inspiration pour rediriger ses opérations. Quoi qu'il en soit, EDS a ensuite offert à de très grosses entreprises américaines, et d'un peu partout, ses services pour s'occuper de la gestion de données plus efficacement et à meilleur prix. Quand on y pense, voilà qu'étaient jetées les bases de ce qui s'appelle aujourd'hui le « nuage informatique » qui vise à rendre les technologies de l'information plus accessibles que jamais, tout en diminuant le fardeau financier assumé par les organisations utilisatrices. Toujours est-il que Perot est devenu multimillionnaire et qu'il s'est même présenté à la présidence des États-Unis en 1992 et en 1996.

Bref, la vie était bonne. En 1968, j'ai rencontré un de mes anciens professeurs des HEC, Aurélien Noël. Nous étions restés assez proches car nos parcours scolaires se ressemblaient.

Comme lui, j'avais enseigné aux HEC et comme lui, j'avais étudié (pas très longtemps, mais quand même) à l'Université d'Harvard. Aurélien Noël avait été élu récemment député du Parti libéral dans la circonscription fédérale d'Outremont-Saint-Jean. Je lui ai alors expliqué le travail que nous faisions à Administration et Finance et lui ai dit que, même pour un gouvernement, il était possible de faire plus et mieux pour moins cher. Il en a parlé ensuite à un certain Rodolf Maheu qui est venu me rencontrer à mes bureaux de Montréal. Ce dernier s'est montré fortement intéressé par l'essor de l'entreprise. Il était du cabinet de comptables Maheu, Noël et associés qui, par son entremise, m'a proposé d'y investir. Après en avoir longuement discuté, j'ai accepté de leur vendre 20 % des parts d'Administration et Finance en échange de 50 000 $ que je réinvestirais directement dans le développement. En quelque sorte, j'avais de nouveau un associé, dont l'influence dans l'organisation et le fonctionnement de la compagnie restait cependant extrêmement limitée.

Mais cette association fut brève. En effet, seulement quelques mois plus tard, André Lemay, un courtier à la recherche d'entreprises qui pourraient devenir publiques, m'a rencontré. Il me présenta au responsable d'une maison de courtage qui préparait des émissions d'actions, et qui, lui-même, connaissait une compagnie de Toronto, œuvrant aussi dans le domaine de l'électronique, intéressée par une fusion éventuelle pour grandir et ainsi entrer à la Bourse. Le principal associé de cette compagnie s'appelait Sinclair Stevens[18]. Tout un personnage. Il était déjà connu des milieux financiers pour avoir tenté, quelques années plus tôt, de lancer une nouvelle banque au Canada. Son projet avait échoué, mais en avait fait parler plus d'un. Malgré cet échec, Sinclair Stevens contrôlait déjà, en 1964, plus d'une vingtaine d'entreprises et valait près de 150 millions de dollars. Mais surtout, c'était un promoteur, par opposition à un entrepreneur, ce que j'étais. En termes simples, la différence entre un promoteur et un entrepreneur est la suivante : le promoteur prend une compagnie existante et en fait la promotion pour en augmenter sa valeur, alors que l'entrepreneur bâtit son entreprise.

18 M. Sinclair Stevens devient député pour le Parti progressiste-conservateur en 1972. Il sera réélu aux élections de 1974, 1979, 1980 et 1984. En 1979-1980, il sera nommé par le premier ministre Clark au poste de président du Conseil du Trésor. En 1984, Brian Mulroney, devenu premier ministre, le nommera ministre de l'Expansion économique régionale.

Quoi qu'il en soit, j'avais accepté de procurer les états financiers d'Administration et Finance des dernières années aux responsables de la compagnie en question pour qu'ils puissent les analyser. Je n'avais aucune inquiétude de ce côté car nous avions fait des profits chaque année. J'aimais l'idée de cette fusion. Pour moi, elle représentait un tremplin additionnel qui pourrait faire passer Administration et Finance à un autre niveau. Je n'y voyais, comme entrepreneur, que des avantages. Bien sûr que la transaction était aussi alléchante financièrement, mais ce n'était pas l'argent qui me passionnait. C'était l'aspect « bâtisseur » de l'opération. Je sentais la montée d'adrénaline pure qui coulait dans mes veines et qui me poussait à aller encore plus loin. Je voyais déjà une plus grosse équipe d'employés, plus d'ordinateurs et des appareils plus performants, et surtout, l'accès à de nouveaux marchés. La nouvelle compagnie ainsi créée s'est appelée Comtech. Comme Administration et Finance était particulièrement rentable, j'ai obtenu onze pour cent des actions totales de Comtech, ce qui faisait de moi le principal actionnaire.

Tout fut réglé en quelques semaines et les conditions financières étaient extrêmement intéressantes. À tel point que j'ai invité mes voisins et amis, Gilles Delorme et sa femme, à nous accompagner pour un voyage éclair d'une semaine en Martinique. Tout allait pour le mieux.

Au retour toutefois, les choses n'apparaissaient plus aussi simples. Sinclair Stevens traînait, semble-t-il, la réputation d'être un peu magouilleur et de tirer de nombreuses ficelles politiques pour arriver à ses fins. Je ne sais pas si cela explique ce qui s'était passé, mais la demande pour l'inscription à la Bourse de Toronto a été refusée, et conséquemment, nous avons aussi été refusés à la Bourse de Montréal. Tout est resté au point mort jusqu'à l'automne. En septembre 1968, nous avons eu, à Toronto, une réunion à laquelle je participais avec les cinq ou six autres actionnaires. Sinclair Stevens nous a alors proposé une solution qui s'appelle « reverse takeover » qui peut se traduire par une fusion inversée. Cela consiste à acheter une entreprise qui est presque inopérante, mais qui est déjà établie sur le marché public, ce qui permettait d'entrer par la porte arrière, si je peux utiliser cette expression, à la Bourse. L'entreprise qu'il nous proposait d'acheter était Fiber products of Canada (FBOC) qui se spécialisait dans la production des revêtements intérieurs des coffres arrière de voitures. Et cette proposition a été entérinée.

Les responsables de FBOC ont alors accepté, en échange d'actions de Comtech, de laisser aller leur entreprise. Simultanément ou presque, une demande a été présentée pour changer le nom de FBOC en Comtech, ce qui a eu pour conséquence de nous faire entrer à la Bourse. Il ne restait plus qu'à attendre que la Commission des valeurs immobilières de l'Ontario, qui avait refusé ce droit à Comtech au départ, accepte la nouvelle transaction. Ce qui fut fait. En moins de deux ou trois jours, Comtech est devenu une entreprise publique avec ses actions cotées en Bourse.

J'ajouterai ici que, lors d'une réunion tenue également à cette époque, tous les sociétaires s'étaient engagés à ne pas vendre leurs actions avant une certaine date. Sans cette proposition, certains d'entre eux pouvaient être tentés d'en vendre aussitôt que la compagnie se trouvait à la Bourse, réalisant du coup un profit tout en laissant les autres démunis puisque la valeur des actions tombait généralement par la suite. Chacun de nous avait donc accepté cette entente. Il existe aujourd'hui une procédure normale et presque automatique pour les actionnaires des nouvelles entreprises inscrites à la Bourse qui les oblige à mettre les actions dans un compte en fidéicommis pendant une période déterminée, ce qui permet au prix desdites actions de demeurer stable ou d'augmenter.

Sauf que quelques jours plus tard, j'étais dans un bureau de courtage de Montréal et je voyais passer « Comtech » sur la liste défilante des cotes des compagnies. La valeur des actions avait déjà baissé. Un homme derrière moi qui me connaissait, me mit la main sur l'épaule et me dit :

— *It's time to sell, Jean-Marc*[19].

— *I can't.*

19 « C'est le temps de vendre, Jean-Marc. »
    « Je ne peux pas. »
    « Ne fais pas l'enfant. Regarde les volumes de transactions. Penses-tu qu'ils ne sont pas en train de vendre à Toronto ? »

— Don't be a kid. Look at the volume. Do you think they are not selling in Toronto ?

— I know, but I can't. I promised !

Et pour moi, une promesse est un engagement formel. Encore une conséquence de mon éducation jésuite probablement. Il était cependant clair que des partenaires de Toronto vendaient leurs actions, malgré l'engagement que nous avions pris. C'étaient des promoteurs. Pour eux, seul l'argent comptait. Au fond toutefois, cela ne me dérangeait pas trop. Je restais un entrepreneur et je continuais de croire aux possibilités de Comtech. J'ai alors décidé de suivre le plan de développement que je m'étais fixé.

Or, cela m'obligeait à aller très régulièrement à Toronto. Je m'y rendais au moins deux fois par semaine pour expliquer et apprendre aux employés de Comtech à Toronto comment il fallait procéder et quels arguments utiliser pour obtenir de nouveaux contrats. Je voulais faire à Toronto ce que nous faisions à Montréal. Je dois dire aussi que, malgré la baisse de la valeur des actions, j'étais alors très riche. Enfin sur papier. Je valais bien un million de dollars. Ce qui n'a d'ailleurs jamais rien changé à notre façon de vivre. Sauf peut-être certaines améliorations que nous avons apportées à la maison. Par exemple, nous avions décidé de l'agrandir pour inclure la piscine extérieure, qui est devenue intérieure, dans une merveilleuse et vaste pièce où trônait aussi un foyer. En fait, Céline avait fait rénover l'ensemble de la maison et les résultats étaient assez extraordinaires.

Pour répondre aux besoins d'expansion de Comtech à Montréal, j'ai ouvert un nouveau bureau à la Place Crémazie, sur le boulevard du même nom et à l'angle du boulevard Saint-Laurent, où travaillaient les vendeurs. Le bureau principal demeurait sur le boulevard Saint-Laurent. Nous avons mis en place de nouveaux produits, dont un service de la paie pour les entreprises. Nous avions mis au point un forfait avec lequel, pour un montant fixe par employé, nous faisions tous les salaires. Nous nous occupions des déductions à la source et nous produisions les documents requis pour l'impôt, comme les T4 et

TP4. Pour nous, le grand intérêt de ce produit était la récurrence. La pression pour dénicher de nouveaux contrats devenait moins forte. De plus, comme les sommes requises pour payer ces salaires et les déductions étaient déposées dans un compte en fidéicommis, et comme il s'agissait de sommes très importantes, nous parvenions aussi à faire des profits sur l'intérêt de ces dépôts. Nous offrions ce produit autant à Montréal qu'à Toronto. Et c'était vraiment très rentable. Pas étonnant que toutes les banques aient par la suite offert à leurs clients le même genre de service. Bref, tout allait bien. Comtech comptait une quarantaine d'employés à Montréal et environ vingt-cinq à Toronto. L'avenir s'annonçait prometteur et rempli de nouveaux défis. Il suffisait de rester à l'écoute des besoins des entreprises tout en étant à l'affût des progrès de la technologie.

Mais la valeur des actions ne montait pas suffisamment vite pour certains actionnaires. En décembre 1968, pendant une réunion à nos bureaux de Toronto, un vendredi, j'appris qu'ils avaient trouvé un nouveau débouché. Ils voulaient acheter les boutiques hors taxes des aéroports canadiens. Pourquoi ? leur ai-je demandé. Parce qu'ainsi les actions de Comtech, m'ont-ils répondu, allaient augmenter et devenir plus rentables. Mais les boutiques hors taxes, ça n'avait rien à voir avec le soutien informatique aux entreprises. Ça n'avait rien à voir avec ce pour quoi nous existions, ai-je tenté d'expliquer. J'ai alors senti dans leurs réponses une grande incompréhension, j'ai senti que ce genre d'argument était complètement hors de propos ; que le fait qu'il s'agisse de boutiques hors taxes ou de garages automobiles ou de restaurants n'entrait pas en ligne de compte. Il fallait que la valeur des actions grimpe. Voilà tout !

Quelqu'un a dit un jour : « À quoi bon conquérir le monde si on doit y perdre son âme ? » Et c'est ainsi que je percevais la situation. Je voulais bien conquérir le monde, mais pas à n'importe quel prix. Probablement pour la première fois, je me rendais compte que la compagnie n'était plus à moi. Ces gens agissaient comme des promoteurs, en pensant aux profits. Moi, je pensais encore en bâtisseur. Je travaillais pour que l'entreprise dans laquelle je m'étais investi, celle que j'avais tenté de modeler, puisse atteindre son plein potentiel. Et cette vision allait, en tout cas pour moi, bien au-delà des simples profits. La rentabilité est une chose. La seule recherche de l'efficacité et de l'argent en est une autre. À trop vouloir augmenter les bénéfices, à trop chercher à rentabiliser chaque opération, à trop augmenter la pression sur les employés, à trop étirer leurs horaires et étendre leurs responsabilités, une entreprise perd inévitablement sa culture, son identité et son âme. Et c'est ce que je sentais : qu'on m'avait volé mon âme.

La situation dans le monde des affaires n'est pas meilleure aujourd'hui. Je crois même qu'elle est beaucoup plus exacerbée. Dans tous les secteurs, on ne semble que chercher les profits. Et quand on ne cherche pas les profits, on court après une certaine efficacité dans la seule optique de réduire les coûts.

C'est ce qui arrive pour plusieurs entreprises qui, souvent, perdent ainsi leur âme et leur personnalité. Elles perdent finalement ce qui a créé leur succès. Howard Schultz, président et fondateur de la chaîne de cafés Starbucks, a dû reprendre ses fonctions en 2008 après s'être retiré pendant un certain nombre d'années. La compagnie avait, et c'est lui qui l'expliquait, perdu son âme. Il ajoutait : « Il n'y a rien de mal à vouloir être efficace, mais la ligne est bien mince entre la décision qui accroît votre efficacité et celle qui dilue votre marque ainsi que l'expérience que vous offrez à vos clients. » Si les raisons qui ont fait votre succès ne sont plus présentes, pourquoi les clients continue-raient-ils à venir vous voir ? Voilà la question qu'il posait. Voilà peut-être aussi LA question. La culture d'une entreprise, c'est son âme et c'est vrai autant au public qu'au privé.

Regardez ce qui se passe dans la fonction publique. Regardez les écoles ou les hôpitaux. Aujourd'hui, la dimension humaine est souvent totalement évacuée de l'enseignement aux jeunes ou des soins aux malades. Nos gouvernements prônent l'efficacité, la réduction des dépenses, la diminution des listes d'attente, l'augmentation de la tâche des enseignants ou des soignants, sans jamais parler de ce que vivent les patients ou les étudiants. On semble avoir oublié les raisons d'être de ces réseaux.

Il y a quelques années, le gouvernement fédéral a décidé de s'attaquer au problème du chômage qui était trop élevé. Qu'est-ce qu'on a fait de nouveau pour les chômeurs ? Pas grand-chose. Cependant, au chapitre des opérations on a, entre autres, resserré les conditions d'admissibilité et réduit le temps des prestations, ce qui a eu pour conséquence, statistiquement parlant, qu'il y a eu soudainement moins de chômeurs. L'efficacité du système était rétablie. Mais qui a pensé à tous ces travailleurs dont la situation n'entrait plus dans les petites cases des formulaires ? Cette course à l'efficacité, aux profits à tout prix est de plus en plus généralisée. Regardez ce qui se passe avec les pétrolières ou avec les banques dont, année après année, les profits constituent de nouveaux records. Et n'est-ce pas un peu ce qui s'est passé avec la bulle immobilière américaine qui a jeté la planète dans les problèmes financiers ?

Bon, je me laisse peut-être un peu emporter. Alors, revenons aux années 60, et je peux vous affirmer que c'est ce que je ressentais à la sortie de cette réunion. Je me sentais trahi. Peut-être que le mot « trahi » est trop fort puisque ces autres actionnaires n'avaient probablement pas à être loyaux ou fidèles à ma vision. Peut-être est-ce moi qui aurais dû comprendre que nos perspectives d'avenir étaient rigoureusement différentes et inconciliables. Ces questions resteront toujours sans réponse.

Au retour de Toronto, j'étais néanmoins totalement déboussolé. Comtech, quelques jours plus tard, ne serait plus du tout la compagnie que j'avais imaginée. Il me restait deux solutions. Ou je quittais Montréal pour aller vivre à Toronto et reprendre le contrôle de Comtech ou je quittais Comtech.

En arrivant à la maison, j'en ai longuement parlé avec Céline. C'était, et c'est toujours, ma meilleure conseillère. Maman m'a alors confié qu'elle me trouvait malheureux ; que chaque fois que je revenais de Toronto j'étais soucieux et inquiet. Probablement avait-elle compris, bien avant moi, que le développement de la compagnie n'allait déjà pas dans le sens que je le souhaitais. Bref, l'option d'aller à Toronto a été catégoriquement refusée. Pour Maman, il n'était pas question de déménager. Or, sans déménagement, il était impossible de reprendre les rênes de l'entreprise. Même en y allant, je ne pouvais pas garantir que je pourrais le faire de toute façon. C'est ainsi que j'ai pris la décision d'abandonner Comtech.

Cependant, c'était la fin de semaine et, avant de tout quitter, je devais en parler à certains actionnaires qui avaient investi dans l'entreprise en croyant en moi et en ma vision de l'avenir. Le lundi matin j'ai donc contacté, entre autres, la Caisse de dépôt qui possédait plusieurs millions d'actions de Comtech. Ces contacts pris, j'ai ensuite téléphoné à Toronto pour annoncer que je vendais toutes mes actions et que je démissionnais de toutes mes responsabilités au sein de l'entreprise.

La plupart des actionnaires m'ont contacté dans les heures qui ont suivi la nouvelle. Ils ne comprenaient pas ma décision. Nos vues étaient déjà trop éloignées pour qu'ils saisissent l'importance de la transformation qu'ils opéraient dans la nature même de la compagnie et comment cela l'éloignait de mes objectifs.

Dans les marchés financiers, toutefois, voilà le genre de nouvelle à laquelle les investisseurs réagissent rapidement. On dit souvent que la Bourse est inquiète ou nerveuse face à une possibilité de nouvelle ou à une simple rumeur et qu'elle réagit immédiatement. C'est un peu ce qui est alors arrivé. La valeur des actions, qui n'était déjà pas au plus haut, a encore chuté et j'ai vendu à perte.

Mais pour moi, la page était tournée. Définitivement ! J'ai tout laissé : tous les contrats, tous les livres et même ma voiture, qui était louée par la compagnie et sur laquelle je ne me sentais plus de droit. La veille, j'étais vice-président vente et marketing chez Comtech et je valais (aux livres) quelques millions de dollars. Le lendemain, je n'avais même plus de voiture et je sortais de l'opération, après plus de 10 ans d'efforts, avec une somme d'environ 250 000 $. Mais au moins j'avais été intègre et honnête avec moi-même. J'avais agi selon ma conscience. Je me retrouvais avec un coussin confortable, certes, mais j'étais surtout toujours capable de me regarder dans le miroir. Il me fallait maintenant accepter ce deuil pour passer à autre chose. « Necessary endings », comme l'affirmait le Dr Clouds. Un autre tournant allait survenir dans ma vie.

Chapitre
8

La vie publique

Pendant les quelques jours qui ont suivi, j'avais le moral au plus bas. En fait, on m'avait volé cette passion qui m'animait et qui me forçait à bouger et à aller toujours plus loin. Puis, je me suis rendu compte que, malgré la fin d'Administration et Finance et mon retrait de Comtech, j'étais toujours en relation avec les gens. Et c'est ce que j'aimais par-dessus tout : cette relation avec les clients et les employés. En discutant avec Céline, j'ai commencé à penser que je pouvais développer autre chose, bâtir une nouvelle entreprise.

J'estimais, et je le crois encore, que les gens qui ne connaissent que le « comment » sont toujours derrière ceux qui savent le « pourquoi ». Connaître le pourquoi permet de décider du comment. Dans le fond, c'est ce que je faisais avec Administration et Finance, en fournissant aux clients les raisons qui expliquaient une situation, ce qui leur permettait de déterminer comment y réagir. Les développements au chapitre de l'informatique et des ordinateurs devenaient pour moi de nouveaux outils pour cerner et comprendre le pourquoi des choses.

Ceci, associé à l'importance que j'accordais à l'aspect humain des relations, m'amenait à croire que l'avenir serait du côté de l'administration du personnel, puisque les employés sont toujours la première richesse et le plus grand actif d'une compagnie, quel que soit son champ d'expertise. Et si j'allais plus loin dans ce raisonnement, c'est-à-dire dans cette avenue du « comment » et du « pourquoi », je pourrais dire qu'il s'agissait des bases de ce que j'allais faire plus tard. Parce que finalement, c'est effectivement ce que je fais depuis quarante ans auprès des entreprises : trouver les raisons qui expliquent pourquoi des gens travaillent et veulent travailler pour telle ou telle compagnie et aussi pourquoi des gens y achètent et continuent d'y acheter. Encore une fois, quand on comprend le pourquoi, on peut plus facilement trouver comment rendre le personnel plus heureux et l'amener à s'impliquer davantage, ce qui permet ainsi de mieux satisfaire la clientèle.

Il est étonnant qu'on ait, pendant des années, simplement éva-cué l'aspect humain du travail. J'avais été très surpris quand la revue *Time* avait décerné le titre de l'« Homme de l'année » à l'ordi-nateur [20]. Il s'agissait, je crois, d'une erreur, car les ordinateurs, aussi performants soient-ils, ne sont que des outils et jamais une finalité.

Bien entendu, une large part de cette réflexion demeurait alors au niveau de l'inconscient, mais j'avais la certitude qu'il fallait miser sur les employés. Et c'est comme ça que j'ai mis sur pied Permanse, une abréviation de *Personnel, Management* et *Services*. En fait, je voulais, d'une certaine façon, recréer ce que j'avais bâti dans Administration et Finance, mais cette fois dans la perspective du personnel. Permanse devait offrir aux entre-prises de s'occuper de leurs besoins en employés, du remplace-ment de ceux-ci, le cas échéant, ou des exigences ponctuelles qui surviennent régulièrement dans les activités d'une compagnie. Tout cela était encore bien intuitif et n'avait certainement pas la logique et la rationalité qui semblent évidentes de nos jours.

J'ai donc lancé Permanse au printemps 1969 en y investis-sant une grande partie de l'argent que j'avais en ma possession. J'avais divisé la compagnie en trois grands secteurs. Le premier, grâce à une franchise que j'avais obtenue d'une société améri-caine, Snelling & Snelling, voyait à la gestion du placement temporaire dans les entreprises clientes. Cette compagnie avait déjà fait ses preuves et j'avais adopté la même structure pour nos bureaux québécois en reliant, à la fois, une banque d'employés et une banque d'entreprises.

20 En 1982, *Time Magazine*, devant l'essor incroyable apporté par l'arrivée des ordinateurs personnels, déclare que l'ordinateur devient la personnalité de l'année.

À ce secteur j'en avais greffé un autre qui s'occupait du placement d'employés permanents. Les deux services fonctionnaient un peu de la même façon, mais ce deuxième secteur poussait son analyse beaucoup plus loin pour trouver les meilleurs candidats possible. J'avais même mis au point une « garantie » de réussite qui assurait les entreprises que les personnes que nous avions recommandées seraient non seulement à la hauteur de leurs attentes, mais aussi qu'elles resteraient en poste pendant une période de temps minimale d'un an. Si la personne quittait son emploi avant ou ne faisait pas l'affaire, il n'y avait, d'une part, rien à payer, mais nous nous engagions aussi à trouver un nouveau candidat à nos frais. Ça c'est de la garantie !

Le troisième secteur de Permanse s'occupait de l'entraînement et de la formation du personnel et c'est le domaine que je m'étais réservé parce que c'était celui qui m'attirait le plus. J'avais confié la gérance des deux autres départements à des personnes de confiance et je ne m'en occupais pas beaucoup. Je me concentrais sur la formation du personnel. J'avais ensuite commencé à mettre sur pied des déjeuners-causeries que j'offrais aux entreprises, des rencontres qui portaient sur plusieurs questions comme le service à la clientèle, la fidélisation ou les nouveaux types de marketing. Et, honnêtement, ce concept soulevait beaucoup d'intérêt.

Pour réaliser tout ce travail, j'avais ouvert deux bureaux, l'un sur la rue Sherbrooke et l'autre sur la rue Union, près de la bijouterie Birks. Mais j'étais dans une période de ma vie qui n'était pas animée par la passion. Je doutais de moi et je n'étais pas convaincu de ce que je faisais. L'idée générale était bonne, mais je ne m'y investissais pas suffisamment. Pendant cette période, je me considérais simplement comme un homme d'affaires, presque à sa pension, et non comme un bâtisseur. En conséquence, je ne travaillais pas énormément. J'étais souvent à la maison et je m'impliquais de moins en moins dans Permanse.

Les revenus n'étaient donc pas au rendez-vous. Rapidement, chaque semaine, le vendredi, j'ai dû me rendre au bureau pour faire un dépôt et ainsi garantir les salaires et les dépenses. En un rien de temps, tout mon argent y est passé. J'ai même dû emprunter plusieurs dizaines de milliers de dollars pour renflouer ce navire dont je ne m'occupais pas beaucoup. Malgré cette injection de fonds, les factures s'empilaient à vitesse grand « V ».

En y repensant aujourd'hui, je me rends parfaitement compte que je m'étais mis moi-même en situation d'échec. Il y a bien entendu le fait que je ne m'occupais pas réellement de la compagnie, ce qui est toujours une erreur considérable. Pire toutefois, malgré tout ce que je disais, je n'y croyais pas. Or, ça, c'est le meilleur moyen de courir à la catastrophe. Et tout cela venait probablement du fait que je ne croyais plus en moi. Je doutais de mes capacités et je ne ressentais plus cette volonté et cette certitude de gagner. À tel point, je le répète et je le réalise maintenant, que je m'étais entouré de gérants qui se cherchaient eux-mêmes et s'interrogeaient sur leur sort. L'un d'eux était un vendeur qui avait connu plusieurs passages difficiles et qui avait fait quelques faillites, alors que l'autre était un alcoolique qui tentait de sortir de sa dépendance. En soi, il n'y a rien de mal à donner une seconde chance à quelqu'un qui traverse une période très creuse. Mais quand on le fait, il faut non seulement être conscient des difficultés et des écueils qui peuvent survenir, mais il faut surtout être soi-même très fort et confiant. Ce qui n'était pas mon cas. Bref, au lieu de m'entourer de gagnants, j'avais recruté des perdants. Un symptôme de l'image que j'avais de moi-même, c'est-à-dire celle d'un vaincu. J'avais aligné les astres pour la déroute.

Vers 8 heures, un vendredi matin, à la toute fin de l'automne 1970, je me suis rendu au bureau de la rue Union. Il était encore tôt et je ne m'attendais pas à y voir quelqu'un. J'ai inséré la clef et déverrouillé la porte. Par automatisme, j'ai ouvert le commutateur tout à côté pour allumer les lumières et, en levant les yeux, je suis demeuré figé. Il n'y avait plus rien. Ni les bureaux, ni les classeurs, ni les chaises, ni les patères, ni les étagères. Il ne restait que des dizaines de dossiers et de feuilles éparpillés par terre. La pièce était déserte. Il n'y avait plus rien de ce qui fait qu'un bureau est un bureau. Sur le plancher restaient les téléphones, seuls témoins qu'il y avait eu, jusqu'à récemment, beaucoup d'animation et de vie ici. Dans la nuit, tout le mobilier avait été saisi. Et on avait fait la même chose au bureau de la rue Sherbrooke. D'un coup, on m'avait tiré le tapis sous les pieds. J'ai soudain pris conscience de ce paravent de fausse confiance en moi que j'affichais depuis des mois. J'ai aussi pris conscience de la colossale arrogance dont j'avais fait preuve en me disant que tout se replacerait, que les choses se régleraient d'elles-mêmes. Le bon Dieu va toujours nous aider, mais il faut d'abord nous aider nous-mêmes. Je le savais, mais je n'ai jamais voulu voir cette réalité. Là, j'y étais violemment confronté. Il m'arrive souvent, durant mes conférences, de raconter que personne ne recule quand on lui donne un coup de pied au derrière (en fait j'utilise une autre expression, mais...). Car cela implique qu'on est alors deux pieds en avant de celui qui nous a frappé. Si on utilise cette « expérience » comme il faut, on peut avancer beaucoup plus vite. J'avais reçu un grand coup ce matin-là. Il me restait à apprendre de cette leçon et d'en réaliser l'ampleur. Mais il me faudrait du temps.

J'ai pris le téléphone pour appeler Céline. Il fallait que je me tourne vers quelqu'un. En quelques mots, je lui ai expliqué la situation. J'étais consterné. Après une brève discussion, un peu comme un automate, je me suis mis à remplir des boîtes avec les papiers épars dans la pièce. J'ai tout ramassé et j'ai été faire le même sombre travail à l'autre bureau avant de revenir à la maison en fin d'avant-midi. J'ai empilé toutes ces boîtes dans un coin de la cave et je suis remonté à la cuisine en disant que je ne voulais plus les voir, ni les ouvrir. Je me sentais vidé, dévasté. J'avais la triste impression d'être parvenu au bout de la route, que ma vie était terminée. J'avais la certitude que je ne me relèverais jamais d'un tel coup. J'ignorais cependant que la journée était loin d'être terminée. Ce que j'avais vécu jusque-là ressemblait à un tsunami. Or, la première vague d'un tel cataclysme est énorme et dangereuse, mais ce n'est pas la seule. D'autres arrivent pour compléter le travail de destruction.

Quand, à midi, les enfants sont revenus de l'école, ils ont immédiatement remarqué que les choses n'allaient pas et ont été particulièrement tranquilles. J'étais seul et silencieux dans la cuisine où Céline tentait, sans vraiment y parvenir, de faire comme si la vie suivait son cours. Puis la deuxième vague a déferlé. Les huissiers sont entrés. Ils avaient en main un ordre de saisie sur la maison demandé par André Lemay, celui-là même qui m'avait permis de rencontrer Sinclair Stevens, et à qui je devais de l'argent. Je me rendais compte des erreurs énormes que j'avais faites au cours des mois. On n'en arrive pas à une situation semblable du jour au lendemain. Il faut faire preuve d'aveuglement volontaire pour que les choses évoluent de cette façon. J'avais eu de nombreuses occasions de prendre les devants pour demander de l'aide financière ou obtenir des délais pour étaler les paiements. J'aurais pu en parler et trouver des solutions. Je n'en avais rien fait. Cet après-midi, la maison était saisie. Je la croyais intouchable. C'était le port d'attache de la famille Chaput ; on n'avait pas le droit de nous l'enlever. C'était la résidence de la famille, elle avait été bâtie comme nous le voulions, pour nos besoins et notre confort. Nous y étions heureux depuis des années. On n'avait pas le droit d'y toucher. Voilà où nous en étions arrivés, par ma faute. La maison familiale était sous le coup d'une saisie.

Puis, vers 15 heures, la troisième vague nous a frappés. D'autres huissiers arrivaient pour saisir les meubles. Jean-François, au retour de l'école, regardait ces étrangers aller et venir dans la maison, examinant tous les meubles et les numérotant. Il a demandé ce qui se passait. C'est Céline, je crois, qui lui a répondu que nous allions faire des changements et que ces gens étiquetaient les meubles pour que nous ne perdions rien. Pendant ce temps, je restais sans voix, humilié, le cœur noué, sentant une plaie profonde au sein de mon âme. Cette nuit-là, ni Céline ni moi n'avons véritablement dormi. Le choc subi par l'ampleur de la catastrophe continuait à se faire sentir. Céline n'a jamais pleuré devant moi. Oh, je suis bien certain que lorsque j'avais le regard tourné, elle laissait aussi aller le trop-plein d'émotions et de tristesse qu'elle vivait. Mais devant moi elle était forte. Aussi forte que je me sentais faible.

Les jours qui ont suivi m'ont prouvé que tout était désormais changé. La rumeur s'était répandue à une vitesse folle. Partout où j'allais, les gens ne me regardaient plus de la même façon. Quand je me suis rendu à la banque pour discuter de la situation, ceux qui, auparavant, me saluaient avec un large sourire ne me voyaient même plus. J'avais l'impression que tous mes voisins me regardaient en pensant : « C'était fatal que ça se termine comme ça. Je le savais bien, moi... » Je ressentais la même incompréhension de la part de mes parents. Pire encore parce que je sentais grandir leur impression que j'étais fait exactement dans le même moule qu'oncle Rolland. Moi aussi je venais de tout perdre. Mon monde s'écroulait et rien ne semblait vouloir endiguer la turbulence financière.

Peut-être avaient-ils raison jusqu'à un certain point, parce que, dans les jours qui ont suivi ces terribles nouvelles, j'ai fait une folie colossale. J'étais assis en train de prendre un café dans la cuisine, totalement déprimé. Si vous vous demandez comment il se fait que nous ayons eu encore des meubles et une maison après les saisies, c'est simplement parce que j'étais parvenu à convaincre les créanciers de nous les laisser et que je rembourserais mes dettes.

Bref, ce matin-là, les enfants étaient partis à l'école et nous étions dans la cuisine à prendre un café quand j'ai dit à Céline :

— Est-ce que tu sais ce qui nous ferait du bien ?

— Non, a-t-elle répondu.

— Je voudrais laisser tout ça quelques jours, lui ai-je dit en montrant la maison dans un geste qui englobait aussi l'univers. Je voudrais que nous partions, tous les deux seuls, juste quelques jours pour nous reprendre et récupérer.

— Ce serait génial, mais on n'a pas les moyens.

— Il reste de l'argent en banque pour l'hypothèque et j'ai encore une carte de crédit. C'est complètement fou, mais on peut le faire et ça nous ferait du bien.

— Alors, faisons-le, a-t-elle répliqué.

Céline a aussitôt téléphoné à l'agence de voyages et nous avons réservé un forfait d'une semaine en Jamaïque. Au Doctors Cave Beach Hotel, à Montego Bay, si ma mémoire m'est fidèle. Je crois que la semaine a été agréable, mais je n'en ai conservé que très peu de souvenirs. J'avais quand même l'esprit occupé par tout ce qui se passait. Je me rappelle néanmoins qu'au retour, en passant devant une boutique hors taxes, j'ai vu une montre. Une Bulova assez chère. J'ai sorti ma carte de crédit, et j'en ai fait l'achat. Une autre folie ? Peut-être. En fait, la vraie réponse est certainement. Cependant, si j'ai réussi à passer à travers cette épreuve et les semaines suivantes, c'est justement parce que j'ai continué à mordre dans la vie, à faire des folies et à vivre l'instant présent. Je comprends parfaitement que ça puisse paraître insensé, mais j'ai souvent réalisé qu'il vaut mieux parfois se récompenser dans les périodes difficiles, plutôt que de simplement passer son temps à se blâmer pour ses bêtises et ses erreurs. Cela peut nous permettre de prendre la distance indispensable pour retomber sur nos pieds. Ce n'est probablement pas une recette que tout le monde peut appliquer. Ce n'est peut-être même pas une recette. Cependant, sans nécessairement aller aussi loin que je l'ai fait, de s'offrir une gâterie pour sortir du cercle infernal de la dépression et de l'autoflagellation peut nous donner la force et l'énergie pour relancer notre vie.

Toutefois, si ce genre de comportement fait un bien énorme sur le plan moral, ça ne change pas les faits car, aussitôt revenu à Montréal, la réalité de l'échec s'est encore imposée. La maison et les meubles étaient toujours sous le coup d'une saisie et j'avais perdu mon entreprise. Le matin suivant notre retour, j'étais, encore un peu déprimé, assis dans la cuisine, quand Céline est entrée.

— Bonjour, m'a-t-elle dit.

— Qu'est-ce qu'on fait maintenant ? Qu'est ce qu'on va devenir ? Je ne sais plus quoi faire..., lui ai-je répondu, passablement abattu.

Elle m'a regardé tendrement avec son si beau sourire et a ajouté, tout bonnement, comme s'il s'agissait de la chose plus naturelle du monde :

— On recommence.

— On recommence quoi ? On n'a plus rien, La maison est saisie, les meubles sont saisis, Permanse est saisi. On n'a plus rien.

— Toi, tu n'es pas saisi, a-t-elle fermement répliqué. Ce que tu as dans ta tête n'est pas saisi. Ton expertise dans les entreprises n'est pas saisie. Tout ce que tu es n'est pas saisi. Tu vas t'en servir. Tu vas vendre ton expérience. Tu avais commencé à donner des conférences et des déjeuners-causeries aux compagnies ? Ça fonctionnait bien ? Alors, c'est ça que tu vas faire !

Pendant une vingtaine de minutes nous avons discuté. Céline m'a rappelé mes bons coups et mes réussites. Pendant vingt minutes, elle m'a dit que j'étais toujours capable de réussir. Pendant vingt minutes, elle m'a convaincu qu'il fallait passer à autre chose, qu'il était temps que je me reprenne en mains. Et puis, me suis-je dit, pourquoi pas ? Ça valait au moins la peine d'essayer.

J'ai été cherché le bottin de l'École des hautes études commerciales. J'avais regardé les promotions de 1953, 1954 et 1955. Je connaissais tous ces gens, nous avions été ensemble à l'école. Ça faisait seize ans, mais je les connaissais encore. À ce moment, la plupart d'entre eux devaient travailler dans toutes sortes d'entreprises. Il me suffisait de les contacter et de leur offrir ce qui me restait : moi !

En regardant ces noms, j'ai trouvé celui d'un ami qui était devenu directeur général de United Auto Parts (UAP) et c'était une compagnie que je connaissais pour y avoir, vous vous en souviendrez, déjà été consultant. J'ai pris le téléphone et je l'ai appelé.

— Comment ça va ? m'a-t-il demandé dès qu'il m'eut reconnu.

— Très bien, lui ai-je répondu. Mais je te dérange pour quelque chose d'important. J'ai quelque chose de très particulier à t'offrir. Est-ce que je peux passer te voir cet après-midi ?

— Aujourd'hui, je suis en réunion toute la journée. Mais demain après-midi, j'aurais une heure à te consacrer.

— Parfait. On se voit demain.

Évidemment, j'aurais préféré le rencontrer la journée même. Mais pouvoir lui parler le lendemain, ce n'était quand même pas si mal. Un début de réussite peut-être. Puis je suis allé revoir mes notes des HEC et de Harvard pour structurer un peu plus précisément l'idée que j'allais lui proposer.

À l'heure dite le lendemain, j'étais à la porte de son bureau. Il m'a accueilli chaleureusement et m'a invité à m'asseoir dans un confortable fauteuil.

— Alors, Jean-Marc, de quoi s'agit-il ? a-t-il demandé en prenant place à son tour. Tu as quelque chose à me proposer ?

— Merci de me recevoir. Eh oui, pour répondre à ta question, j'ai quelque chose à t'offrir. Ce quelque chose de particulier... c'est moi ! lui ai-je lancé.

— Tu veux venir travailler ici ? a-t-il questionné en s'enfonçant un peu dans son fauteuil.

— Oui et non. Tu vois, UAP est une grosse entreprise, avec beaucoup de succursales, n'est-ce pas ? Alors ce que je propose, c'est de pouvoir rencontrer des dirigeants et des employés un peu partout pour comprendre comment ils voient leur compagnie. À partir de ces informations et de ce que je connais d'UAP, je voudrais bâtir des cours de formation que l'on pourrait donner à tous les employés. Ces sessions seraient ni plus ni moins qu'un cours de vente expliquant ce qu'est UAP, quelle sorte de services vous offrez et ce qui fait qu'un client vient ici au lieu d'aller ailleurs. Ces cours expliqueront ce que sont l'âme et la culture de l'entreprise et feront en sorte que tous les employés connaîtront non seulement mieux leur rôle, mais sauront aussi comment faire pour que les clients continuent à venir y acheter en y trouvant toujours ce qui les a amenés ici la première fois.

J'ai dû parler pendant une demi-heure, expliquant mon idée et répondant à ses interrogations. Puis, il a fait une pause, s'est de nouveau reculé dans son fauteuil, m'a regardé dans les yeux et a dit :

— C'est bon... Tu m'as convaincu. J'embarque, Jean-Marc, parce que ton idée est intéressante et nouvelle... Il ne reste qu'un point à régler : Combien ça coûte ?

Là, il m'a eu. Jamais je n'avais pensé à cet aspect. Comme j'ignorais quoi faire, je lui ai posé la question qu'aucun vendeur ne devrait jamais poser :

— Combien penses-tu que ça vaut ?

Il m'a évidemment relancé la question. Si bien que j'ai avancé le chiffre d'environ 500 $ (si ma mémoire est bonne) et nous nous sommes ensuite entendus sur un échéancier de travail.

J'étais tellement content de cette rencontre qu'aussitôt revenu à la maison, je me suis jeté sur mes bottins pour sortir d'autres noms d'anciens des HEC. Le lendemain, à 10 heures, j'en avais contacté quelques-uns et repris le discours que j'avais fait à UAP. Pour certains, la réponse avait été non ; d'autres m'avaient demandé de les recontacter six mois plus tard, et quelques-uns avaient accepté de me rencontrer. Sur les vingt ou vingt-cinq appels que j'avais faits, il y en avait bien sept ou huit qui débouchaient sur des rendez-vous. À compter de ce matin-là, chaque avant-midi fut consacrée à la sollicitation téléphonique (je faisais dix appels par jour) et les après-midi aux rencontres. Je n'avais pas encore d'argent, mais il y avait, de nouveau, de l'espoir.

* * *

Quelques jours plus tard, mon comptable m'a rencontré pour faire le point sur ma situation financière.

— Tu devrais faire faillite, m'a-t-il suggéré. Ce sera un dur moment à passer, mais dans quelques années, tu pourras tout recommencer.

— Non, lui ai-je répliqué. Je ne m'en sens pas capable. C'est peut-être encore ma formation de jésuite qui refait surface, mais quand on prend un engagement, on doit le respecter. Tous ces gens qui m'ont prêté de l'argent m'ont fait confiance. Ma partie du contrat est de leur rembourser cet argent. C'est ça l'engagement que j'ai pris et c'est ce que je vais faire. Jamais je ne ferai faillite.

Au contraire, ai-je alors décidé, j'allais plutôt contacter tous mes créanciers pour leur expliquer que j'avais besoin de temps et que j'allais les rembourser. Capital et intérêts. J'ai ainsi pris une entente avec chacun d'entre eux pour étaler les paiements. À la maison, nous avions établi un budget extrêmement serré, mais nous pouvions y arriver.

Au souper, un soir, Céline a regardé les enfants et leur a dit : « On a quelque chose à vous expliquer. Financièrement, ça ne va pas bien. Nous avons perdu beaucoup d'argent. Imaginez-vous qu'on avait un beau grand bateau et qu'on allait partir. Mais le moteur s'est brisé et il faut le réparer. Alors chacun de nous va prendre une rame et on va tous ramer. » Puis, elle a regardé Isabelle et a ajouté : « Tu as de l'argent dans ton compte de banque parce que tu livres des journaux, alors tu vas nous le prêter parce que nous devons acheter de la nourriture pour manger. » Et elle a fait la même chose avec chacun d'entre eux.

Je crois que c'est la chose la plus difficile que j'aie jusqu'alors vécue. C'est humiliant (pour ne pas dire honteux) pour un parent de lancer un tel appel de détresse à ses enfants. Je ressens encore terriblement d'amertume quand je pense à ces moments. Mais il fallait passer par là.

Étonnamment, il y a souvent un bon côté pour chaque mauvais, car je dois aussi dire que cette période affreusement ardue, nous l'avons passée ensemble et que la famille s'est littéralement soudée. Jamais nous n'avions été si près les uns des autres. Pendant un bon moment, même nos menus ont changé. Le lait avait été remplacé par du lait en poudre, les poulets entiers par des gésiers, les steaks par des macaronis, etc. Mais tout s'est fait dans une grande sérénité.

En plus, nous avons été aidés par plusieurs personnes. Par exemple, les étés précédents, les enfants allaient au camp de jour, et, comme nous avions alors de gros revenus, nous avions aussi payé ces camps à d'autres enfants du coin dont les parents ne pouvaient pas assumer cette dépense. À l'été 1970, inutile de dire que j'étais incapable de payer le camp de jour pour les miens. Or, le responsable, qui avait entendu parler de notre situation, nous a contactés pour nous expliquer que ce n'était pas grave et que nous pouvions lui envoyer nos enfants comme d'habitude. Cela nous avait beaucoup touchés, et je veux encore remercier Jacques Saint-Jean pour ce geste.

Il y a aussi eu M. Dunn, de l'épicerie du coin, où Céline allait toujours. Un jour, après avoir fait le marché, elle a payé avec un chèque qui a rebondi. Elle était tellement gênée qu'elle a décidé de ne plus y retourner, se sentant trop humiliée. Et franchement, je comprenais parfaitement ce qu'elle vivait. Toutefois, au bout de trois ou quatre semaines, M. Dunn, propriétaire de l'épicerie, l'a contactée pour prendre des nouvelles.

— On ne vous voit plus, madame Chaput, est-ce qu'il s'est passé quelque chose ? a-t-il demandé.

— Non, a avoué Céline, mais quand le dernier chèque n'est pas passé, j'ai été trop gênée pour retourner vous voir. Je suis désolée, a-t-elle ajouté.

— Revenez nous voir, madame Chaput. Tout le monde peut avoir des problèmes. Ça va passer.

Et Céline a recommencé à aller y faire son marché. Elle a d'ailleurs continué à s'y rendre pendant des années.

Côté boulot, ça avançait. Outre UAP, j'avais réussi à décrocher deux ou trois contrats. Je travaillais aussi pour Armstrong, un fabricant de tapis et de prélart, ainsi que pour un de ses grossistes, De Lorimier distributeur. Dans chaque cas, je présentais ni plus ni moins que des cours de vente qui expliquaient pourquoi les clients devaient acheter à cet endroit. Mais pour le comprendre, les employés devaient aussi comprendre pourquoi ils travaillaient là, ce qui donnait un sens à ce qu'ils faisaient et à leur vie. Et les résultats étaient impressionnants. Les gens aimaient ce que je leur disais et ce que je leur expliquais. Tout compte fait, je ne leur apprenais rien de nouveau, mais je les forçais à se regarder et à comprendre ce qu'ils aimaient ou aimaient moins pour ensuite travailler sur leurs forces. Voilà tout !

L'une des premières sessions aux entreprises. Ce n'était pas toujours facile, comme cette fois pendant laquelle je faisais mon exposé avec un bras dans le plâtre, résultat d'une partie de tennis avec ma fille Isabelle.

En même temps, j'avais repris les notes des cours que je donnais aux HEC et j'avais développé un deuxième produit à offrir aux entreprises. Dans ce cas, il s'agissait de véritables séminaires qui traitaient d'administration. Pendant deux jours, de 8 heures jusqu'à 17 heures, j'abordais des notions comme le budget, la présence, le leadership, la motivation et même la psychologie en me basant sur la pyramide des besoins de Maslow. En un mot, le psychologue Abraham Maslow avançait une théorie de la motivation qui passait par cinq niveaux de besoins à satisfaire. Ces niveaux sont les besoins physiologiques, le besoin de sécurité, le besoin affectif et d'appartenance, le besoin d'estime personnelle et, finalement, celui de l'épanouissement personnel. Selon lui, on ne peut passer au niveau supérieur tant qu'on n'a pas réussi ou satisfait le niveau dans lequel on se trouve. Mais je ne présentais pas ces notions de façon aussi théorique. En fait, je reprenais largement le célèbre monologue d'Yvon Deschamps, « Les unions quossa donne », pour montrer ces différentes étapes. Dans son texte, Deschamps décrivait un travailleur qui expliquait sa relation et sa vie avec son « boss ». Or, le sympathique et naïf personnage y trouvait finalement chacun des points énumérés par Maslow. Son travail permettait de répondre à ses besoins physiologiques et de sécurité, ses relations avec son patron (enfin la perception qu'il en avait) lui donnaient l'amitié, l'estime de soi et une vision bien personnelle de la réalisation et de l'atteinte de ses objectifs.

J'abordais donc tous ces concepts durant les séminaires devant des petits groupes de dix ou quinze personnes qui avaient été envoyées par sept ou huit compagnies différentes. Ces séminaires furent également un succès. J'en donnais une ou deux fois par mois, selon la demande. Pendant trois mois, j'ai travaillé ces dossiers avec une grande énergie. Céline me donnait aussi un sérieux coup de main en prenant les rendez-vous et en s'occupant de mon agenda qui se remplissait de plus en plus. C'est à ce moment qu'elle est devenue rien de moins que mon agent, elle qui était déjà mon associée et qui me connaissait tellement. Maman avait (et a toujours) une grande capacité à gérer toutes sortes de dossiers complexes et matériels. Capacité que je n'avais pas et que je n'ai toujours pas, d'ailleurs. En quelques semaines, j'ai eu les mêmes sentiments d'exaltation et d'enthousiasme que ceux que je ressentais quand je m'investissais totalement dans Administration et Finance.

Tous les efforts de l'automne 1970 ont enfin rapporté, puisque dès le début de 1971, je n'ai plus eu besoin de solliciter de nouvelles entreprises. On me téléphonait pour obtenir mes services. Toute la publicité se faisait de bouche à oreille. Et c'est ce qui était merveilleux. Les gens que je rencontrais lors de mes conférences en parlaient à des amis qui en parlaient à leur tour à leurs patrons, etc. Les séminaires faisaient aussi parler d'eux. Celles et ceux qui y participaient suggéraient à leur compagnie de faire appel à mes services pour aller plus loin avec leurs employés. Bref, la roue tournait et commençait à prendre une excellente vitesse de croisière.

Personnellement, je ressentais enfin ce que je ne croyais plus revivre. Le « WOW » était réapparu dans ma vie. Je sentais et je savais que je pouvais réussir. Je redevenais un bâtisseur.

Encore une fois, malgré les déboires que je vivais, je comprenais que selon la fameuse théorie « *connect the dots* », des points dans ma vie venaient d'en relier d'autres pour former une nouvelle figure. Cette fois, je mettais en commun le théâtre, la culture, l'adversité de l'Université Harvard, l'expérience des HEC et même la vente d'Administration et Finance pour faire un nouvel ensemble qui me fascinait.

Mais à l'automne 1970, rien n'était encore gagné. Tous les créanciers me suivaient de près. Parmi eux, il y avait la compagnie de téléphone Bell qui songeait sérieusement à couper la ligne. Or, à ce moment, le téléphone m'était indispensable. C'était la seule façon efficace et rapide d'obtenir des rendez-vous avec d'éventuels clients. Céline et moi avons donc contacté la compagnie pour expliquer que si on nous coupait la ligne, Bell ne serait jamais payée. Toutefois, si on acceptait de nous laisser du temps et le service, je rembourserais en totalité. Heureusement, nous étions tombés sur quelqu'un de compréhensif qui a accepté nos arguments. Ce qui m'a rappelé qu'il est généralement préférable de prendre les devants plutôt que d'attendre que les choses arrivent et qu'il soit trop tard pour avoir une influence sur elles. Autrement dit, j'étais bien décidé à agir sur les événements pour ne pas répéter ce après quoi j'avais couru avec Permanse.

Au printemps 1971, les choses s'amélioraient et les contrats s'accumulaient. Nos finances allaient de mieux en mieux et les remboursements se faisaient selon les ententes. Il aura fallu un peu de temps (en fait jusqu'en 1973), mais nous avons finalement tout remboursé, capital et intérêts, à tous nos créanciers. Et, encore aujourd'hui, j'en suis fier.

C'est à peu près à cette époque que j'ai parlé à un ami, Réginald Bourgeois, qui travaillait au gouvernement du Québec. Je l'avais rencontré pour lui expliquer les interventions que je faisais et lui offrir mes services. Il m'a alors mis en contact avec Émilien Comtois, qui était responsable de séminaires que le gouvernement proposait aux entreprises. Ce programme avait été mis sur pied pour assurer la formation d'entrepreneurs sur des aspects pratiques de la gestion en les amenant à participer à des jeux d'entreprises en utilisant des données réelles prises auprès de compagnies réelles. Un peu comme les études de cas que nous faisions à l'Université Harvard. À chaque session, les participants étaient séparés en quatre groupes qui devaient, à la suite d'une mise en situation, prendre les meilleures décisions pour que leur compagnie prospère plus rapidement que celles des autres groupes, puisqu'il s'agissait quand même d'une compétition. On me proposa d'assister à ces formations pour en faire la conclusion. Ces sessions étaient étalées sur deux soirées au terme desquelles j'avais environ une heure pour présenter le bilan du travail effectué. J'ai adoré ces rencontres de travail. Elles me permettaient de faire appel à mes connaissances des finances et de l'administration, tout en me laissant utiliser mes expériences vécues du développement et de la gestion de compagnies. Sans compter que je pouvais m'amuser à raconter des histoires devant un public, ce que j'ai toujours adoré. Mais le plus fascinant pour moi a été, sans nul doute, le fait que les participants ont aussi apprécié la façon dont je résumais leurs apprentissages durant ces sessions.

Cette expérience a eu deux répercussions. D'une part, comme j'ai fait ce genre d'intervention pendant près de trois ans, j'ai eu l'occasion de visiter toutes les régions du Québec (mais vraiment tous les coins) et de mieux comprendre les dynamiques spécifiques de chacune d'entre elles. D'autre part, je me faisais connaître par de nouvelles personnes et d'autres organismes, ce qui m'a apporté des débouchés fort intéressants, comme les chambres de commerce qui m'invitaient à aller m'adresser à leurs membres lors d'événements spéciaux. J'ai ainsi commencé à faire des conférences adaptées aux besoins de ceux qui m'engageaient. Des produits sur mesure, en quelque sorte.

Quand est arrivé le mois de novembre 1971, les choses s'étaient largement replacées. Nous ne roulions pas sur l'or, loin de là, mais nous avions enfin un peu d'argent, ce qui nous permettait de mieux respirer. Noël approchait. Depuis plusieurs années, nous allions passer le temps des Fêtes en Floride, sauf l'année précédente, bien entendu, puisque le contexte nous l'interdisait formellement. Même cette année, il était difficile d'imaginer que nous puissions y retourner. Mais j'avais amorcé des discussions avec un éventuel nouveau client. Un gros client. En effet, j'avais récemment renoué avec un certain Jean Des Longchamps, qui était président des « Bottins Verts ». Or, Jean et moi étions presque voisins durant notre enfance dans le quartier Rosemont. Et, on a beau dire, les amitiés d'enfance demeurent fortes toute la vie.

Donc, Jean avait mis sur pied les Bottins Verts, un formidable nouveau concept, à l'époque, qui permettait à chaque quartier d'avoir un bottin téléphonique adapté à son secteur. On y parlait de toutes les particularités territoriales, mais on y trouvait surtout les annonceurs du coin, les gens qui étaient près de nous. Le Bottin Vert misait sur une véritable armée de vendeurs qui sollicitaient les commerçants de tous les quartiers. C'était le secret de leur réussite. J'avais donc obtenu une rencontre avec Des Longchamps pour lui proposer mes services de formateur pour ses vendeurs.

Ce matin de novembre, Céline et moi discutions des vacances des Fêtes en Floride en espérant qu'un miracle nous permette d'y retourner. Puis, je lui ai dit, comme je rencontrais le responsable du Bottin Vert la journée même, que si le contrat était accepté, nous utiliserions cet argent pour amener la famille à Naples, en Floride. Maman m'a immédiatement répondu : « Vas-y. Vends-toi. Décroche ce contrat et on y va... »

J'avais toujours de la pression pour signer de nouveaux contrats, mais cette fois, je sentais une urgence additionnelle. J'espérais vraiment pouvoir offrir ce voyage à la famille après les durs mois que nous venions de passer. Quand je suis revenu de la réunion, environ deux heures et demie plus tard, j'ai vu, pendant que je stationnais la voiture dans l'entrée, que Céline m'attendait et surveillait mon arrivée par la fenêtre du salon. Je suis resté assis dans l'auto, sachant qu'elle me regardait.

J'ai coupé le moteur et, doucement, j'ai levé les yeux vers elle, sachant très bien que je lui faisais subir une petite torture en la faisant attendre de la sorte. Puis j'ai fait un énorme sourire et je lui ai fait un geste de la main pour lui faire comprendre que j'avais réussi. Le 22 décembre 1971, nous avons pris la route vers la Floride. Le coffre était plein de nourriture congelée que Céline avait préparée d'avance pour limiter les coûts du voyage. J'ai conduit pendant 28 heures d'affilée pour éviter les frais de motel et nous sommes enfin arrivés à Naples avec les cinq enfants. J'avais l'impression qu'une étape venait d'être franchie dans ma réhabilitation.

* * *

Les années ont passé et je commençais à avoir une certaine réputation. Oh, je n'étais pas connu du grand public, mais plusieurs entreprises avaient entendu parler du genre d'intervention que je faisais auprès de leur personnel. En 1973, un bon ami et voisin de Duvernay, Gilles Derome, qui travaillait comme réalisateur à Radio-Canada, réussit à intervenir pour que j'y sois engagé. Pas comme animateur, rassurez-vous. On voulait que je prépare une session de deux jours destinée à la haute direction du diffuseur et portant sur le « management ». C'est comme ça que je me suis retrouvé devant une trentaine de directeurs de la société d'État dans un centre de villégiature des Laurentides.

Je me souviens que j'y ai largement abordé la question du choix des dossiers à prendre ou à écarter. Vous savez, toute la question de ne pas se sentir submergé par l'ensemble des choses qui nous sont proposées et que nous nous sentons obligés de faire chaque jour. Bref, je leur ai expliqué la théorie des singes. Que l'on peut nous voir comme des éleveurs de singes. Mais attention! Il ne faut pas prendre la responsabilité de trop de singes, sinon on ne pourra plus s'en occuper et ils vont mourir. Il faut donc savoir combien de singes nous pouvons nourrir et dont nous pouvons nous occuper pour choisir ceux qui ont le plus de chances de devenir de beaux grands adultes. J'avais ensuite expliqué que nos singes, c'étaient les dossiers qui étaient posés sur notre bureau. Certains sont prioritaires, d'autres moins. Certains nous sont suggérés par des subalternes, d'autres imposés par la direction ou les événements. Mais dans tous les cas, il faut être conscient du nombre de singes dont nous pouvons nous occuper. Sinon, nous risquons de les perdre tous. En réalité, c'était un peu plus complexe, mais c'était le genre d'analogie que je présentais. Cette session a été très appréciée par les participants.

▲

Les conférences corporatives vont bien. Ici, en 1978, je m'adresse à des employés de la compagnie Confederation Life. Eh oui ! Une session en anglais.

Gilles Derome, qui avait assisté à quelques-unes de mes interventions, m'a demandé, quelques années plus tard, pourquoi je n'écrivais pas un livre qui reprendrait mes sessions. Cette idée ne m'avait jamais traversé l'esprit et je ne suis pas, à proprement parler, un écrivain. Mais il m'a proposé de lui dicter les histoires et qu'il les écrirait pour moi. Ce que nous avons fait à l'automne 1974. Les Éditions de l'Homme ont accepté de publier *Vivre, c'est vendre* en 1975. À ma grande surprise, ce fut un énorme succès. Il s'en est vendu plus de 100 000 copies. Cela m'a aussi ouvert les portes de la télévision et j'ai été invité à toutes les émissions les plus populaires de l'époque, dont celles de Lise Payette, de Michel Jasmin et de Jean-Pierre Coallier.

Ce succès a aussi eu pour conséquence que la demande pour des conférences a explosé. J'étais très sollicité et Maman continuait à tenir mon agenda et à prendre tous les engagements. En 1976, après avoir donné une conférence à laquelle Céline assistait, elle m'a dit qu'elle était toujours étonnée de l'immense réaction que suscitaient mes présentations. Elle a alors avancé l'idée de faire des conférences ouvertes au grand public. L'idée était évidemment attrayante, mais je ne croyais pas avoir la notoriété suffisante pour que les gens se déplacent et paient un prix d'entrée pour venir m'entendre. Les choses en sont alors restées là.

En 1976, je faisais régulièrement des chroniques sur les ondes de la station CKAC. Je suis ici en compagnie de l'animateur Serge Laprade.

Cet automne 1976, le Parti québécois de René Lévesque a pris le pouvoir et tout le monde (bon, peut-être pas tout le monde, mais beaucoup de Québécois) croyait qu'une nouvelle ère commençait. Profitant peut-être de cet immense bouillonnement d'idées et de nouveautés qui fourmillait au Québec, quelques semaines plus tard, après des vacances en Jamaïque, Maman est revenue à la charge en me disant que je devrais faire le Grand Théâtre de Québec. Pourquoi le Grand Théâtre de Québec ? En fait, l'idée en revient à une bonne amie, Ida Faust, alors que nous étions sur les plages de la Jamaïque. Céline lui disait que nous ne savions pas vraiment comment il était possible de préparer des spectacles devant un large auditoire. (Vous comprenez que lorsque Maman a une idée dans la tête, elle ne l'abandonne pas facilement.) Ida, qui chantait dans une chorale et qui avait, au fil des ans, vu quelques artistes devenir professionnels, lui avait expliqué qu'ils avaient tous commencé à Québec, au Grand Théâtre. Je ne crois pas que Céline lui ait demandé ensuite : « Pourquoi le Grand Théâtre ? » Ce n'était pas nécessaire. Sa décision était prise. Et quand elle prend ce genre de décision, je n'ai plus qu'à suivre. Je faisais d'ailleurs entièrement confiance à son instinct.

Bref, début janvier 1977, elle a pris rendez-vous avec Jean Routier, directeur général du Grand Théâtre de Québec et, le 15 janvier, nous sommes allés le rencontrer. Céline avait l'intention de louer la salle Louis-Fréchette et d'investir, s'il le fallait, jusqu'à 25 000 $ dans cette aventure. Même si nous avions alors un peu d'argent, il s'agissait quand même d'une somme très importante.

Jean Routier nous a reçus dans son bureau et, rapidement, Céline est entrée dans le vif du sujet :

— Nous désirons louer le Grand Théâtre, a-t-elle lancé.

— Vous êtes producteurs d'un spectacle ? a demandé Routier.

— Nous voulons que Jean-Marc donne une conférence ouverte au grand public.

Jean Routier m'a alors regardé et a ajouté :

— Excusez-moi, mais je ne vous connais pas vraiment. Qu'est-ce que vous faites au juste ?

— Je donne des conférences aux entreprises, ai-je répondu.

— Mais encore, a-t-il insisté.

— Eh bien, je présente des séminaires pendant lesquels j'explique certaines idées sur le leadership et le fait que nous sommes tous des vendeurs, que nous sommes capables de réaliser une multitude de choses. Vous voyez un peu le genre. Et la réponse est généralement excellente.

— Pouvez-vous me faire un bout de votre conférence ?

— Ici... Maintenant ? ai-je demandé, incrédule.

— Oui, s'il vous plaît, a-t-il simplement ajouté.

Je ne sais pas si vous le savez, mais préparer et donner une conférence, même devant un petit groupe, nécessite un minimum de temps et de concentration. Il faut se mettre dans un état d'esprit propice à raconter. Or là, nous étions seuls, tous les trois dans un bureau. Cela vous étonnera peut-être, mais j'étais très intimidé. J'ai regardé Céline qui m'a encouragé du regard, et je me suis levé. Et là, sans tableau, sans accessoires, sans papier, je me suis mis à faire une conférence. Je me sentais un peu ridicule, mais, peut-être à cause de la force de l'habitude, rapidement je suis entré dans le jeu et je me suis enflammé. Si bien qu'après une quinzaine de minutes, Jean Routier a indiqué qu'il en avait vu assez et qu'il était d'accord pour nous louer la grande salle. Nous avons ensuite déterminé les dates et nous avons signé un contrat de location pour deux soirs au mois de mars pour présenter un spectacle qui s'intitulerait : « Réussir au Québec... Pourquoi pas ? »

Sur le chemin de la maison, je n'en revenais toujours pas. Je donnerais un spectacle à Québec dans deux mois ! En fait, je réalise aujourd'hui que je ne savais vraiment pas encore dans quoi je m'étais embarqué.

Les semaines ont passé, puis, vers la fin février, monsieur Routier a téléphoné à Céline.

— Écoutez, madame Chaput, les billets pour le spectacle de votre mari ne se vendent pas. Je vous conseille de tout annuler dès maintenant. Ça ne marchera pas.

— Il n'en est pas question. Nous allons à Québec immédiatement et nous verrons ce que nous pouvons faire...

Et c'est ainsi que nous nous sommes remis en route pour la capitale, ne sachant pas trop ce qui allait arriver. Mais Céline refusait d'abandonner aussi près du but. Dès notre arrivée, elle a contacté Jacques Samson, le chroniqueur des spectacles au journal *Le Soleil*, qui a accepté de nous rencontrer. Il avait, heureusement, entendu parler de moi et de mon livre et savait donc qui j'étais et ce que je faisais. Nous lui avons expliqué l'aventure dans laquelle nous nous lancions à Québec et ça l'a intéressé. Il a décidé de faire un article à ce sujet.

Nous avons ensuite pris rendez-vous avec le chroniqueur du *Journal de Québec* avec à peu près le même résultat. Céline contacta aussi les principales stations de radio et de télévision qui acceptèrent, pour la plupart, de nous recevoir et de faire des entrevues en ondes. Finalement, après deux ou trois jours de démarches, le message commençait à se propager, si bien que, rapidement, tous les billets pour les deux représentations ont été vendus.

Puis, peut-être trop rapidement à mon goût, la fin de semaine des conférences est arrivée. La première avait lieu le vendredi soir. Nous sommes arrivés à Québec tôt la même journée et avons pris une chambre à l'hôtel Concorde. Céline avait invité amis et parents à assister à mon premier spectacle qui était certainement le premier du genre au Québec.

Peu avant l'heure de la présentation, j'étais en coulisse et je regardais l'immense salle Louis-Fréchette. J'avais des papillons dans l'estomac. C'était plein. Plus de 1800 personnes s'étaient déplacées et s'installaient pour m'entendre. Je n'en revenais tout simplement pas. Sur la scène, pas de rideau d'ouverture, presque pas d'éclairage. Il n'y avait que trois grands tableaux verts, comme ceux que l'on trouvait dans toutes les classes du Québec, une petite table sur laquelle je déposerais mes notes et une chaise droite qui faisait dos au public. J'avais prévu faire exactement la même chose que je faisais depuis des années lors de mes conférences. Pas de jeux de scène, pas de mise en scène, pas de musique, pas d'éclairage de théâtre. Rien que le public, trois tableaux verts et moi.

Puis, l'annonceur m'a présenté et je suis entré. Ai-je besoin de dire que j'étais nerveux ? Je n'avais même pas pu manger avant la soirée parce que j'avais l'estomac noué. Je me retrouvais seul devant cette foule immense. Et, comme toutes les fois où je me sentais coincé et que je ne savais pas quoi faire, j'ai foncé. J'ai lancé un « Bonsoir, tout le monde » que je souhaitais fort et convaincant. J'ai commencé par leur dire qui j'étais, à leur parler de mes parents, de mon père francophone et de ma mère anglophone, des premières années de ma vie qui s'étaient passées plus en anglais qu'en français, de mes difficultés quand j'ai commencé à l'école française, langue que je connaissais peu, de mes problèmes à faire mes premiers devoirs et à comprendre (et à me faire comprendre) de mes nouveaux camarades. Je leur ai expliqué, en somme, comment j'avais alors appris qu'on parle beaucoup plus avec son corps qu'avec sa langue. La conférence était lancée et, par je ne sais quel miracle, je me sentais parfaitement à l'aise.

Les gens écoutaient avec attention, riaient de mes anecdotes et de mon humour, semblaient retenir leur souffle aux passages plus tristes. Bref, ça allait bien. Si bien, en fait, qu'après deux heures de conférence, tout le monde s'est levé pour applaudir. Encore une fois, je n'en revenais pas de cette réaction et de l'affection que les gens me portaient. J'étais heureux et, une fois de plus, Céline avait gagné son pari. Elle croyait plus en moi que je ne le faisais. Ce premier soir a été une surprise énorme. J'étais sidéré de voir à quel point mes histoires semblaient répondre à un besoin.

Une première expérience inoubliable au Grand Théâtre de Québec en mars 1977. Quand je vous disais que la scénarisation était minimaliste : juste mes tableaux, la table et moi...

— Tu sais, Maman, que personne n'avait jamais tenté un tel spectacle auparavant. Je ne croyais pas que ça marcherait.

— Moi, je le savais. Je n'en ai jamais douté, m'a simplement répondu Céline avec un grand sourire de satisfaction.

J'étais exténué en rentrant à l'hôtel, mais j'avais surtout faim. Pendant que nous mangions dans la chambre, le téléphone a sonné. C'était Yvan Dufresne, producteur de disques pour la compagnie London et animateur à la station de radio CKAC de Montréal. Il venait d'entendre parler du spectacle et de l'accueil que j'avais reçu pour cette première. Il nous a aussitôt demandé s'il pouvait envoyer son équipe pour faire la captation audio de la présentation du lendemain afin de produire un disque. Le moins qu'on pouvait dire, c'est qu'il n'hésitait pas à prendre des décisions rapides. Les choses allaient trop vite pour moi. Nous avons accepté, ne sachant pas, une fois de plus, dans quoi nous nous embarquions. Quoi qu'il en soit, ses hommes étaient là le lendemain pour enregistrer la deuxième représentation tenue également à guichets fermés. C'est ainsi qu'est sorti, quelques mois plus tard, le premier disque de Jean-Marc Chaput qui s'est vendu à des milliers d'exemplaires. Je dirai toutefois à ce sujet que, même si je me considérais comme un homme d'affaires, je n'avais pas vraiment regardé l'entente que j'avais signée. Si bien que malgré le succès du disque, ce ne fut pas une opération financièrement intéressante. Pour nous en tout cas.

Les jours suivant ces deux premiers spectacles à Québec, on en a beaucoup entendu parler. Autant la famille que les amis ou des connaissances d'affaires nous téléphonaient pour nous dire que nous avions réussi un merveilleux événement. Inutile de dire aussi que de nombreuses autres demandes pour des conférences aux entreprises sont arrivées dans les jours et les semaines qui ont suivi. Mais le plus extraordinaire a été, sans nul doute, ce coup de téléphone que nous avons reçu la semaine suivante. Il s'agissait de M. Charbonneau, directeur général de la Place des Arts de Montréal.

— Bonjour monsieur Chaput, j'ai entendu parler en bien de votre présentation à Québec et je tiens à vous féliciter.

— Merci, ai-je répondu un peu surpris.

— Mais vous êtes de Montréal, monsieur Chaput, est-ce que vous ne seriez pas intéressé à faire votre spectacle ici, à Montréal ?

— Oui, ai-je assuré, si l'occasion se présentait, je serais évidemment intéressé.

— Et pourquoi pas ici, à la Place des Arts ?

Et voilà comment l'aventure montréalaise a débuté. Nous avons immédiatement fixé et retenu des dates pour le mois de juin. En fait, Il n'y avait qu'une journée libre en juin et il a été convenu que je ferais une présentation en après-midi et une autre en soirée.

Quand je m'y suis présenté, j'ai retrouvé exactement le même agencement scénique que celui que j'avais à Québec. Une grande scène avec trois tableaux verts, une petite table et une chaise. Après quarante ans, c'est d'ailleurs toujours le même décor qui m'accueille quand je fais des conférences. D'accord, les tableaux verts ont laissé leur place à des tableaux blancs et les craies ont été remplacées par des marqueurs, mais le principe reste absolument le même. Toutefois, en ce mois de juin 1977, l'endroit était beaucoup plus vaste. La salle Wilfrid-Pelletier peut accueillir 3000 personnes sans compter que des chaises avaient été ajoutées entre les rangées et en arrière pour répondre à la demande. C'était impressionnant en « sacrafaisse ». Mais le plus étonnant a encore une fois été la réaction extraordinaire des gens.

Quelques mois plus tard, je faisais mes débuts à la Place des Arts.
C'est vachement intimidant de se retrouver devant autant de monde.

C'est comme ça que tout a débuté. Par la suite, tous les deux ans, je préparais un nouveau spectacle qui était présenté à la

Place des Arts et au Grand Théâtre. Chaque fois, à Montréal, je restais trois semaines à l'affiche. Je présentais le spectacle six jours par semaine et deux fois par jour les fins de semaine. C'était le même scénario pour le Grand Théâtre, mais je n'y étais que deux jours chaque fois.

Après les spectacles, j'allais presque toujours rencontrer les gens pour continuer à discuter. Ici, comme d'habitude, Maman est à mes côtés.

J'ai donc présenté mes conférences en 1978, 1980, 1982, 1984, toujours à guichets fermés. J'ai fait mon dernier spectacle grand public en 1985, année au cours de laquelle Céline est tombée gravement malade[21]. Entre-temps, je donnais le même spectacle dans des salles en région et je continuais à faire des conférences aux entreprises. Ma situation financière s'était entièrement replacée et j'avais même un bon coussin pour faire face à l'adversité.

Malgré tout, Maman me répétait souvent que je ne savais pas, même avec toutes mes connaissances en gestion et en administration, négocier quand il s'agissait de mes contrats. Je ne suis pas totalement d'accord, mais je dois avouer qu'elle n'a pas tout à fait tort. Par exemple, à l'automne 1977, j'ai eu des discussions avec la station de radio CKAC dont le slogan était : « Tout le monde le fait, fais-le donc ». Je suis d'ailleurs convaincu que plusieurs s'en souviennent encore. CKAC m'avait donc approché pour devenir le porte-parole pour leur nouvelle campagne dont le

21 Si vous avez l'impression que j'ai fait plus tard d'autres spectacles, vous avez raison. Toutefois, en ce qui me concerne, la maladie de Céline marquait la fin d'une étape. C'est pourquoi j'ai toujours considéré que la présentation de 1985 marquait la fin des spectacles au grand public.

thème était : « Envoie, t'es capable ! » J'étais intéressé puisqu'alors ma conférence portait sur « Réussir au Québec », ce qui était très proche du message que lançait CKAC. D'ailleurs, je faisais aussi des capsules hebdomadaires sur les ondes de cette station dont le propos portait aussi sur notre capacité à réussir. Les astres étaient alignés pour une collaboration. Nous avions convenu, dans un premier temps, d'une entente verbale qui devait être ensuite scellée par un véritable contrat. J'ai donc, plus tard, reçu un appel me disant que le contrat était prêt et qu'il ne me restait qu'à passer pour le signer. J'ai raccroché, pris mon manteau et j'ai dit à Céline que j'allais à CKAC et que je serais de retour dans moins d'une heure.

— Qu'est-ce que tu vas faire ? m'a-t-elle demandé.

— Signer mon contrat. Il est prêt.

— Et tu vas signer comme ça ? Ce ne sera pas plus long que le temps d'écrire ton nom ?

— Ben non. Tout est prêt...

— Eux, ils ont passé des semaines à le rédiger, ce sont leurs avocats qui en ont établi les termes, mais toi, tu vas signer comme ça, en quelques secondes, et probablement sans le lire. C'est ça ? a-t-elle ajouté avec un profond dédain dans la voix.

Je l'ai regardée comme un enfant qui est sur le point de faire une bêtise et qui se fait attraper juste avant de la faire.

— Décidément, toi, en affaires, t'es pas bon pour toi, a-t-elle fait remarquer. Si tu veux jouer au curé, vas-y ! Tu vas encore me dire que c'est ta formation jésuite et que tu fais confiance à tout le monde ? Eh bien, ne viens pas ensuite te plaindre si ça ne marche pas comme tu veux...

Je dois dire que présenté comme ça, j'ai l'air idiot. Mais c'était exactement ce que j'allais faire à CKAC. Signer le contrat et fort probablement sans le lire. Cette fois-là, j'ai donc agi autrement. J'ai rapporté le contrat à la maison pour prendre le temps de l'examiner et de consulter des spécialistes s'il le fallait. Une heureuse initiative d'ailleurs, puisque je crois me rappeler que selon ce contrat je perdais tous mes droits sur toutes mes interventions faites à la radio. Bref, encore une fois, Maman, avec son gros bon sens, m'avait empêché de faire une bêtise.

Néanmoins, de façon générale, ma « carrière », si vous me passez l'expression, était lancée. Mais le début fracassant de cette vie publique n'était pas le seul événement à se produire dans notre vie. La famille grandissait avec de nouveaux besoins et de nouveaux défis. L'effervescence entourait tout ce que nous faisions, Céline et moi.

Chapitre

9

La famille et les voyages

Alors que je commençais à bâtir une nouvelle carrière, que je remontais doucement, après être tombé au plus bas moralement et financièrement, la vie à la maison continuait et grouillait d'activités. Les enfants grandissaient et, comme tous les adolescents ou les jeunes adultes, ils organisaient leur vie autour de leurs champs d'intérêt. Patrick, l'aîné, était entré au cégep de Sainte-Thérèse en sciences humaines en 1972. Il avait 19 ans et s'était inscrit, cette année-là, avec sa copine, à Jeunesse Canada Monde, créé l'année précédente par Jacques Hébert. Cet organisme non gouvernemental avait, et a encore, pour mission d'accroître la capacité des jeunes à intervenir de façon dynamique dans le développement de sociétés qui se veulent justes et durables. Or, pour Patrick qui a toujours été un peu philosophe, missionnaire et rêveur, cela représentait une opportunité extraordinaire. Malheureusement, s'il avait été accepté dans le programme, sa blonde, Hélène, avait été refusée. Ils ont donc convenu de ne pas y aller, ni l'un ni l'autre.

Cependant, la vie fait parfois bien les choses. Cet automne-là, une de nos amies, missionnaire dans le petit village de Nuevo Progreso au Guatemala, était à Montréal pour organiser une collecte de fonds pour sa paroisse. Elle est venue quelques fois à la maison et a longuement expliqué ses interventions auprès de la population de ce qu'elle appelait son village. Patrick l'écoutait avec un très vif intérêt et notre amie l'a invité avec Hélène à venir passer quelque temps là-bas. Ce qu'ils se sont empressés d'accepter.

Mais nous avions relativement peu d'argent encore à cette époque (toute la saga des saisies était survenue moins de deux ans auparavant) et comme Patrick ne travaillait pas beaucoup, son budget était très restreint. Nous avons donc convenu, pour leur permettre de vivre quand même cette expérience, que Patrick et Hélène nous accompagneraient en voiture pour notre voyage annuel à Naples, en Floride, et que nous les laisserions à Miami où ils prendraient l'avion vers le Guatemala. C'était beaucoup plus long mais beaucoup plus économique. Ensuite, depuis la capitale du pays, ils utiliseraient les transports en commun, comme tous les Guatémaltèques, ce qui leur offrirait une perspective plus proche de la réalité de ce peuple, et ce qui coûtait aussi énormément moins cher. Bref, ils s'y sont rendus et y sont restés un mois.

Patrick en est revenu bouleversé. Plus que bouleversé même, je dirais qu'il était transformé. Il avait vu des choses, courantes là-bas, qui étaient incroyables et inacceptables dans son monde. Je me souviens en particulier de cette histoire qu'il nous contait alors qu'une petite fille de sept ou huit ans avec laquelle il était devenu ami, lui avait dit : « J'ai hâte de mourir. Je vais arrêter d'avoir mal. » Elle avait la tuberculose et savait que ses jours étaient comptés, mais surtout elle souffrait et il n'y avait rien pour la soulager. Cependant, malgré ce genre d'anecdotes, Patrick n'était pas du tout amer. Il avait rencontré des gens pauvres mais heureux. Et c'est ce qu'il retenait de son séjour. À tel point d'ailleurs qu'il a voulu faire partager son expérience à des collègues du cégep.

— J'aimerais inviter des amis à venir découvrir ce village. Ce serait merveilleux comme expérience, m'avait-il dit.

— Ça ne s'organise pas facilement, avais-je répliqué. Si tu décides d'aller de l'avant, il va falloir tout prévoir.

— Mais c'est possible et ça me tente vraiment de le faire.

— Alors, si je peux, je vais te donner un coup de main. Tu vois, ce que tu veux faire, c'est lancer une agence de voyages. Ni plus ni moins.

C'est d'ailleurs toujours ce que j'ai voulu accomplir avec mes enfants : les encourager et les appuyer dans leurs projets. Les aider à devenir des entrepreneurs.

Et c'est ainsi qu'à l'automne 1973 un voyage a été organisé au Guatemala pour vingt personnes. C'était loin d'être un voyage luxueux. Les gens devaient se rendre à La Nouvelle-Orléans en autobus, de là, prendre un vol économique vers la Ciudad de Guatemala et compléter le trajet dans un vieil autobus vers Nuevo Progreso. Céline avait même préparé des tonnes de sandwichs pour les aider durant le trajet vers La Nouvelle-Orléans. En fait, toute la famille avait contribué à cette expédition. Parce que, pour être franc, c'est bien de cela qu'il s'agissait, une expédition... Une expédition toutefois qui avait aussi un objectif important. Le groupe devait en effet jeter les bases de la construction d'un petit hôpital qui desservirait la population du coin qui, il faut le dire, en avait rudement besoin. Il n'y avait évidemment aucun confort pour les participants, mais quelle expérience formidable. Pendant un mois ils ont vécu avec la population et ont appris d'elle des leçons de vie inoubliables.

Nous avons eu la chance de découvrir presque toutes les destinations offertes par le Club Aventure. Ici, en 1980, nous avons profité d'une escale en Équateur au retour d'une visite aux îles Galápagos, pour aller pêcher. C'est moi qui ai attrapé ce magnifique espadon.

Et c'est surtout ainsi, sans vraiment qu'on s'en rende compte, qu'ont été posées les premières pierres de ce qui deviendrait bientôt le Club Aventure Voyage. Nous avons énormément parlé de ce projet à la maison. Spécialement à l'heure des repas alors que le Club et son développement devenaient des sujets auxquels tout le monde participait. J'ai aussi en mémoire que cela avait... disons que cela avait inspiré Pierre-Yves. Il avait alors une quinzaine d'années et avait décidé qu'il pourrait, lui aussi, lancer sa compagnie de voyages qu'il avait appelée Les expéditions PYC, pour Pierre-Yves Chaput. Il avait organisé, pour les jeunes de son école, une journée de ski au mont Sainte-Anne, près de Québec. Il avait préparé son budget, incluant la location d'un autobus et le prix des remonte-pentes, et avait fait la promotion de son activité. Et cela avait été un succès de participation. Comme il s'agissait d'adolescents, la plupart avaient payé en argent comptant avant de monter dans l'autocar. Pierre-Yves s'était donc retrouvé avec une petite fortune entre les mains. Et il s'était laissé emporter par l'enthousiasme, en dépensant une bonne partie de la somme pendant la journée.

Voilà le genre d'erreur qui nous rattrape toujours. Un soir donc, peut-être une semaine plus tard, en rentrant à la maison, j'ai trouvé Pierre-Yves assis sur les marches, l'air déprimé.

— Qu'est-ce qu'il y a, mon gars ? Ça n'a pas l'air d'aller, lui ai-je dit.

— Je viens de recevoir la facture pour l'autobus, m'a-t-il répondu en gardant les yeux au sol.

— Tout le monde t'a donné l'argent, alors tu vas pouvoir payer l'autobus, non ?

— Ben... C'est ça le problème. J'en ai plus assez. J'ai trop dépensé.

Je comprenais tellement son malaise. Vouloir être un homme, ce n'est pas évident. J'en savais quelque chose. Mais il faut quand même assumer les responsabilités de ses actes. Il m'est alors revenu en tête une histoire qu'on contait quand j'étais jeune et qui me semblait appropriée à ce qui lui arrivait. Et je m'excuse à l'avance de certains mots un peu plus crus, mais ce sont ceux de l'histoire telle qu'elle m'avait été racontée.

— Tu vois, Pierre-Yves, dans la vie, on rencontre des trains de beurre et des trains de « marde ». Or, quand arrive un train de « marde », il faut faire avec, parce que tout va goûter et sentir la « marde » pendant un bon moment. Mais le train va finir par passer et un train de beurre va ensuite arriver. Et là, tout sent bon et la vie est belle. Aujourd'hui, pour toi, c'est le train de « marde » qui passe. Tu vas être obligé de travailler encore plus fort pendant tout le temps qu'il va mettre à passer dans ta vie. Mais il va passer. Je te le jure...

Pierre-Yves m'a regardé. Je crois qu'il avait parfaitement compris l'image. Il a en effet travaillé fort. Il a organisé encore deux ou trois de ces activités ski et fait d'autres petits boulots pour rembourser ce qu'il devait. Puis, un jour, il est rentré à la maison, m'a regardé et m'a dit : « Je pense que ça commence à goûter le beurre... »

Mais revenons-en au Club Aventure. Patrick s'est marié avec Hélène Gagné l'été suivant. Il n'avait pas encore vingt ans. Hélène et lui s'étaient connus au secondaire et avaient toujours été ensemble. Pour leur faire plaisir, nous nous étions arrangés pour faire venir ici le « padre » du village de Nuevo Progreso et c'est lui qui a célébré le mariage.

Patrick, lors de son voyage au Guatemala, a rencontré le padre Bertoldo, missionnaire à Nuevo Progreso. C'est lui qui viendra célébrer son mariage.

Ils sont restés mariés pendant cinq ans avant de se quitter. La séparation s'est faite sans trop de problèmes, même si Patrick a eu beaucoup de peine.

Peu de temps après cette rupture, il a rencontré Céline Lachapelle par un concours de circonstances assez amusant. Céline était, en 1978, cliente du Club Aventure où l'un des guides l'avait courtisée et invitée à souper. Mais, le moment venu, il avait eu une obligation et avait demandé à Patrick de prendre sa place. Vous voyez, le genre d'imbroglio qui arrive seulement quand on est jeune. Céline avait accepté d'aller à ce rendez-vous avec le patron du Club qu'elle avait déjà croisé dans les bureaux de l'agence. Et ce fut le coup de foudre. Ils se sont mariés peu après et ils ont aujourd'hui huit enfants, ce qui est, vous en conviendrez, une belle famille.

Bon! Revenons en 1973. Après leur mariage, Patrick et Hélène se sont lancés à temps plein dans le Club Aventure, ce qui a été leur vie pendant plusieurs années. La formule, toujours la même, prévoyait des voyages de découvertes, sans luxe mais avec des expériences incroyables. Après le Guatemala, plusieurs autres destinations fantastiques ont été offertes. Parmi celles-ci, il faut que je mentionne l'Égypte, le Japon, le Kenya, les îles Galápagos, la Grèce et beaucoup d'autres. Si je me rappelle bien, c'est également le Club Aventure qui a été le premier au Canada à offrir des voyages en Chine, qui ouvrait alors rarement ses frontières aux étrangers.

Bien entendu, Céline et moi avons fait, au cours des ans, tous ces voyages et participé à toutes ces découvertes. Et nous avons toujours tout fait comme n'importe quel autre participant. Pas de passe-droits parce que nous étions les parents du propriétaire, au contraire. Nous voyagions, comme les autres, en autobus ordinaires (pour ne pas dire très quelconques), nous couchions dans les mêmes petits hôtels ou même dans de minuscules tentes quand le séjour l'exigeait comme au Kenya, nous mangions la même chose, et nous avons toujours adoré nos voyages. Ce furent, chaque fois, des expériences sensationnelles.

* * *

Patrick a travaillé avec acharnement au Club Aventure qui se développait très bien. Il a même, un peu plus tard, acheté un ancien couvent de sœurs situé sur la rue Saint-Hubert, au sud de la rue Sainte-Catherine, d'où il veillait à l'expansion du Club. Ses affaires allaient donc très bien. Mais Patrick n'était pas le seul à ouvrir ses horizons.

Jean-François, de son côté, avait laissé l'école rapidement pour aller travailler chez N.G. Valiquette, un magasin de meubles qui était alors l'un de mes clients. Jean-François était un enfant intelligent, mais qui se cherchait toujours et pour qui l'école était devenue un carcan qui ne l'intéressait pas vraiment. Il a bientôt abandonné son poste au magasin pour se diriger vers la coiffure. Il a toujours aimé jouer dans les cheveux de sa mère et s'amuser à coiffer ses jeunes sœurs. Il a donc poursuivi dans cette voie. Ainsi, pendant que Patrick jetait les bases du Club Aventure, Jean-François, qui avait 16 ans, quittait la maison pour voler de ses propres ailes. Je sais que c'est jeune. Ça nous inquiétait d'ailleurs un peu, Maman et moi, mais Jean-François a toujours été un enfant doué d'une grande autonomie et d'une grande indépendance.

Après avoir pris un peu d'expérience, il a ouvert un petit salon sur l'avenue Querbes, à Outremont, près de l'avenue Laurier, où il s'est doucement bâti une clientèle fidèle. Au début des années 80, il a déménagé pour devenir partenaire au Salon du 2ᵉ, situé au-dessus d'une librairie. Les affaires allaient bien.

Jean-François fréquentait encore des filles. Son orientation sexuelle n'était pas encore très claire... sauf pour Céline, naturel-lement, qui avait compris depuis longtemps. Toutefois, c'est un peu avant le déménagement de son salon qu'il a rencontré Sylvain Paré, enseignant dans une école de Granby, qui devait avoir 25 ans. Rapidement (du moins me semble-t-il), son amitié s'est transformée en des sentiments plus forts et plus profonds. Vers la fin des années 70, Jean-François a alors accepté son orientation sexuelle. Sylvain et Jean-François ont commencé à vivre ensemble et, selon moi, Jean-François avait l'air de mieux en mieux dans sa peau. Il était heureux.

À peu près à cette époque, et je fais ici une large parenthèse, je m'étais rendu à Montebello pour donner une conférence. C'était au printemps 1980. Je roulais sur la route 148 vers le lieu de la conférence quand, juste avant de traverser le village de Fassett, j'ai remarqué une petite maison à vendre. Ce n'était pas un château, mais le site était absolument magnifique sur le bord de la rivière des Outaouais. Nous avions toujours la maison à Duvernay, cependant je voulais trouver quelque chose en campagne. C'était peut-être ma chance. J'ai pris, dans les jours suivants, les renseignements d'usage auprès du vendeur et nous avons décidé de l'acheter.

Bon, il y avait pas mal de travail et de rénovations à faire, mais j'aimais beaucoup cette maison. Nous avons mis beaucoup d'efforts pour la retaper et la mettre à notre goût. Une fois les travaux terminés, Jean-François et Sylvain nous ont appris qu'ils aimeraient aussi vivre à la campagne et y élever des animaux exotiques, comme des chèvres angoras, et ils trouvaient tous les deux que le coin de Fassett pourrait très bien faire l'affaire. Ce projet m'intéressait aussi car j'avais toujours aimé les animaux et j'avais, en moi, le goût de devenir « gentleman farmer ».

Les chèvres ne m'attiraient pas tant que ça, mais comme je n'avais pas d'autres suggestions, ni d'autres préférences, je m'étais dit que ça devrait aller. Jusqu'au moment où, en donnant une conférence au Lac-Saint-Jean, j'ai rencontré un homme qui dirigeait un atelier protégé pour handicapés où il y avait, entre autres, des lapins dont les jeunes s'occupaient. Voilà qui était passionnant. Quand j'étais tout jeune, dans le quartier Rosemont, mon père m'avait un jour donné deux lapins que j'avais affectueusement bichonnés. Mais de deux, on était rapidement passé à plusieurs. J'avais dû construire de plus en plus de clapiers pour accueillir les lapins qui s'ajoutaient. Les voisins n'avaient pas trop rouspété jusqu'au jour où l'odeur était devenue trop forte. J'avais alors une trentaine de lapins dans la cour de la maison. Mon père a décidé que c'était assez et que l'élevage venait de se terminer. Dès le lendemain, je n'en avais plus aucun. Bref, tout ceci pour dire que j'aimais bien les lapins et que l'histoire d'amour que j'avais amorcée encore enfant n'était peut-être pas terminée.

En revenant du Lac-Saint-Jean, ma décision était prise. J'ai rencontré Jean-François pour lui parler de mon idée et nous avons convenu que nous aurions des chèvres, mais aussi des lapins. J'ai acheté une ferme et j'ai déniché un homme de confiance, Jean-Guy Roussin, qui pouvait nous guider dans cette nouvelle expérience.

Jean-Guy est rapidement devenu un collaborateur incontournable. Je me souviens qu'avant même que nous nous lancions dans l'épisode des chèvres ou des lapins, parce qu'il avait déniché ce qui était pour lui une occasion exceptionnelle, Jean-Guy avait voulu que nous achetions un bœuf pour l'élevage. Ce que nous avions accepté. Il avait trouvé un « Hereford », une bête magnifique mais énorme. Je n'y connaissais rien, mais j'aimais l'idée. Un jour que j'avais attaché le bœuf dans le champ, il s'était détaché et nous avions dû partir, Céline et moi, à sa recherche pour le rattraper. Je ne sais pas si vous pouvez vous imaginer les problèmes que nous avons eus. La bête était grosse et un peu irascible. En fait, j'en avais peur. Et puis, malgré ma bonne volonté, je restais fondamentalement un petit gars de la ville. Toujours est-il que nous nous étions retrouvés dans le champ, à esquiver les attaques tout en essayant de nous rapprocher de la bête. Nous avons ri comme des fous de notre maladresse. Il a fallu du temps, mais nous l'avons rattrapé, notre bœuf, et tout s'est finalement bien terminé.

Nous avons eu ainsi 4 ou 5 bœufs dans la grange que nous avions construite. Mais ça n'a pas duré très longtemps. Ce n'est pas ce genre d'élevage que nous voulions faire. Nous avons ensuite acheté quelques chèvres, puis des lapins.

J'ai adoré cette période. Je faisais encore des conférences pour les entreprises, je donnais des spectacles, mais les fins de semaine je devenais un fermier. Peut-être que ça me rappelait mon grand-père qui avait, quand j'étais tout petit, une ferme du côté de l'Assomption. Je me sentais toujours si bien quand mon père m'y emmenait et que je jouais dans les champs ou que j'accompagnais mon père et mon grand-père pour m'occuper des animaux. Peut-être donc que cet endroit me rappelait ces bons souvenirs... C'est très possible. Tout ce que je savais, c'est que je m'y sentais bien. Or, cet amour de la campagne n'était pas partagé par Céline qui y voyait plus d'inconvénients qu'autre chose, mais j'y reviendrai. Cependant, de mon côté, j'aimais beaucoup le travail à la ferme, m'occuper des lapins, faire l'entretien des clapiers et des bâtiments.

Sauf que je n'étais pas, je n'avais jamais été et probablement ne serai-je jamais un « manuel ». Vous savez, ces types qui prennent un marteau et qui savent automatiquement comment s'en servir ; ceux auxquels vous montrez une machine et qui savent, d'instinct, la faire fonctionner. Je n'étais pas comme ça. Ce qui ne m'empêchait pas d'adorer mettre la main à la pâte.

J'aimais aussi prendre le tracteur et aller me promener sur ma terre. Comme je l'ai dit, nous étions sur le bord de la rivière, mais toute cette région est fabuleusement belle, pas seulement la rive. Je me sentais un peu comme un roi quand je partais ainsi, seul sur cet énorme engin à emprunter des routes que personne d'autre n'avait parcourues, ce qui était, bien entendu, illusoire, parce que plein de gens étaient certainement passés par ces mêmes endroits. Mais je me sentais encore mieux dans ma peau et presque invulnérable en le croyant. Malheureusement, plus souvent qu'à mon tour, comme il y avait beaucoup de marécages dans cette région, j'enlisais le tracteur dans un passage plus boueux et je restais pris. Et dans ce temps-là, il n'y avait pas encore de cellulaire pour appeler « au secours ». Par un heureux concours de circonstances, Jean-Guy, notre contremaître et ami, s'adonnait souvent à passer pas trop loin pour m'aider à me sortir du pétrin. J'ai toujours été surpris de ce hasard qui lui faisait croiser ma route quand j'en avais besoin. Peut-être les vrais hommes de campagne savent-ils, d'instinct, qu'on requiert leurs services, et à quel moment ils peuvent aider quelqu'un qui est dans le trouble ? C'est en tout cas ce que je m'étais mis à croire et j'aurais tant voulu avoir un tel instinct. Je n'ai appris que plus tard que Céline lui téléphonait aussitôt que je partais avec le tracteur pour lui dire que j'aurais probablement besoin de ses services sous peu. Oui... Ça brise un peu le charme, mais c'était vachement efficace quand même pour désembourber le tracteur.

Non ! Ce n'est pas le tracteur avec lequel je partais découvrir mes terres à Fassett. Avec celui-ci, j'aimais bien promener mes petits-enfants, comme ici, avec Justine, la fille aînée de Geneviève.

C'est lui, Jean-Guy Roussin, l'homme qui venait si souvent m'aider quand j'étais embourbé avec le tracteur. C'était non seulement un excellent contremaître, mais aussi un très bon ami.

Avec Jean-François, nous avons exploité cette ferme et nous nous sommes occupés des lapins pendant des années. L'expérience des chèvres angoras n'a, si je me rappelle bien, pas duré très longtemps, mais celle des lapins a subsisté quelques années. Nous avons lentement aménagé la grange, abandonnée par les bœufs, en y construisant de plus en plus de clapiers. Céline me faisait récemment remarquer que je portais souvent plus d'attention à leur bien-être qu'au nôtre. Par exemple, le puits qui menait l'eau à la grange et à la maison n'était pas de première qualité. J'avais donc installé dans la grange un système de purification et de filtration (un procédé à osmose inversée, ou quelque chose du genre) qui fournissait une eau d'une propreté incomparable à nos animaux. Mais je n'ai jamais fait les mêmes améliorations à la maison où nous devions composer avec une eau déficiente.

Bref, malgré tous ces petits inconvénients, nous avons élevé des lapins pendant plusieurs années. Pas parce que c'était rentable. Au contraire. Nous élevions les lapins pour les vendre pour l'alimentation, mais ça ne marchait pas très fort. Or, aux plus beaux temps de l'exploitation, nous avions plusieurs milliers de lapins dans nos clapiers. Nous avons tout vendu (à perte) au début des années 90, quand nous avons quitté Fassett pour revenir, Céline et moi, à Montréal.

* * *

Pierre-Yves avait 23 ans quand il s'est marié en 1979 avec Dominique. Ils nous ont donné notre première petite-fille, Éliane, la même année. Pierre-Yves a d'abord travaillé dans une ferme de Huntingdon (municipalité au sud-ouest de Montréal), emploi qu'il a gardé pendant quelques années. Comme il aimait les animaux et la vie à la campagne, il a décidé de revenir aux études pour devenir vétérinaire. Pour y arriver, il a d'abord dû terminer son cours collégial, ce dans quoi il s'est lancé. Il lui aura fallu du courage parce qu'il avait alors deux enfants (Amélie, sa deuxième fille, était née entre-temps) et qu'il ne roulait pas sur l'or. Malgré ses efforts, il a été refusé à la faculté de médecine vétérinaire de Saint-Hyacinthe.

Puis, Patrick, qui travaillait toujours au développement du Club Aventure, lui a proposé de devenir guide, ce que Pierre-Yves a accepté. À ce chapitre, c'est lui qui, à la demande de son frère, est parti explorer le Yémen afin d'évaluer si ce pays pouvait devenir une destination éventuelle pour le Club. Toute une aventure. À son retour, il m'a parlé, entre autres, de ce trajet en autobus, entouré de Yéménites ne parlant ni français ni anglais. Il y avait cette dame, assise à ses côtés, qui tenait un énorme paquet sur ses jambes. Il faut dire qu'à cette époque, la plupart des Yéménites étaient armés ou, au moins, possédaient une arme. Or, il s'était rendu compte que la dame assise près de lui, et qui semblait tout à fait respectable, tenait sur ses jambes une bombe. Non ! Pas pour une attaque de l'autobus, rassurez-vous. Elle l'apportait simplement chez elle. Que comptait-elle faire de cet engin ? Pierre-Yves ne l'a jamais su. Peut-être voulait-elle seulement avoir un outil pour protéger sa maison. Ou peut-être était-ce une décoration originale... Nous l'ignorerons toujours. Pierre-Yves a, par ailleurs, adoré ce pays, son histoire et ses traditions. Et le Yémen est devenu plus tard l'une des destinations offertes.

Pierre-Yves a par la suite laissé le Club pour se lancer également en affaires en démarrant une charcuterie dans laquelle j'ai aussi été largement impliqué. Je reviendrai plus tard sur cette expérience.

Quant à Isabelle, alors étudiante, elle a fait son premier voyage au Guatemala en 1975, elle avait 16 ans. Et elle y est tombée amoureuse. Un amour énorme et définitif, comme certainement tous les premiers amours. À son retour, elle était triste et sans énergie. Céline et moi, ne voyant pas comment faire autrement, lui avons proposé, après quelques semaines, de retourner là-bas pour retrouver son amoureux. Elle y est restée pendant sept ou huit mois, mais l'idylle n'a pas duré, probablement écrasée par la pression de la réalité et de la routine. Quoi qu'il en soit, peu après son retour, Patrick l'a engagée au Club Aventure à titre de réceptionniste. Isabelle, qui adore le public et les voyages, est rapidement devenue guide. Elle aura probablement été l'une des meilleures guides du Club. Bon, encore ici on pourrait penser que c'est le commentaire pas totalement objectif d'un père qui aime sa fille. Il y a certainement de cela effectivement. Je crois néanmoins qu'elle était une excellente accompagnatrice. Elle a participé à l'ouverture de nouveaux territoires et a été guide pour les voyages organisés aux îles Galápagos, au Kenya et surtout en Chine, territoire qu'elle a ouvert pour le Club. Maman me rappelait récemment, en fouillant dans de vieux documents, que le premier visa d'Isabelle pour la Chine portait le numéro 64. Quand je vous disais qu'elle fut une pionnière...

Cependant, Isabelle souffrait d'un mal rare et méconnu : la personnalité limite ou borderline. Ce trouble psychologique est caractérisé par des émotions intenses, des comportements impulsifs et une instabilité de l'identité et des relations. La maladie est généralement considérée comme résultant d'une combinaison de facteurs génétiques et environnementaux. Et par environnementaux, on entend souvent les événements vécus. C'est une maladie extrêmement difficile à diagnostiquer. Des études américaines tendent à prouver que le trouble de personnalité limite pourrait être sous-diagnostiqué dans la société parce que très difficile à identifier. Il est possible que les apprentissages incroyables qu'Isabelle a vécus après son premier voyage au Guatemala où elle était tombée amoureuse, et les expériences suivantes dans les multiples voyages qu'elle a effectués partout sur la planète, le tout associé à un problème psychologique peut-être latent, que tous ces éléments donc aient contribué à cette maladie. Nous n'en serons jamais certains. Et, comme parents, nous étions totalement impuissants face à ce qui lui arrivait, puisque nous ne savions pas de quoi elle était atteinte. Pas plus qu'elle d'ailleurs. Quand enfin les médecins ont posé le bon diagnostic et trouvé les médicaments pour en contrer les effets, la vie est devenue normale. Elle n'est pas devenue facile, comprenons-nous, mais elle a été moins difficile.

C'est aussi pourquoi, depuis plusieurs années, je tente d'expliquer cette maladie et que j'en suis un peu devenu le porte-parole. Pour faire savoir que ça existe et sensibiliser la population aux effets pervers qu'a cette maladie non seulement sur la personne atteinte, mais également sur son entourage. J'insiste en effet sur l'importance du rôle des aidants naturels pour les personnes souffrant de personnalité limite. Mais je conviens immédiatement que le rôle des aidants est important pour assister toutes les personnes atteintes de maladies chroniques, qu'elles soient psychologiques ou physiques.

* * *

Enfin, au tournant de la décennie 70-80, Geneviève, ma plus jeune, a complété ses études au cégep Saint-Laurent. Or,

Geneviève souffre de légère dyslexie, ce qui lui posait de gros problèmes pour ses études. C'était une période pendant laquelle je lui lisais ses textes d'école sur un dictaphone qu'elle réécoutait ensuite, ce qui lui permettait de faire ses devoirs.

Geneviève, mon bébé, lors de son mariage avec Daniel Barolet.

Geneviève est tombée amoureuse de Daniel Barolet, un charmant garçon qui étudiait en agriculture au McDonald College. Mais il n'aimait pas spécialement cette branche et a décidé de se réorienter vers la médecine, qui le passionnait bien davantage. Il a rempli des demandes d'admission auprès des quatre universités québécoises et a été refusé partout. Nous avons alors eu une bonne discussion et je lui ai dit qu'il ne fallait pas accepter ces réponses sans se battre. À l'Université de Montréal, on lui avait dit que les examens indiquaient qu'il n'était pas assez « intelligent » pour se lancer en médecine. Une aberration, si vous voulez mon avis. Je lui ai alors conseillé d'aller passer des tests d'intelligence auprès d'un spécialiste pour en avoir le cœur net. Si ce gars-là n'était pas assez intelligent pour devenir médecin, cela voulait dire qu'il y avait des tas de médecins qui n'auraient pas dû pratiquer. Bref, les examens ont démontré qu'il avait largement les capacités intellectuelles pour se lancer en médecine. Fort de ces résultats, il a demandé une révision au département de l'Université de Montréal. On lui a répondu que ce genre de test ne constituait pas un critère et que sa demande était toujours rejetée.

J'ai ensuite fait une intervention après de l'Université de Sherbrooke où je connaissais bien l'un des responsables. C'était ni plus ni moins qu'une demande de pistonnage, si vous voulez. Mon ami, désolé, m'a répondu qu'il ne pouvait rien faire. Qu'il ne voulait pas le rencontrer pour ne pas perdre son objectivité, que toute demande devait suivre un parcours prévu et qu'il n'y avait aucun chemin détourné pour accélérer l'analyse ou favoriser un étudiant. Ce qui est, je dois l'avouer, très sage. Restait sa demande présentée à l'Université Laval où on lui avait répondu qu'il était sur la liste d'attente. Mais l'été avançait rapidement et rien ne débloquait de ce côté.

Je me souviens de lui avoir suggéré, et Geneviève était d'accord, d'aller, malgré tout, suivre ses cours à l'Université de Montréal même s'il n'y était pas inscrit. Ainsi, il pourrait apprendre et il mettrait au bout du compte les autorités devant le fait accompli. Bon, ce n'était pas l'idée du siècle, mais au moins ça lui aurait permis d'avancer vers son rêve. Heureusement, il n'a pas été nécessaire d'en arriver à ces extrêmes puisque l'Université Laval l'a finalement accepté. Mais la session débutait huit jours plus tard. Geneviève et lui ont donc eu une semaine pour trouver un logement et déménager à Québec. Pendant toutes ses études, Daniel a continué à travailler à Sainte-Anne-de-Bellevue, en banlieue ouest de Montréal, comme préposé aux malades dans un hôpital militaire. Il partait les vendredis de Québec, travaillait tout le week-end et retournait à la maison le dimanche soir pour reprendre ses cours le lendemain. Geneviève, pour sa part, travaillait à la succursale du Club Aventure de Québec. Elle y a travaillé pendant toute sa grossesse. Il leur a fallu beaucoup de courage et de volonté, à tous les deux, pour arriver à passer au travers de ces années d'études. Mais ils avaient cette détermination.

* * *

Cela complète un tableau bien sommaire de mes enfants, de ce qu'ils sont et de ce qu'ils ont fait. Juste assez pour vous donner un aperçu de leur personnalité. Ils sont évidemment bien plus que ce simple résumé. Ce sont aujourd'hui des adultes fantastiques que j'adore. En fait, Maman et moi avons souvent l'impression qu'ils se sont partagé nos traits de caractère. Jean-François et Geneviève tiennent davantage de leur mère, alors que Pierre-Yves et Isabelle me ressemblent (et je ne suis pas certain que ce soit toujours un avantage pour eux). Quant à Patrick, peut-être parce que c'est l'aîné, il a pigé, presque à parts égales, chez ses deux parents. Il y a de quoi nous rendre fiers, vous ne trouvez pas ?

* * *

Pour Céline et moi, toute cette décennie, entre 1975 et 1985, a également été largement parsemée de voyages fabuleux. Voilà qui est probablement un trait de caractère familial. Bref, nous avons aussi énormément profité non seulement des offres du Club Aventure, mais aussi d'autres opportunités qui se sont présentées à nous. Il n'est pas question que je vous parle ici de tous ces voyages. Ce serait à la fois trop long et trop ennuyeux. Toutefois, quelques-uns d'entre eux nous ont profondément marqués. Comme celui, en 1975, qui nous avait amenés au Japon. N.G. Valiquette était alors un client régulier avec lequel je travaillais étroitement. J'allais au moins une fois par semaine dans son entreprise pour m'occuper des questions de marketing et de développement. Je lui avais alors vendu l'idée d'enlever de l'entrepôt les « punch clocks », vous savez, ces fameuses horloges dans lesquelles vous insériez les cartes de présence au travail pour noter vos heures. J'avais réussi à convaincre le propriétaire qu'il fallait maintenant penser en fonction du travail à faire et non des heures inscrites. Pour N.G. Valiquette, et pour l'époque, c'était assez révolutionnaire. Il m'avait fallu persuader autant le patron que les employés que cette nouvelle méthode était meilleure pour tout le monde. Je me rappelle que le premier matin, il y a eu un peu de panique quand les travailleurs sont entrés et qu'ils n'ont pas trouvé les « punchs ». « Comment le patron saura-t-il que je suis venu travailler et que j'ai fait mes livraisons ? » ont-ils demandé. « C'est simple, ai-je répondu. Si le camion de livraison est toujours stationné dans la cour, c'est que vous ne vous êtes pas présenté. En plus, si on a des livraisons à faire cette journée et qu'elles ne sont pas faites, ça veut dire que quelqu'un n'a pas fait son travail. »

« Oui, mais si une journée je reviens à l'entrepôt à 3 heures et que toutes mes livraisons sont finies, est-ce que ça veut dire que je suis payé jusqu'à 3 heures ? » Alors, j'ai répliqué : « C'est ça qui est intéressant pour vous. Vous serez désormais payé le même salaire mais pas obligatoirement en fonction des heures. Si vous terminez plus tôt et que tout est bien fait, vous pourriez même partir à la maison. Par contre, si les livraisons s'éternisent un peu et que vous revenez plus tard, vous ne serez pas payé en heures supplémentaires. Ce n'est pas plus compliqué que ça. »

Bref, rapidement cette nouvelle façon de faire a été bien accueillie et les résultats ont été stupéfiants. Les employés ont adoré cette formule et il y a eu une augmentation de 40 % de la quantité de travail effectué.

J'avais aussi suggéré d'autres modifications comme le service « gants blancs » où les livreurs allaient porter les meubles des clients en portant réellement des gants blancs, signe de la qualité de l'attention que l'entreprise portait à son service. Il y eut également le département « de luxe », que j'avais appelé « Crésus », où la clientèle pouvait trouver du mobilier très haut de gamme. C'était une première dans ce genre de magasin et cela a attiré des gens d'un peu partout qui cherchaient ce type de produits. Bref, Valiquette est rapidement devenu un très gros joueur dans le secteur du meuble. Ce magasin était d'ailleurs le meilleur vendeur au monde des produits Yamaha à l'extérieur du Japon lui-même. Si bien que la compagnie a invité les meilleurs vendeurs de Valiquette à passer une semaine au pays du soleil levant pour aller visiter, entre autres, les usines Yamaha.

Le propriétaire, Bernard Langevin, m'a alors rencontré.

— J'aimerais que tu sois du voyage, m'a-t-il dit.

— Ça m'intéresse, mais je ne veux pas y aller seul. Il faudrait que Céline m'accompagne, lui ai-je répondu.

— Impossible. Ça créerait un précédent pour les autres vendeurs. Je ne peux accepter.

— Merci de l'invitation, mais dans ce cas, ça ne m'intéresse pas.

— Pourtant, j'aimerais que tu sois du voyage, a-t-il insisté.

— Écoutez, j'irai si ma femme peut m'accompagner. Mais je peux payer son voyage, je ne veux pas que vous assumiez les frais, ai-je ajouté.

— Dans ce cas, il doit y avoir moyen d'y arriver, a-t-il conclu.

Voilà comment nous avons visité le Japon pendant deux semaines, ce qui est très court pour un voyage en avion aussi long. Mais ce fut extraordinaire quand même. Je découvrais non seulement un nouveau pays, mais aussi un peuple totalement différent de tous ceux que j'avais connus.

Voilà le groupe de vendeurs qui avait été invité à visiter les usines Yamaha au Japon. Si vous nous cherchez, vous nous trouverez, Maman et moi, du côté gauche.

Par exemple, j'y ai appris que les gens qui avaient des bonzaïs les léguaient par testament à leurs descendants. J'ai aussi appris que des familles faisaient des voyages de plus de 300 km juste pour aller rencontrer un potier qui se spécialisait dans la fabrication d'ensembles de thé de cérémonie. Des choses inimaginables ou presque, ici. Ces gens possédaient (et possèdent probablement toujours) un sens de la beauté et de l'esthétisme extraordinaire.

Au chapitre des entreprises, j'ai aussi beaucoup appris. Par exemple, en visitant l'usine de pianos de Yamaha, j'ai demandé où était l'entrepôt, pour voir comment on les gardait et aussi pour en voir la dimension parce que l'usine est immense. Or, on m'a répondu qu'il n'y en avait pas. Tout ce qui était produit était immédiatement acheminé aux clients. Le seul entrepôt qui existait était réservé aux matières premières qui entraient dans la fabrication des pianos.

J'y ai aussi appris l'importance et la considération que les Japonais accordent à la famille et au travail. Ainsi, un après-midi, près de l'usine, j'ai vu quelques personnes plus âgées qui travaillaient doucement sur le gazon devant la compagnie. Rien de trop dur ni de trop astreignant, dois-je préciser.

— Qu'est-ce qu'elles font ? ai-je demandé.

— Elles enlèvent les mauvaises herbes sur le terrain.

— Chez nous, nous utilisons des herbicides pour le faire, ai-je ajouté peut-être pour montrer qu'on n'était pas si mal, au Québec, et qu'on ne laissait pas les personnes faire ce genre de travail.

Le type m'a regardé et m'a répondu, en y mettant tout le respect qu'on peut imaginer :

— Ces personnes ont travaillé toute leur vie pour Yamaha. Maintenant qu'elles sont trop vieilles pour travailler dans l'usine, il est normal que la compagnie continue à leur offrir du travail et un salaire.

J'en suis resté ébranlé. Car ce respect envers les aînés et l'autorité était visible partout. Tout comme cette aura de dignité qui semblait tout envelopper.

En définitive, ce voyage au Japon m'a profondément marqué.

L'année suivante, une opportunité s'est présentée pour aller visiter la Russie. L'anecdote est d'ailleurs assez amusante.

L'année 1976 était, vous vous en souviendrez, celle des Jeux olympiques de Montréal. Or, un groupe de médecins de la Californie, allez savoir comment, avait réussi à obtenir de se rendre sous le statut de touristes en Russie, en utilisant l'avion d'Aeroflot qui amenait à Montréal les athlètes russes. Comme l'avion devait retourner vide, les autorités russes avaient accepté d'y faire monter un groupe de médecins et quelques autres personnes dont je faisais partie. Le voyage durait deux semaines, puisque nous devions revenir avec l'avion qui ramènerait les athlètes. Bref !

Céline et moi avons donc eu la chance d'aller à Moscou. Ce fut aussi déconcertant pour nous que l'avait été le Japon l'année précédente. C'était alors le règne communiste et rien ne nous avait préparés à ce que nous avons découvert. L'économie, je dirais plutôt l'austérité des gens que nous avons rencontrés était étonnante. Par exemple, lors d'un de nos premiers repas à Kiev, on nous a servi quelque chose comme du poulet et des légumes. Rien de bien exotique, mais de la bonne nourriture. À la fin du repas, le guide accompagnateur s'est approché de nous et nous a demandé de ne rien mettre dans les restes, comme des serviettes de table ou de la cendre pour ceux qui fumaient. Il nous a expliqué qu'ils étaient récupérés et étaient utilisés pour faire d'autres plats autant pour nous, les clients, que pour les gens de l'hôtel. Rien, absolument rien, n'était gaspillé. C'était vrai pour la nourriture, mais je crois que c'était vrai pour tous les biens qu'il était possible de trouver en Russie.

Un autre voyage qui nous a marqués est sans nul doute celui que nous avons fait en Israël. Il faut que je vous explique que ma mère était morte en 1978. J'avais d'ailleurs été moins troublé que je ne le pensais par son décès. Autant j'avais été très proche d'elle quand j'étais enfant et adolescent, autant je m'en étais peu à peu éloigné en vieillissant. Certains disent que j'ai effectué un transfert maternel vers Céline, ce qui expliquerait aussi pourquoi je l'appelle « Maman » depuis que nous avons eu notre premier enfant. Je n'en suis pas sûr, mais il est certain que la mort de ma mère ne m'a pas atteint aussi profondément qu'on aurait pu le croire. De plus, Céline n'était pas en si bons termes avec elle, et cela depuis des années. L'harmonie ne régnait pas, même s'il y a toujours eu énormément de respect entre ces deux-là.

À la mort de ma mère donc, la situation s'était complètement transformée entre moi et mon père de qui je n'avais pas été très proche (sauf en de rares occasions) pendant mon enfance. Si bien qu'en 1979, quelques mois après qu'il se soit retrouvé seul, nous avons décidé de lui proposer un voyage en Israël. Ce pays l'avait toujours fasciné. C'est certainement aussi la raison pour laquelle il a alors accepté, parce que c'était un sédentaire de la pire espèce. Cette fois l'occasion était trop belle pour qu'il la refuse.

Israël est un pays incroyable où l'on trouve partout une charge historique inconcevable. Pendant notre séjour, nous avons eu l'occasion de visiter, entre autres, les villes de Jérusalem et de Nazareth (où nous avons vu la forteresse de Massada) ainsi que des kibboutz, ces coopératives agricoles. J'y ai découvert un pays où l'histoire se révèle à chaque carrefour, dans chaque pierre, dans chaque monument. Un berceau des civilisations religieuses. Ce pays m'a surtout appris ce qu'est la fidélité à l'identité d'un peuple. On peut être ou non d'accord avec sa façon d'agir, mais on ne peut que s'incliner devant ce qu'on pourrait appeler le nationalisme israélien.

Ce voyage, tout en renforçant le rapprochement avec mon père qui s'était amorcé, m'a imprégné de cette notion de nationalisme qui a largement contribué à accentuer mon propre nationalisme québécois. Il en a été de même pour Céline qui était déjà très « québécoise ».

* * *

Les années 70 ont été des années de profonds bouleversements non seulement pour moi, mais aussi pour la famille. Les enfants commençaient à voler de leurs propres ailes. Les trois garçons étaient arrivés dans nos vies en quelques années, de façon assez rapprochée. Ils sont partis de la maison (pas de nos vies) en moins de temps encore. Entre 1972 et 1973, soit tout juste après que ma situation financière a commencé à s'améliorer, ils ont quitté le foyer. La transition a été très difficile pour Céline. En moins de temps qu'il n'en faut pour le dire, elle est passée d'une maison où il y avait toujours de l'animation, qui était le point de rencontre des amis des garçons, où tout était en perpétuel mouvement, où les repas devenaient des moments épiques et de hauts lieux de discussion (et parfois de chicanes), à un espace devenu un peu trop grand et surtout trop calme et tranquille. À la mi-temps des années 70, seules les filles, encore jeunes adolescentes, demeuraient avec nous. Comme je l'ai dit, pour Maman, la transition n'a pas été facile. Quand on a des habitudes de vie depuis des années, quand on fait le marché pour une grosse famille où il y a trois garçons en pleine croissance qui, comme les goélands, cherchent toujours quelque chose à se mettre sous la dent (même si on vient à peine de sortir de table), quand une partie importante de sa vie a été entièrement consacrée aux enfants et que, soudain, plus de la moitié d'entre eux s'en vont, le choc est lourd. Bien sûr qu'ils revenaient régulièrement, bien sûr qu'ils téléphonaient à leur mère assez souvent (probablement pas aussi souvent qu'elle l'aurait souhaité, mais... qui peut entièrement satisfaire sa mère ?), bien sûr que les filles étaient toujours avec nous, mais la dynamique familiale avait changé.

Évidemment, le choc a été quand même moins violent pour moi. Les pères ont rarement une relation aussi étroite que la mère avec les enfants. Mais j'ai aussi senti un vide. Et ma relation avec les enfants a commencé à changer pour devenir, au fil des ans et des expériences qu'ils faisaient, celle d'un conseiller, d'un ami, d'un mentor, et souvent d'un banquier.

L'autre constante de cette décennie a été mon implication dans le monde du théâtre. J'ai déjà bien raconté comment le théâtre a été important pour moi et la place qu'il a tenue (et tient encore) dans mon cœur, ce qui a teinté toute ma vie. Or, j'ai aussi été directement impliqué dans le monde du théâtre professionnel. Vous vous souvenez de la cousine de Céline, la comédienne

Françoise Graton ? Elle avait, en 1964, avec son grand ami et excellent comédien Gilles Pelletier, ainsi qu'avec le comédien, metteur en scène et réalisateur au cinéma et à la télévision Georges Groulx, fondé la Nouvelle Compagnie Théâtrale (NCT). La Nouvelle Compagnie avait choisi le Gesù, salle appartenant aux jésuites, pour monter et présenter ses pièces. Encore une fois, cet endroit revenait dans ma vie.

Au début des années 70, Françoise Graton m'avait approché pour me demander un coup de main. Malgré ma situation financière plus que précaire à cette époque, j'étais devenu président du conseil d'administration. Cela me permettait de mettre en commun deux passions : le théâtre et l'administration. Pendant plusieurs années j'ai occupé ce poste. Il faut avouer que la NCT n'avait pas, non plus, une situation financière reluisante. Le théâtre faisait difficilement ses frais et devait, comme plusieurs autres établissements culturels, être soutenu par le gouvernement pour se maintenir à flot. Il faut aussi ajouter que, malgré leur grand talent de comédiens, Françoise et Gilles n'avaient pas les outils de gestionnaires qui sont souvent indispensables pour faire subsister et prospérer une troupe.

Ce fut mon rôle.

Je préparais les budgets et, du fait même, j'avais un mot à dire dans la programmation. Ainsi, pour respecter les chiffres, il fallait souvent choisir entre différentes pièces pour savoir si nous pouvions les présenter. Par exemple, si une pièce exigeait la présence de beaucoup de comédiens, de décors, de costumes, etc., il fallait ensuite, pour respecter les budgets, choisir une pièce qui était... Comment dire ? Plus économique. C'était de cette façon que nous établissions la programmation. Ce qui ne nous a pas empêchés de produire des œuvres de grande qualité, souvent québécoises, qui ont marqué le théâtre d'ici. Il y a aussi eu des discussions, quelquefois âpres, avec Françoise et Gilles sur ces choix, car leur formation théâtrale laissait parfois peu de place aux questions administratives et budgétaires.

Notons aussi que la NCT avait, dès le début, pris la décision d'initier le public étudiant au théâtre. Un choix judicieux puisqu'il a permis à la Compagnie d'être soutenue autant par le ministère des Affaires culturelles que par les commissions scolaires.

Entre 1969 et 1972, tout le Québec était en ébullition. La société en général changeait, mais aussi les méthodes d'enseignement. Pour s'adapter à ces transformations, nous avions mis sur pied un concours de textes dramatiques. Les lauréats voyaient leur pièce jouée l'année suivante par les comédiens réguliers de la troupe. Un énorme succès.

Au fil des ans, le Théâtre Gesù est devenu trop petit, d'une part, et les jésuites désiraient rapatrier cette salle pour leurs besoins, d'autre part. Bref, j'ai alors participé aux discussions et aux négociations qui ont mené au déménagement et à l'achat d'une nouvelle salle. Après une analyse des sites possibles, nous avions opté pour le cinéma Granada, une grande salle datant de 1930. J'allais, souvent avec Françoise Graton, négocier ce transfert avec le ministère des Affaires culturelles pour obtenir son soutien. Tout a fonctionné rondement et le Théâtre Denise-Pelletier a été inauguré en octobre 1977. On a profité du déménagement pour changer le nom de la troupe qui était de moins en moins « nouvelle ».

Pendant mes années à la présidence du conseil d'administration de la NCT, j'avais également réussi à intéresser d'autres personnes provenant d'autres milieux à la cause du théâtre. Elles amenaient leur amour du théâtre, mais aussi leurs connaissances d'autres secteurs. Ainsi, l'avocat Jacques Mongeau, un confrère de collège et un ami sincère, s'était joint à l'équipe à titre de secrétaire. Quand j'ai quitté la présidence, c'est lui qui a pris la relève, poste qu'il a assumé pendant plusieurs années. Et c'est aussi une autre leçon importante pour toute implication dans un organisme. Il faut, idéalement, travailler longtemps avant notre départ à trouver la relève. C'est de cette manière qu'un organisme peut continuer à vivre et à grandir.

Quand je repense à tout le travail que nous avons fait à la NCT, j'y trouve encore beaucoup de plaisir et de fierté. Bien sûr, j'étais dans l'ombre des comédiens et comédiennes qui transmettaient la magie du théâtre sur les planches. Je savais toutefois parfaitement que j'avais aussi un rôle à jouer et j'espère que j'ai pu contribuer, à ma façon, à maintenir vivant cet art exceptionnel où travaillent tant d'artisans de très grand talent.

* * *

Savez-vous que je suis passé très près d'avoir moi aussi une vraie carrière de vedette internationale ? Bon, dit de cette façon, ça a l'air effectivement très prétentieux. D'autant plus que je ne me suis jamais considéré comme un artiste. Au mieux, j'étais (et je suis encore) un conférencier qui a su rendre intéressants des concepts et des idées parfois arides. C'est mon seul vrai don.

Cependant, en 1978, j'ai failli devenir un « artiste international ». Yvan Dufresne, celui qui avait fait la captation de ma première grande conférence à Québec et qui avait ensuite produit un disque, avait parlé de moi à la maison-mère pour laquelle il travaillait : Decca-London. Il m'avait suggéré de faire le même type de spectacle en anglais pour atteindre un public encore plus large. La compagnie London semblait d'ailleurs intéressée et souhaitait que je me rende à Londres pour faire un enregistrement. D'une certaine façon, cette invitation tombait à point puisque j'avais parmi mes clients pour les conférences la compagnie d'assurances Manuvie qui avait des ramifications internationales. Cette compagnie m'avait engagé pour donner une conférence à ses vendeurs dans le cadre d'un colloque qui se tiendrait dans la ville de Manchester, en Angleterre. Il était donc possible d'allier les deux projets et Yvan Dufresne avait pris toutes les ententes avec la compagnie de disques London. Si je me souviens bien, les techniciens de London avaient installé leur équipement pour faire la captation d'une des conférences que je donnais pour Manuvie. Maman avait eu la possibilité de rester avec eux pendant l'enregistrement. Il s'agissait de deux bonshommes typiques de leur époque et de leur milieu. Ils avaient les cheveux longs et s'étaient présentés en jeans, portant une camisole qui laissait voir de nombreux tatouages. Or, ces deux techniciens, avait-elle alors appris, n'étaient pas les premiers venus puisqu'ils travaillaient régulièrement aux enregistrements du groupe rock Rolling Stones. Je trouvais flatteur et, en même temps un peu intimidant, d'avoir des techniciens aussi compétents pour s'occuper de la captation de ma présentation. Céline m'a ensuite raconté que ces deux bonshommes ont beaucoup apprécié le spectacle et qu'ils riaient souvent de mes gags. Ce qui m'a fait un petit velours, comme on dit.

Si bien que le lendemain, probablement après que les responsables du dossier chez London eurent écouté les bandes, on m'a proposé de me joindre à leur « écurie » d'humoristes.

Pour une fois, je n'avais pas pris de décision hâtive. J'avais voulu me donner un peu de temps pour réfléchir. Tout allait encore très vite. Trop vite. Vous savez, ce genre de voyage était très court et ne représentait certainement pas des vacances. En tout, nous avions été partis quatre jours. Si on tient compte du transport, du décalage horaire et des obligations là-bas, il ne restait pas grand temps.

Ce n'est que dans l'avion qui nous ramenait à Montréal que nous avons sérieusement commencé à discuter, Céline et moi, de la proposition qui nous avait été faite. Je n'étais pas et je ne suis toujours pas un artiste. J'étais encore moins un humoriste, ni en français ni en anglais. Je suis, dans le meilleur des cas, un homme public qui a fait son bout de chemin. En discutant avec Maman, nous nous sommes rendu compte aussi, au-delà du fait que je considérais que ça n'entrait pas dans mes cordes, qu'il aurait peut-être fallu voyager un peu partout dans le monde pour faire des disques et en assumer la promotion. Et ça, ça ne nous intéressait pas du tout.

Quand nous avons mis les pieds à Montréal, la décision était prise. Ce serait non ! Le dossier était clos en ce qui me concernait. J'ai donc contacté Yvan et les responsables de la London pour leur en faire part. Et c'est comme ça que je suis peut-être passé à deux doigts d'une fabuleuse carrière internationale.

Chapitre

10

La mort, la maladie et… l'espoir

près la mort de ma mère et le voyage en Israël, nous nous étions beaucoup rapprochés, mon père et moi. En repensant à mes parents, d'ailleurs, je me rends compte que je n'ai jamais vu de gestes d'amour entre eux. Il n'y avait pas de froideur, je ne pourrais pas dire ça, mais il n'y avait jamais de moments de chaleur amoureuse apparente. Je ne les ai jamais vus s'embrasser ou s'étreindre. Je crois que cet exemple m'a aussi influencé. Je n'avais pas été « collant », comme on dit, avec mes enfants. Bien sûr, quand ils étaient tout jeunes, je les berçais, je jouais parfois avec eux, nous nous embrassions souvent, mais quand ils sont devenus adolescents, je ne m'autorisais plus ce genre de comportement. Peut-être parce que c'était le modèle que j'avais eu toute mon enfance. D'ailleurs, je ne me souviens pas d'une franche et chaleureuse accolade avec mon père après mes 12 ans, moment où il a été convenu que je devenais un homme. Pas plus d'ailleurs qu'il m'ait dit qu'il m'aimait. Et je ne crois pas le lui avoir dit non plus.

Bref, comme je l'ai souligné, le voyage en Israël avait été un point tournant des relations que nous avions, mon père et moi. Il avait quitté le lac Matambin, au nord de Joliette, où il avait vécu pendant quelques années avant le décès de ma mère, et vivait désormais avec ma sœur à Laval. Il vieillissait et les années de dur travail aux usines Angus commençaient à prélever leur tribut. Sans compter qu'il avait, pendant ces années, un peu abusé de l'alcool et de la cigarette, ce qui n'a certainement pas aidé.

Toujours est-il qu'il a commencé à se plaindre de douleurs et que ma sœur l'a amené à l'hôpital pour qu'il se fasse examiner. Les médecins lui ont diagnostiqué un cancer du pancréas. La maladie était alors très avancée. Quand on lui a expliqué ce qui arriverait, il a refusé tous les traitements. C'était le début de 1981 et les spécialistes estimaient qu'il pouvait espérer vivre jusqu'à l'automne, mais pas beaucoup plus. Il a toutefois accepté une petite opération qui permettrait d'éliminer un peu la douleur causée par son cancer. Par la suite, il n'a pris des médicaments que pour tenter, encore une fois, de contrôler le mal qu'il pouvait ressentir. Autre conséquence de son état (et peut-être des remèdes qu'il devait prendre), il avait perdu le sens du goût. Pour lui, tout avait un infect relent de métal. Comme pour compenser cette perte, son corps avait développé au maximum son odorat. Il percevait toutes les odeurs comme jamais auparavant.

Cet été-là, comme j'avais plus de temps libre, je l'ai invité à passer quelques semaines avec nous à Fassett. Nous avons partagé énormément de bons moments ensemble. Nous sommes allés régulièrement à la pêche au doré ou à la perchaude. Nous prenions la chaloupe et nous restions des heures à taquiner le poisson. Oh, il n'y mettait pas toute l'énergie que je lui connaissais. Mais il profitait de tous les instants. Il sentait toutes les odeurs qui passaient près de lui. Parfois, nous allions pêcher même quand il pleuvait car il adorait les senteurs que l'averse faisait ressortir. Elles lui rappelaient des moments de sa jeunesse. Il me parlait alors de situations qu'il avait vécues et m'expliquait comment avaient été certaines périodes de sa vie. Il est toujours extraordinaire de constater que l'odorat est probablement le sens qui soulève le plus de souvenirs chez chacun d'entre nous. En tout cas, pour mon père c'était vrai.

Mais, même s'il sentait toutes ces odeurs, il se rappelait le goût de certains aliments et aurait tellement voulu pouvoir en ressentir le bouquet de nouveau. Un jour, tandis que nous revenions, il m'a demandé :

— Est-ce que tu sais faire des œufs à la coque ?

— Bien sûr. Je me souviens même qu'on en faisait parfois à la maison.

— Je me rappelle comme c'était bon, a-t-il ajouté avec un soupçon d'envie dans la voix. J'ai encore le goût dans la tête.

— Aimerais-tu que je t'en fasse ? lui ai-je demandé.

— Mais il faut des cocotiers pour en manger. En as-tu ?

Il m'a fallu quelques secondes pour comprendre qu'il parlait de ces petits contenants qui sont utilisés pour servir les œufs à la coque. Je n'en avais pas, mais je lui ai dit que j'irais en chercher pour lui en servir au souper. Ça n'a pas été facile à trouver, mais j'en ai finalement déniché. Le soir, je lui en ai donc préparé. Assis à table, il a longuement regardé l'œuf, l'a cassé exactement comme il le faisait dans le temps, a senti l'odeur qui s'en dégageait avec un air de totale satisfaction, Puis, avec sa cuillère, il en a pris une bouchée. « Ça a le goût du métal, a-t-il dit avec dédain, mais je sais que c'est bon. » Il n'avait de toute évidence pas savouré son œuf, mais il était content et c'était tout ce qui importait pour moi.

Pendant tout le temps qu'il a passé à la campagne, j'ai fait l'impossible pour lui proposer des choses qu'il pourrait peut-être goûter. Par exemple, quand il parlait de céréales le matin, le jour même j'allais en acheter plusieurs boîtes de différentes sortes pour qu'il puisse les essayer le lendemain. Même chose pour les confitures. J'avais dévalisé le petit magasin du coin pour qu'il puisse en avoir autant qu'il le désirait. Mais le résultat était toujours le même. Un répugnant goût de métal.

Un soir que nous étions assis sur la véranda, regardant la rivière couler immuablement, un de ces soirs un peu magiques où le silence nous entoure et semble nous protéger, je me suis tourné et j'ai regardé mon père. Je l'ai regardé comme rarement je l'avais fait dans ma vie.

— Tu sais que ça va être très dur quand tu vas partir. Je ne pourrai plus te parler, lui ai-je dit, l'émotion me serrant la gorge.

— Tu n'as pas à t'en faire, m'a-t-il répondu doucement. Tu n'as pas à t'en faire, a-t-il répété, parce que je serai toujours dans chacun de tes enfants et de tes petits-enfants. Je ne serai jamais loin.

J'étais bouleversé. Jamais il ne m'avait témoigné un tel geste d'affection. Il semblait serein et totalement lucide. Quand on regarde les personnes âgées et malades, on oublie que si elles sont vieilles, elles ne sont pas idiotes pour autant. Mon père savait parfaitement ce qui s'en venait. Il n'ignorait rien de sa maladie et du temps qu'il lui restait. Et, ce soir-là, il acceptait le tout, avec sobriété et calme. Il était paisible. Je n'oublierai jamais cet instant.

▲
Notre maison de Fassett où, à son dernier été, mon père est venu passer quelques mois.

Nos enfants, cet été-là, venaient souvent nous voir à Fassett. Un jour, Patrick est venu passer la journée avec les siens. Ils ont voulu donner un coup de main au jardin que nous avions, Céline et moi. Mon père avait toujours adoré s'occuper de son potager. Il marchait alors avec beaucoup de difficulté, mais il m'a regardé et m'a dit :

— Je veux aller les voir. Je veux aller près du jardin.

— Mais tu ne peux pas, tu es trop faible, ai-je répondu.

— Oui, je peux, s'est-il entêté. Apporte-moi une chaise et un chapeau et je vais y aller.

Comment aurais-je pu faire autrement ? Nous l'avons donc installé, le plus confortablement possible pour qu'il puisse voir tout ce qui se passait. Et il a regardé ses arrière-petits-enfants, qui avaient cinq ou six ans, pleins de vie et d'énergie, qui s'affairaient un peu maladroitement dans le potager. Il les a guidés et conseillés pour qu'ils sachent comment semer, enlever la mauvaise herbe et leur a appris plein de petits trucs qu'apporte l'expérience d'une vie. Un autre moment magique.

Été 1981. Mon père berce Amélie pendant que mon fils Pierre-Yves tient son autre fille, Éliane, dans ses bras.

À une autre occasion, il était dans sa chaise et regardait dehors où il pleuvait à boire debout. Il m'a jeté un coup d'œil et m'a dit qu'il aimerait aller se promener. « Mais il pleut à verse », ai-je plaidé. Ça ne faisait rien, il souhaitait aller marcher. Je l'ai donc habillé, avec un gros imper, des bottes et un chapeau, et nous sommes allés faire quelques pas dehors, le long de la rivière. Et là, le visage ruisselant d'eau mais le sourire aux lèvres, il m'a regardé et m'a dit : « Ça sent bon l'humidité. » Puis, se tournant vers les arbres immenses qui trônaient près de la rive, il a ajouté : « C'est beau, la pluie. » Dans cette simple phrase, il rendait hommage à la nature qu'il avait toujours aimée. Jamais plus, depuis cette journée, je n'ai considéré la pluie de la même façon. J'ai appris à y voir toute la beauté que mon père m'avait fait découvrir.

En rentrant à la maison, mon père, qui n'avait plus des jambes aussi solides, a failli tomber. Je l'ai aussitôt retenu, je l'ai serré dans mes bras et je l'ai tenu près de moi pendant un bon moment. Un peu plus longtemps que nécessaire en fait. Probablement pour la première fois de notre vie, nous nous faisions une accolade, une vraie caresse.

— Laisse-moi te gâter, papa, parce que même si je ne te l'ai jamais dit, je t'aime...

Il s'est tourné vers moi et, en me regardant dans les yeux, m'a répondu :

— Moi aussi, mon Johnny, moi aussi je t'aime !

J'avais 51 ans, et c'était la première fois qu'il me le disait. Je connaissais pourtant ses sentiments, comme il connaissait les miens. Mais nous ne nous l'étions jamais avoué. Peut-être à cause de cette pudeur qui existait entre les hommes. Un père ne disait pas à son fils qu'il l'aimait. C'était comme ça. Et, bien entendu, le fils ne le disait pas non plus à son père. Que de temps gâché. Je me suis alors promis deux choses : d'abord, je n'hésiterais plus à dire à mon père toute l'affection que j'avais pour lui. Nous nous le sommes d'ailleurs répété souvent dans les semaines qui ont suivi. L'autre promesse que je me suis faite, c'est que je n'hésiterais plus à le dire à mes enfants. À leur dire comme je les aime et comme ils comptent pour moi. Je n'hésiterais pas davantage à leur faire l'accolade et à leur donner toutes les caresses que je pouvais. La vie est trop courte pour se priver de ces immenses joies. Et j'ai tenu parole. Depuis ce jour, chaque fois que je le peux, j'embrasse mes enfants et je les enlace. C'est un merveilleux cadeau que je me fais et j'espère qu'ils comprennent tout l'amour que j'ai pour eux.

* * *

Mon père avait encore un peu d'argent, je le savais, même si je n'avais aucune idée de la valeur de ses avoirs. Une seule fois il a abordé avec moi la question de ses dispositions testamentaires.

En fait, la discussion n'avait pas vraiment débuté sur ce sujet. Il me répétait souvent que je jetais mon argent par les fenêtres, ce avec quoi je n'étais évidemment pas d'accord. Mais je sais qu'il gardait encore en tête la comparaison qu'il avait toujours faite entre moi et mon oncle Rolland. Pendant qu'il me faisait une autre petite remontrance sur ce chapitre, je lui avais plutôt répondu :

— Toi, en tout cas, tu devrais dépenser un peu plus. Tu devrais profiter de cet argent pour te gâter.

— Non. L'argent est dur à amasser et c'est ce que je vais vous laisser, à ta sœur et à toi. Ce sera votre héritage.

— Donne-le plutôt en entier à ma sœur. Elle pourra prendre du bon temps.

— Non ! Ce sera 50 / 50.

Voilà qui avait clos la conversation. Quelques semaines plus tard, alors que son état continuait à se détériorer et qu'il était retourné vivre chez ma sœur, je suis allé lui rendre visite. Cet après-midi d'octobre 1981, nous avons discuté en prenant un café (au goût de métal). De toute évidence sa santé était mauvaise, il prenait de plus en plus de médicaments pour diminuer la douleur et était très amaigri. Il était reparti sur sa marotte à mon propos. Je comprenais très bien qu'il était inquiet et voulait protéger ce qu'il avait gagné dans toute une vie. Voulant savoir ce qui allait arriver à son héritage, il m'avait dit des choses terribles comme si j'étais encore un petit enfant. « Tu dépenses trop, martelait-il. Si tu continues, tu n'auras rien à laisser à tes enfants. Tu les laisseras dans le besoin. »

Pendant au moins une heure, il a continué sur ce refrain. Puis, il a conclu : « En tout cas, je t'avais dit 50 /50 pour toi et ta sœur, mais ce ne sera pas ça. Je vais changer mon testament et je vais tout laisser à Louise. Parce que toi, tu vas tout dépenser. Tu vas jeter l'argent par les fenêtres et tu ne sauras pas comment en profiter. Ta mère et moi, on a pris une vie pour tout amasser ça. Ç'a été dur. Toi, si je te le laisse, tu vas jeter ça partout. Non ! Tu n'auras rien. »

Je suis parti très déprimé, triste de ce jugement qu'il continuait à porter sur moi. Tous les bons moments que nous avions vécus à la campagne étaient-ils partis en fumée ? Pensait-il ainsi durant ces discussions, ces paroles tendres et ces nombreux gestes de rapprochement que nous avions partagés ? Non ! Ce n'est pas possible. Jamais toutefois il ne comprendrait que je n'étais pas comme l'oncle Rolland. Quoi que je fasse. En nous quittant, je lui ai fait l'accolade, mais c'était beaucoup moins chaleureux qu'avant. Je tenterais encore de replacer les choses la prochaine fois. Je ne savais pas alors que c'était la dernière fois que je le voyais et que je lui parlais. Est-ce que les choses auraient été différentes si j'avais su ? Je n'en suis pas certain, parce que nous avions tous les deux beaucoup de caractère. J'aime à penser que les choses se seraient passées autrement, mais je n'en suis pas convaincu. Et il est certain qu'il m'a fallu un peu de temps après sa mort pour tout replacer dans ma tête et comprendre qu'il avait droit à son opinion, même exprimée aussi maladroitement.

La suite de l'histoire m'a été contée par ma sœur. Après mon départ, il l'avait fait venir pour lui dire qu'il voulait changer son testament. Ce qu'il avait fait. Quand tout fut terminé, il a commencé à s'étouffer. Il savait, parce qu'il l'avait précisément demandé à son médecin, que ce genre de suffocation marquait l'un des premiers signes de la fin. Après la crise, il a dit à ma sœur qu'il allait s'habiller et qu'il voulait qu'elle le conduise à l'hôpital. Il ne voulait surtout pas mourir à la maison. Louise ne m'a pas contacté. Elle n'en a probablement pas eu le temps. Elle a amené mon père à l'hôpital où, une fois installé dans une chambre, et pour la première fois depuis un bon moment, il a déclaré qu'il voulait fumer. L'infirmière a tenté de lui expliquer que c'était impossible parce qu'il y avait de l'oxygène dans la chambre. Il n'a rien voulu entendre et lui a répliqué : « Regarde, je vais m'asseoir dans cette chaise-là, et tu vas rester près de moi et je vais fumer une cigarette. » Sachant probablement qu'il était en fin de parcours, l'infirmière a fini par accepter. Il n'a pris qu'une ou deux bouffées et a jeté sa cigarette. Mais il s'était contenté. Il s'est ensuite couché et a congédié tout le monde pour qu'on le laisse seul.

Au petit matin, l'hôpital a contacté ma sœur, lui demandant de venir aussitôt que possible, ce qu'elle fit. Elle a trouvé mon père dans le coma. Il avait, semble-t-il, ingurgité presque la totalité des médicaments qu'il avait en sa possession. Quand elle m'a téléphoné, il était mort.

Comme je l'ai expliqué, il m'a fallu un peu de temps, mais finalement je n'ai conservé que de bons souvenirs de mon père. Presque exclusivement, en fait, ceux du dernier été que nous avons passé à la campagne. Mon seul regret, c'est de ne pas avoir été en mesure de lui dire, une dernière fois, que je l'aimais. C'est cette peine que je conserve et non le ressentiment des dernières paroles que nous avons échangées. Dieu que je lui aurais dit avec cœur et tendresse comme je l'aimais. Mais le passé est immuable...

* * *

Les années ont passé, et rapidement la vie a pris le dessus. Le travail et les conférences ont recommencé de plus belle et nous avons encore beaucoup voyagé. Durant les Fêtes 1984, nous avons accompagné un groupe du Club Aventure au Kenya pour découvrir l'Afrique. Comme je l'ai dit, nous ne voulions aucun passe-droit durant ces excursions. Nous avions pris l'habitude de toujours attendre que les autres soient installés avant de prendre notre campement, laissant les meilleurs emplacements pour les voyageurs réguliers. Nous avons toujours payé le même prix que les autres, et je tenais à ce qu'il en soit ainsi. Ce voyage au Kenya était particulièrement dépaysant. C'était la première fois que nous nous rendions en Afrique centrale. Il s'agissait, essentiellement, d'une espèce de safari où nous pouvions voir et approcher des animaux fantastiques et souvent dangereux. Les paysages étaient fascinants et le confort... très limité. Nous couchions, la plupart du temps, dans de minuscules tentes qu'il fallait nous-mêmes monter en fin de journée. Mais quelle aventure !

En cours de séjour, Céline a commencé à se sentir mal. Elle avait des crampes et des nausées. Elle a tenu à terminer le voyage malgré les difficultés. Je peux vous affirmer qu'avoir la diarrhée en pleine brousse n'est pas évident. Les toilettes n'existent pas. Disons que c'est beaucoup plus que simplement « embêtant ».

Aussitôt revenus à Montréal, nous avons été consulter un médecin pour savoir de quoi il s'agissait. Le docteur a conclu que Céline avait attrapé une maladie tropicale et lui a donné des médicaments qui auraient dû permettre de replacer les choses. Nous sommes ensuite rentrés à Fassett, mais son état ne s'améliorait toujours pas. En tout cas, pas aussi vite qu'on aurait pu l'espérer.

Un peu plus tôt cette année-là, nous nous étions procuré un condo à Naples, en Floride. À la fin du printemps, la construction était presque finie et Céline, accompagnée de Jean-François et de son conjoint Sylvain, a décidé de s'y rendre pour commencer à l'aménager. Je devais les y retrouver quelques jours plus tard, après quelques conférences qui étaient déjà planifiées. Le voyage vers la Floride a été très désagréable pour Maman. Elle ne se sentait vraiment pas bien. Nous avons passé quelques jours au condo avant de revenir à Fassett. J'avais dû, pour ma part, partir

Voici l'édifice dans lequel était situé notre condominium de Naples en Floride.

un peu plus tôt en avion parce que je devais donner une autre causerie et Céline a fait le trajet en voiture. C'était difficile, mais elle préférait cela à l'avion.

Nous préparions à ce moment un autre voyage à Montreux, en Suisse, où, profitant d'une conférence que je devais présenter, nous voulions rester quelque temps pour visiter le pays.

Un jour, Céline est partie de Fassett pour revenir à notre appartement de Montréal afin de régler certains détails de mon agenda et prendre d'autres contacts. Elle s'est sentie très mal pendant toute la route. Si bien qu'aussitôt arrivée elle a téléphoné à Jean-François, car elle savait qu'il connaissait très bien une infirmière de l'hôpital Hôtel-Dieu. Celle-ci a réussi à la faire entrer immédiatement pour passer plusieurs examens. Les médecins ont tout de suite décidé de la garder à l'hôpital pour qu'elle soit opérée. Elle a demandé s'il était plutôt possible de retarder l'intervention d'une semaine puisque nous devions partir pour la Suisse. Le médecin lui a fait comprendre que c'était impossible. Il fallait agir tout de suite.

En sortant de la consultation, le docteur a appelé Patrick pour lui expliquer qu'il n'était absolument pas question pour Céline d'aller où que ce soit. Les examens avaient décelé une tumeur cancéreuse au côlon qui avait la dimension d'un pamplemousse. Un cancer qu'elle devait avoir depuis un bon bout de temps.

Si vous vous demandez où j'étais à ce moment, c'est que je donnais une autre conférence à Toronto et qu'il était très difficile de me joindre. Je revenais par avion le soir même. En descendant de l'appareil, alors que je m'approchais de la sortie, j'ai entendu, dans le brouhaha intense de l'aéroport, mon nom résonner dans les haut-parleurs. C'était la première fois qu'une telle chose m'arrivait et, bien sûr, on pense alors au pire. Et c'est bien de ça qu'il était question. J'avais reçu un message téléphonique urgent me disant que Céline était à l'hôpital et que je devais m'y rendre immédiatement. J'y suis allé le plus vite possible. J'étais follement inquiet et je ne crois pas avoir fait tous les arrêts réglementaires le long du chemin. J'ai couru jusqu'à la chambre de Maman que j'ai trouvée tranquillement assise sur le bord de son lit.

J'ai pris place à côté d'elle, lui tenant les mains, et exigeant qu'elle m'explique tout ce qui s'était passé. Or, à part le déroulement des choses durant la journée et le fait que le médecin ne voulait pas retarder l'opération pour permettre le voyage en Suisse, elle ne savait pas grand-chose. On ne lui avait rien dit, préférant attendre mon retour. Elle savait qu'elle devait être opérée, mais ignorait pourquoi.

Vers 21 heures, l'infirmière en chef est entrée dans la chambre. Elle tenait dans les mains un dossier qui était déjà très volumineux. Je suis resté près de Céline pendant qu'elle a approché une chaise et qu'elle y a pris place. Lentement, elle a commencé à consulter le contenu du dossier qu'elle tenait sur ses genoux. « J'ai ici le dossier complet de Mme Chaput et de tous les examens qu'elle a passés depuis qu'elle est arrivée », a-t-elle annoncé. Elle est ensuite demeurée silencieuse pendant de longues secondes pendant qu'elle vérifiait les documents. Soudain, devant un formulaire (rose, si ma mémoire ne me joue pas de tour), elle s'est arrêtée plus longtemps.

— Ce que je lis ici est un peu moins bon, a-t-elle dit.

— Moins bon comment ? ai-je demandé.

— Pas mal moins bon.

Elle nous a regardés et a continué :

— Madame Chaput, vous avez un cancer du côlon. Nous avons trouvé une tumeur grosse comme une balle molle. Et ça fait au moins un an qu'elle est là.

Elle a ensuite baissé les yeux pour compléter sa lecture et il m'a semblé que son visage devenait alors encore plus grave.

— Il va falloir vous opérer le plus rapidement possible. C'est un type de cancer très sérieux. Je vais être parfaitement honnête avec vous, a-t-elle poursuivi en regardant Céline directement dans les yeux, avec ce type de cancer, il y a moins de 20 % des chances que vous puissiez terminer l'année 1985.

Céline et moi avons éclaté en sanglots. Le choc était brutal, inhumain. Si je croyais auparavant avoir eu des coups durs à traverser, ce n'était absolument rien face à la nouvelle que nous venions d'apprendre. Je tenais Céline dans mes bras, mais mon esprit n'arrivait pas à reprendre pied. Emporté dans un tourbillon d'émotions, je ne parvenais pas à réaliser ce qui arrivait à Maman, la femme de ma vie.

— Nous allons nous occuper de vous, madame Chaput, a poursuivi l'infirmière sur ce ton à la fois rassurant, compréhensif et professionnel que seul le personnel médical sait utiliser. Demain, très tôt, vous serez opérée. Je vous laisse, mais n'hésitez pas à me demander si vous avez besoin de quelque chose...

Maman et moi l'avons laissé sortir, nous sommes regardés encore, et nous nous sommes remis à pleurer, sans parler, sans même pouvoir produire un son. À ce moment, nous n'avions besoin que de sentir la présence de l'autre, pour y trouver un peu de réconfort. J'aurais voulu pouvoir être fort comme Céline en était si souvent capable. Comme elle l'avait fait pour moi à de si nombreuses occasions. Mais c'était, pour l'instant du moins, au-dessus de mes forces. Je ne sais pas combien de temps nous sommes restés assis à seulement nous étreindre. Certainement plusieurs minutes, peut-être quelques heures. Encore une fois, c'est Céline qui a repris ses esprits le plus rapidement.

— Si tu veux revenir demain matin, il va falloir que tu partes. Il est 23 h 30, va te reposer. Moi, je serai bien ici. On s'occupe de moi.

— Je veux rester ici, avec toi, lui ai-je répondu.

— Non. Il n'en est pas question. Téléphone à Patrick et va chez lui ce soir.

— Je ne suis pas capable de lui parler, ni de parler à personne d'autre. Je vais aller à notre appartement.

Maman s'est étendue sur son lit et, avec beaucoup de tendresse et énormément d'amour, je l'ai bordée et embrassée avant de la quitter. J'avais dit que j'irais à un appartement que nous avions pris après avoir vendu la maison de Duvernay en

1981. Depuis ce temps en effet, notre maison principale était celle de la campagne, à Fassett, mais nous avions ce logement sur le chemin de la Côte-Sainte-Catherine comme pied-à-terre à Montréal pour les nombreuses fois où des obligations nous appelaient ici. Cependant, une fois dans l'auto, me sentant incapable de me reposer, j'ai plutôt décidé de rentrer à Fassett. J'avais un irrépressible besoin de rouler. La durée du trajet est d'environ une heure et demie. Et tout le long, les larmes me coulaient dans le visage. J'étais sonné. J'entendais sans fin les paroles de l'infirmière. Je lui en inventais aussi d'autres, toujours sur le même thème : la maladie et la mort.

C'est un cancer très sérieux, très grave dont vous êtes atteinte... Une tumeur énorme a envahi votre corps... Moins de 20 % de chances de survie... Vous ne verrez probablement pas la fin de l'année... Vous êtes très malade... C'est le cancer..., disait la voix de l'infirmière dans une sorte de litanie qui revenait en boucle dans ma tête.

Un peu avant d'arriver à Fassett, il faut traverser, sur la route 148, le petit village de Pointe-aux-Chênes. Il faisait nuit et il ventait très fort. Les arbres qui bordaient la route semblaient animés de leur propre vie. Et là (vous direz certainement que je suis fou), la voix des arbres a remplacé celle de l'infirmière.

C'est peut-être la dernière année..., disaient les arbres. Il ne reste plus grand temps à partager avec elle... Qu'est-ce qui va arriver de tous vos rêves et de tous vos projets ? Le temps passe très vite... Céline ne verra pas la fin de cette année... Il reste très peu de temps...

En plus, je me sentais tellement coupable de n'avoir pas été là quand elle s'était sentie mal cet après-midi et qu'elle avait dû entrer seule à l'hôpital. J'aurais dû être là ! Mais j'étais encore parti pour une foutue conférence... Ma place était avec elle. Je savais qu'elle n'allait pas bien. Et moi, je l'avais laissée quand même.

Quand je suis enfin arrivé à notre maison de Fassett, j'ai eu l'impression de sortir d'un terrible cauchemar, avec cette seule différence que ce n'en était pas un. C'était la réalité qui nous frappait, qui me frappait. Céline était très malade.

Assis dans le noir dans notre cuisine, je me suis alors dit qu'il fallait profiter de tous les instants qui lui restaient, qui nous restaient. Il était clair pour moi que ce que l'infirmière nous avait dit sur ses chances de survie devenait une condamnation pure et simple. J'avais, à ce moment, la certitude que je perdrais bientôt Maman. Mais les mois qui nous restaient allaient être beaux. Très beaux. J'y verrais. S'il le fallait, je prendrais tout l'argent de nos REÉR et nous aurions les moyens de faire tout ce qu'elle avait toujours voulu faire. Nous voyagerions, nous irions assister aux plus beaux concerts, nous irions dans les meilleurs restaurants... Nous profiterions de tous les instants qui nous seraient laissés, ai-je pensé. Vous savez comme parfois la tristesse, la fatigue et la nuit peuvent être mauvaises conseillères. Mais quand on traverse ces moments, nous n'en avons pas conscience. Pour moi, c'était la voix de la raison. Savoir si Céline parviendrait à combattre la maladie n'entrait pas en considération. Seul dans le noir, cette nuit-là, je ne sentais que l'énorme détresse qui assombrissait toute ma faculté de penser sous un grand voile de mélancolie.

Il faut aussi dire que, par une chance extraordinaire, je n'ai jamais été malade ou presque. Je jouis de ce qu'on appelle une santé de fer. Aujourd'hui encore, j'ignore ce que c'est que d'être malade. Quand le sort a frappé Céline, j'avais 55 ans, je me suis vu seul et désemparé après son départ. Bien entendu, jamais au grand jamais je ne me suis dit aussi clairement qu'elle allait mourir. Mais, en y repensant maintenant, je me rends compte que c'est ce que la peine me faisait envisager.

Je n'ai pas dormi cette nuit-là. J'ai pris une douche, je me suis changé et, vers 4 heures, j'ai repris la route pour retourner à l'hôpital. Patrick y était déjà quand je suis entré dans la chambre et Jean-François nous y a rejoints peu après. Jean-François tentait de blaguer pour alléger l'atmosphère. Je me souviens qu'on avait avancé l'hypothèse que Céline ait à porter un sac au côté après l'opération et qu'il lui avait dit qu'il lui trouverait un beau sac en velours rouge. Vous voyez le genre... Mais ça nous a fait du bien. Il faut savoir prendre un peu de distance dans ces moments-là.

Puis Céline a été transportée à la salle d'opération. L'attente a commencé. Longue. Très longue. Patrick, Jean-François et moi faisions les cent pas sans parler. Ceux et celles qui ont eu à traverser de telles expériences savent pertinemment qu'on ne sait jamais quoi penser. Est-ce que c'est long parce que l'opération va bien ou ont-ils des problèmes majeurs ? Ont-ils réussi à enlever la tumeur ou ont-ils découvert autre chose de plus grave encore ? J'aurais tellement aimé être capable de ne pas penser.

À midi, elle n'était toujours pas revenue dans sa chambre et nous sommes allés manger un morceau. Je me suis alors rendu compte que je n'avais rien avalé depuis la veille. Même en temps normal, je savoure rarement mes repas. Cette fois-là, j'ai vraiment mangé par obligation, pour que mon corps tienne le coup. Sans plus.

Enfin, on est venu nous trouver pour nous dire que Céline était en salle de réveil. L'opération s'était très bien passée. Les médecins semblaient très satisfaits. Il a fallu attendre encore quelque temps avant qu'on nous permette de la voir. Quand je suis entré, elle était alors dans son lit, liée à toutes sortes d'appareils qui enregistraient ses signes vitaux. Elle semblait minuscule et faible, mais elle était souriante. Je me suis approché, sentant des larmes de joie couler sur mon visage, si heureux de la voir vivante. Elle m'a regardé avec ses magnifiques yeux doux et m'a simplement dit : « On va s'en sortir. » Dieu qu'elle était forte. Je l'ai embrassée doucement et j'ai passé la soirée assis près d'elle à la regarder se reposer.

Plus tard, la fatigue a commencé à se faire sentir. Sachant qu'elle devait dormir encore plusieurs heures et qu'elle était merveilleusement bien traitée, j'ai décidé d'aller prendre quelques heures de repos. Tôt le lendemain j'étais de retour, mais le docteur avait déjà fait sa visite. Maman m'a expliqué que le médecin était très heureux de l'intervention, mais que la récupération risquait d'être longue. Elle devait rester encore une dizaine de jours à l'hôpital après quoi il lui faudrait une très longue convalescence. Maman avait décidé de se battre contre la maladie et elle avait surtout décidé qu'elle gagnerait cette guerre.

Dès le lendemain, de retour à sa chambre, elle était faible mais, avec son dynamisme habituel, elle m'a demandé de lui apporter ses papiers pour qu'elle continue à s'occuper de mon agenda. Il n'en était évidemment pas question.

— D'ailleurs, ai-je ajouté, je n'irai pas en Suisse à ma conférence de Montreux. Je veux rester auprès de toi.

La conférence en Europe était prévue depuis longtemps et c'est pour venir avec moi que Céline avait d'abord demandé au médecin de retarder l'opération. Malgré son état, elle m'a regardé avec cet air de « pit bull » qu'elle sait parfois prendre pour me ramener à l'ordre.

— Pourquoi ? m'a-t-elle demandé.

— Je ne peux pas partir une semaine et te laisser seule. Je ne peux pas aller donner deux conférences en sachant que tu es malade, ici. C'est au-dessus de mes forces, ai-je répliqué.

— Qu'est-ce que tu peux faire de plus pour moi ? Me regarder reprendre des forces ?

— Au moins ce sera ça. Je ne veux pas te quitter. Je ne serai pas capable de donner une conférence.

— Oui, tu vas être capable. Rebiffe-toi, a-t-elle dit en utilisant une expression que ma mère me servait souvent quand j'étais jeune. Va te préparer et va donner ta conférence.

— Mais une semaine, tu te rends compte ? Une semaine parti, loin de toi...

— Écoute ce que tu vas faire, a-t-elle poursuivi. Tu vas faire changer la date de retour pour ne partir que trois jours au lieu d'une semaine. Puis tu vas te rendre à Montreux et respecter ton entente et tes engagements. Tu vas donner tes conférences comme prévu. Moi, je vais rester ici, reprendre des forces, et je serai très bien soignée pendant ta courte absence. En plus, les enfants seront près de moi.

— Mais ça ne me tente pas, ai-je plaidé. C'est à moi d'être à tes côtés.

— Fais-le pour moi, a-t-elle ajouté doucement.

Pendant quelques secondes j'ai été incapable de répondre. Puis, j'ai repris :

— Je vais revenir aussitôt après la conférence.

— Je vais t'attendre ici, a-t-elle répliqué avec un sourire. Je ne partirai pas !

Voilà qui mettait un terme à la discussion. Même malade et alitée, sa volonté était inébranlable. Et de plus, jamais je n'aurais pu lui refuser une chose qu'elle me demandait sur ce ton. Patrick s'est donc occupé de changer les dates du vol et je suis parti le lendemain soir pour la Suisse. Je crois avoir pleuré pendant tout le vol. Je ressentais encore une énorme tristesse. Je ne sais pas pourquoi, mais j'avais l'impression que la réussite de l'opération ne changeait rien à la dure réalité de la maladie. Personne n'avait changé le verdict. Il lui restait peu de temps. Je continuais à penser qu'il fallait profiter de tous les instants. Je repensais inlassablement aux fameux 20 % de chances qu'elle avait de voir une nouvelle année. Ce n'était pas la mort de Céline que je voyais, c'était simplement le peu de temps qu'on nous accordait.

Quand je suis arrivé à Zurich, une limousine m'attendait pour me conduire, une centaine de kilomètres plus loin, à Montreux, plus précisément au Montreux Palace, lieu de la réunion de la compagnie d'assurances Manuvie qui m'avait engagé pour remonter le moral de ses troupes. C'est un hôtel fantastique qui fait face au lac Léman. Un endroit de toute beauté. Mais en montant les marches vers l'entrée, je ne voyais rien de ça. Je me demandais seulement ce que je faisais là. « Comment est-ce que tu peux être en Suisse à donner des conférences alors que ta femme a trois chances sur quatre de mourir bientôt ? » me sermonnais-je. Et, comme bien des fois dans ma vie quand je doutais et que je ne savais pas quoi faire, j'ai décidé de foncer. C'était ma façon de vaincre cette peur qui nous paralyse souvent. J'ai donc monté les dernières marches et je me suis lancé dans l'action pour donner les conférences prévues.

Pendant que je m'inscrivais au registre, les responsables de l'assemblée étaient venus me trouver, me remerciant d'être venu quand même dans les circonstances, parce qu'ils avaient été informés de la condition de Céline. En les remerciant de leur compréhension, j'ai levé la tête et j'ai vu une immense bannière sur laquelle était écrit le thème du congrès. Il n'y avait qu'un seul mot en lettres rouges : « Tomorrow ». C'est en voulant penser résolument à « Demain » que les organisateurs avaient élaboré leur congrès. Parce qu'il ne faut pas penser à hier, parce que la vie continue, parce que c'est ce qui vient qui importe. Voilà le message que je voyais dans ce mot. Et c'est ce que j'avais en tête quand je suis entré dans la grande salle pour donner ma conférence...

Encore aujourd'hui, je ne sais absolument pas ce que j'ai dit à cette conférence. Je ne revois ni la salle ni les 300 personnes qui y étaient. En fait, je ne me rappelle pas non plus la deuxième conférence. Il y a un grand vide dans mon esprit. Je me souviens seulement du vol de retour. Celui qui me ramenait vers Maman. La mémoire est quelque chose d'étrange. On a parfois des souvenirs précis de moments insignifiants et rien des moments qui auraient dû nous marquer. Dans cet esprit, je me souviens que, vers 4 heures du matin dans l'avion, un peu avant l'atterrissage à Mirabel, je m'étais rendu à la salle de toilettes pour me raser de près et me mettre un peu de parfum. Je ne faisais jamais ça, mais je voulais être à mon mieux pour revoir Céline. En fait, je doutais qu'elle s'en rende compte puisque moi, je suis certain que je n'aurais rien vu de cette attention. Mais elle l'a remarqué, bien sûr, et ça m'avait fait un immense bien de la voir contente. Quand elle m'a questionné sur la réaction des gens après les conférences, je n'ai pas su quoi lui répondre.

— Se sont-ils levés pour t'applaudir ? a-t-elle questionné.

— Je crois que oui, mais je n'en suis pas certain.

— T'en fais pas, a-t-elle repris. Demain, tu leur téléphoneras et tu leur demanderas.

Ce que j'ai fait. Or, ils se sont dits très satisfaits des résultats et de la réaction des gens.

* * *

Les jours suivants se sont bien passés et Céline a obtenu son congé de l'hôpital dans le délai prévu. Nous sommes retournés à Fassett. Les médecins nous avaient avisés que la convalescence risquait d'être longue, mais que tout se déroulait très bien. Effectivement, Céline était assez faible. Elle manquait de cette énergie qui l'avait toujours caractérisée. Elle insistait cependant pour continuer à s'occuper de mon agenda et des demandes corporatives. Mais, bien entendu, il n'était pas question qu'elle s'occupe d'événements grand public. De toute façon, la dernière expérience n'avait pas été concluante et je n'avais plus d'intérêt de ce côté. Du moins pour l'instant.

En fait, j'avais toujours, inconsciemment, en tête que les jours de Maman étaient comptés. Et Céline sentait viscéralement que quelque chose avait changé. Mon attitude était différente et elle s'en ressentait. Il est difficile pour moi de dire comment je réagissais à cette époque et pourquoi. J'avais toujours plein de projets, mais ceux-ci n'incluaient plus Céline. Comme si je me préparais à un avenir sans elle. Pour avoir quelque chose à quoi me raccrocher après son départ. Rien de tout ça n'était conscient. Je me serais défendu amèrement et âprement si quelqu'un m'avait dit ça à ce moment. J'aurais même été très en colère. Toutefois, il faut honnêtement avouer que c'était vrai.

Céline m'a plus tard raconté qu'elle me voyait souvent flâner près de la rivière et m'asseoir sous les arbres. Elle me trouvait nostalgique et elle ne savait pas comment m'aider.

C'est durant cette période, par exemple, que j'ai acheté une deuxième terre dans la région de Fassett. J'en avais parlé abondamment avec Jean-Guy, mon homme de confiance, et j'avais opté pour un terrain qui semblait correspondre à ce que nous voulions faire. Mais j'avais fait toutes ces démarches sans en parler à Céline que j'ai mise devant le fait accompli. Elle se rendait parfaitement compte que je prenais mes distances. Ce que je me cachais et niais de toutes mes forces.

Un jour que je revenais à la maison, Céline m'y attendait.

— Qu'est-ce qui t'arrive ? m'a-t-elle demandé.

— Rien de spécial, ai-je répondu, ne comprenant pas du tout ce qu'elle voulait dire.

— Jean-Marc, tu n'es plus le même. Tu ne m'as même pas parlé de l'achat de cette terre.

— Mais c'est pour l'avenir, quand tu iras mieux, ai-je dit.

— Arrête de te conter des histoires, Jean-Marc, a-t-elle ajouté en pleurant. Arrête de m'en conter. Tu n'es plus avec moi. Je ne suis pas morte. Tu es en train de m'enterrer vivante.

— Mais non, voyons ! Qu'est-ce que tu dis ? ai-je tenté de me défendre, mais le coup avait porté. J'étais ébranlé. J'ai éclaté en sanglots.

— Jean-Marc, je veux aller voir Van Gijseghen et je veux que tu m'y accompagnes.

— Je ne suis pas malade. Je n'irai pas...

* * *

Il faut ici faire une parenthèse sur ce fameux Van Gijseghen. Hubert Van Gijseghen est un psychologue. Excellent par ailleurs. Nous avions commencé à le consulter plusieurs années auparavant au sujet de Patrick. Mon fils avait alors 10 ou 12 ans et avait échoué à son examen d'entrée au cours classique. On nous avait alors dit qu'il était probablement un peu lent intellectuellement et qu'il devrait s'orienter ailleurs.

Une voisine et amie de Céline, Pierrette Leblanc, à qui elle avait expliqué la situation, lui avait suggéré d'aller consulter un centre d'orientation pour faire un bilan de tout ça. C'est ainsi que nous avions rencontré Hubert Van Gijseghen qui y pratiquait. Après une première visite, il nous avait demandé de pouvoir nous rencontrer individuellement et ensuite de voir, également séparément, les enfants. À la suite de quoi, il nous avait de nouveau rencontrés dans son bureau. Son évaluation était terminée. Il nous avait alors appris que Patrick n'avait aucun problème d'intelligence. Cependant, il avait un manque total d'intérêt et c'est pour cela qu'il ne réussissait pas. En suivant ses recommandations, les choses s'étaient rapidement replacées.

Il nous avait aussi parlé de Jean-François et de son ambivalence sexuelle. Il m'avait expliqué que je devrais m'efforcer d'être plus près de lui, d'être plus présent. Il fallait, selon le psychologue, tenter de lui donner un modèle plus viril, ce qui lui permettrait peut-être d'être en meilleure position pour décider de ce qu'il aimait et de ce qu'il ne voulait pas à ce chapitre.

Comme toujours, j'avais pris ce mandat comme un défi personnel. Je m'y étais lancé à fond de train. Pendant tout l'été, j'avais été proche de mes enfants, bien décidé à leur montrer ce que c'était qu'un homme. Nous avions joué ensemble, nous avions été à la pêche, nous avions été en camping, nous avions fait de la construction, nous avions bricolé des voitures, et j'avais même mis sur pied une petite ligue de crosse, sport que j'avais tellement pratiqué quand j'étais au collège. J'avais dû talonner Jean-François tout l'été.

À l'automne, quand nous étions retournés le voir, Van Gijseghen m'avait supplié d'arrêter de lui montrer un « modèle viril ». « Vous êtes en train de l'écœurer complètement, avait-il ajouté. Laissez-lui une chance. Il faut être près de lui, mais savoir doser la chose... » Comme souvent, en voulant trop bien faire, j'étais certainement allé beaucoup trop loin. Céline, qui a toujours une expression pour toutes les occasions, m'avait dit, en sortant du cabinet : « Arrête un peu d'en mettre. Trop de crémage sur le gâteau, ça écœure ! »

Bref, par la suite, nous avions régulièrement consulté ce psychologue qui était devenu le confident de la famille et qui a assurément contribué à l'unité familiale.

Fin de la parenthèse.

* * *

J'ai donc refusé d'accompagner Maman chez le psychologue, malgré sa demande. Je n'y voyais aucune nécessité en ce qui me concernait. Céline a, de son côté, entrepris de le consulter sur une base régulière. Elle n'insistait pas pour que je l'accompagne, mais je savais qu'elle y pensait toujours.

À ce moment, Patrick venait de vendre le Club Aventure et Pierre-Yves, qui y travaillait, se retrouvait un peu démuni. Il n'avait pas énormément d'argent, il avait une famille à faire vivre et entretenait quelques projets qui exigeaient des investissements. Céline se demandait si nous devions avancer l'argent et l'appuyer dans ses projets. Elle hésitait un peu et m'a demandé de l'accompagner pour que nous puissions en discuter avec Van Gijseghen. Et, dans ma grande naïveté, j'ai accepté. J'étais piégé.

Cette session a été très émotive. Nous avons beaucoup parlé. De Céline, de la mort de ma mère, de la maladie, bref, de tout ce que ma femme et moi vivions, mais de façon isolée en ce qui me concernait. Le psychologue m'a alors permis de me rendre compte de mon problème de perception. J'étais, au fond, celui des deux qui avait le plus besoin de ces rencontres et de ce soutien. Ces visites nous ont (à moi très certainement en tout cas) fait un bien immense. Je réalisais ce que mon attitude avait d'incroyablement égoïste. D'une certaine façon, je m'éloignais de Céline (totalement inconsciemment) pour me protéger, pour m'éviter d'avoir trop mal si jamais le pire survenait. Sans tenir compte de la réalité et de ce que devait traverser Céline. Ces visites ont transformé mon approche de la situation et nous ont permis de nous retrouver. Nous l'avons vu encore pendant encore cinq ans après ces événements.

Les mois passaient et Céline continuait de récupérer des forces. Les enfants et les petits-enfants venaient souvent nous rendre visite à la campagne, ce qui illuminait toujours nos journées. Nous allions voir le médecin régulièrement pour les suivis. À l'automne 1985, alors que nous étions dans son bureau pour les résultats des derniers examens, le docteur nous a confirmé que tout s'était replacé. Le cancer n'avait pas proliféré et n'était pas réapparu ailleurs. Il avait été contenu et vaincu par l'ablation de la tumeur et d'une partie de l'intestin. Maman avait gagné. Elle n'était pas et n'avait jamais été une victime. Céline possède un instinct de survie exceptionnellement fort. Je le sais, c'est ma femme, mon grand Amour.

La convalescence allait si bien que le docteur a accepté de nous laisser partir pour quelques semaines à notre condo de Naples, en Floride. Ce fut un voyage magnifique qui marquait la victoire de Maman sur le cancer, mais aussi, et peut-être surtout, sa réussite dans son combat pour me sortir de mon aveuglement, et sa force pour maintenir notre couple vivant et heureux et pour que nous retrouvions l'espoir.

Chapitre
11

Les hauts et les bas des relations et des entreprises familiales

C et extraordinaire triomphe de Céline sur la maladie et sa victoire, non moins décisive, sur ma mauvaise foi (qui aura permis de sauver et même de renforcer notre couple), ont été déterminants dans ma façon de voir l'avenir. Pendant plusieurs mois, Maman a lutté à la fois pour sa survie et pour nous deux. Je dis souvent et depuis longtemps que, dans la vie, il faut savoir choisir ses batailles, qu'il faut comprendre ce sur quoi nous avons un contrôle et ce sur quoi nos actions n'ont aucune influence. Céline a prouvé qu'il est possible d'aller très loin pour agir sur le destin. Cette force de caractère lui a permis de renverser deux situations devant lesquelles plusieurs auraient abdiqué.

J'ai toujours cru qu'il faut profiter du moment présent, que le passé n'est plus modifiable et que l'avenir dépend souvent largement de ce que l'on fait aujourd'hui. Cette période difficile (surtout pour Céline, j'en suis tout à fait conscient) m'a permis de renforcer encore cette philosophie selon laquelle l'instant présent est souvent déterminant dans nos rêves. Après cette expérience, j'ai toujours voulu être aussi près que possible des miens, pour les aider et les appuyer. C'est en adoptant cette philosophie que j'ai abordé les années qui ont suivi.

Professionnellement, j'ai continué à donner des conférences aux entreprises. Et Céline s'occupait de tous les contacts et de toutes les négociations. Il y avait quelques années que je n'avais pas présenté de spectacles au grand public. D'ailleurs, Maman ne se sentait plus suffisamment d'énergie ni peut-être d'intérêt pour organiser de tels événements. Toutefois, un peu partout, des gens me demandaient quand je reviendrais sur une grande scène.

Après en avoir discuté avec Maman, nous avons décidé de tenter de nouveau l'expérience, mais en engageant cette fois une firme de relations publiques pour s'occuper de toute l'organisation du spectacle. En 1989, il a été convenu de faire un retour à la Place des Arts et la firme s'est occupée de toute la gestion. J'avais préparé une nouvelle conférence dont le titre était « Fais-toi confiance ! » et j'avais déployé beaucoup d'efforts pour la rendre aussi intéressante et pertinente que possible. Cependant, la firme qui s'occupait de la gestion a dépensé beaucoup d'argent pour la production et la promotion. Peut-être un peu trop en fait, car au terme de quelques représentations, il n'y a pas eu de revenus. Les recettes et les dépenses se sont pratiquement équilibrées. Bien sûr j'ai, cette fois encore, adoré l'expérience. Mais devant la somme colossale de travail que cela représentait, nous avons convenu, Maman et moi, que c'était la dernière fois que nous nous lancions dans cette aventure. J'avais alors presque 60 ans, j'étais en pleine forme, mais je n'étais quand même plus une jeunesse. J'avais surtout, je pense, d'autres défis, notamment avec les enfants, qui m'intéressaient davantage et dans lesquels j'avais déjà commencé à m'impliquer.

Nous résidions encore à Fassett et je continuais d'avoir des visées importantes pour l'élevage des lapins. Au plus fort de la production, nous devions bien en avoir deux mille, ce qui représentait beaucoup de travail que Jean-François assumait avec son conjoint Sylvain. Je m'occupais, pour ma part, de la vente, de la livraison et, bien entendu, de la comptabilité. Nous avions des clients un peu partout, notamment plusieurs hôtels des Laurentides. Pour moi, cet élevage avait des possibilités énormes. La demande pouvait facilement devenir internationale. Comme nous n'étions pas trop loin de l'aéroport de Mirabel, je m'étais même renseigné sur les questions de transport, sur les coûts et les permis nécessaires. J'avais aussi commencé à prendre des renseignements en Europe et aux États-Unis pour évaluer s'il y avait une demande pour ce genre de produit et analyser les marchés. Je voyais grand.

Pour Jean-François, cette vision n'existait pas vraiment. Il souhaitait une petite ferme qui lui permettrait de s'amuser, d'avoir du bon temps et, si possible, de gagner suffisamment d'argent pour vivre. Pendant une bonne période, Sylvain l'appuyait dans tout ce travail. Il avait quitté l'enseignement pour un an et pouvait ainsi aider à faire fonctionner la ferme.

Parallèlement, à cause des conférences et du travail de planification que cela nécessitait, Céline faisait beaucoup d'allers-retours entre notre maison de Fassett et notre condominium de Montréal. La plupart des intervenants se trouvaient dans la métropole, ce qui exigeait d'elle de nombreux déplacements. Or, Maman est très déterminée quand elle prend une décision. Un jour, elle a décidé que c'en était assez, que la coupe débordait. Que d'être obligée de faire tous ces déplacements à cause d'une maison et d'une ferme avec lesquelles, au fond, elle n'avait pas tant d'attaches, en plus de payer des comptes de téléphone faramineux pour rien, que toutes ces niaiseries, ça ne l'intéressait plus. Elle a fait une terrible colère au terme de laquelle elle m'a dit : « Tu fais ce que tu veux, mais moi je vais vivre à Montréal. Si tu veux rester ici et t'occuper de tes lapins, tant mieux pour toi, mais moi je retourne en ville. »

Après avoir quitté Fassett, nous nous étions acheté un condominium au Sanctuaire du Mont-Royal. Je suis ici dans mon bureau en train de discuter avec ma fille Isabelle.

J'adorais cet endroit, la beauté de la région, la tranquillité de la rivière. J'aimais aussi énormément la ferme et les lapins. Mais il était hors de question que je laisse Maman repartir à Montréal et que je reste à Fassett. J'aimais la campagne, certes, mais j'adorais Céline. C'était aussi simple que ça. Le déménagement a eu lieu à la fin de 1989. Ensuite, pendant plusieurs mois, j'ai fait la navette entre Montréal et la ferme. Je continuais, dans la limite de mes disponibilités, à m'occuper des lapins. Mais c'est assez rapidement devenu trop lourd, surtout avec tous les déplacements que je devais faire pour les conférences. J'ai donc été voir Jean-François pour lui dire que je lui confiais désormais la direction de toute la ferme.

Jean-François et Sylvain s'étaient fait construire une très belle maison, près de l'église à Fassett. Pendant un bon moment, Jean-François a géré la ferme avec l'aide de Sylvain. Mais ça ne leur permettait pas de vivre. La ferme ne rapportait pas encore suffisamment d'argent pour avoir un salaire convenable. Sylvain est donc retourné à l'enseignement. Il a déniché un poste dans une école près de leur résidence. Se retrouvant désormais avec toutes les responsabilités, dont celles de la vente, de la livraison et de la comptabilité, en plus de toutes celles liées à l'élevage en tant que tel, Jean-François a rapidement été débordé. Il n'avait rien demandé de tel. De la façon dont je vois les choses aujourd'hui, je crois qu'il souhaitait, comme je l'ai dit plus haut, une fermette où il pourrait travailler, mais qui lui laisserait du temps pour vivre. Ce que je n'avais pas vu à l'époque et ce que je ne comprenais pas. Quel fin psychologue je fais.

En février 1992, il est venu nous trouver, Céline et moi, pour parler de la situation.

— Je ne veux plus m'occuper de la ferme, nous a-t-il dit.

Je n'avais pas vu venir le coup, peut-être parce que je vivais dans mon monde et que j'avais des œillères, de sorte que je n'ai pas su comment réagir.

— Que veux-tu faire de la ferme ? a-t-il poursuivi.

— Qu'est-ce que tu veux que je te dise ? Je ne peux pas m'en occuper. J'ai les conférences et tout le reste. Je ne peux pas retourner à Fassett, ai-je répondu.

— Alors, qu'est-ce que tu veux qu'on fasse de la ferme ? a-t-il repris.

— On ne peut rien faire... Arrête tout ça, ai-je lancé, dépité et un peu en colère.

Cela a été une décision très difficile. J'aimais bien cette ferme et tous ces lapins. Mais pour moi, ça demeurait une entreprise, un projet dans lequel je m'étais investi, mais ça ne demeurait qu'un projet. Je pense maintenant que cette décision a été énormément plus dure à accepter et à mettre en application pour Jean-François. Je peux évidemment me tromper, mais j'ai l'impression que pour lui, je venais d'abandonner quelque chose qui constituait notre rêve commun. En fait, je l'avais abandonné bien avant, quand je lui avais laissé les rênes de la ferme et que j'étais retourné à Montréal. Or, il n'avait jamais voulu la diriger.

Et il y a une autre raison pour laquelle il a dû trouver tout ce processus bien plus ardu que moi. C'est lui qui a été obligé de liquider l'élevage. C'est lui qui a dû s'occuper de faire tuer tous les animaux. Et c'est également lui qui a été directement impliqué dans toutes les décisions à prendre pour mettre fin au projet. Je crois qu'il a alors été blessé. Peut-être est-ce de la projection de ma part, mais si j'avais été à sa place, je crois que j'aurais été blessé. Profondément.

Ce n'est jamais simple de mettre un terme à une compagnie. Il fallait aussi fermer tous les livres comptables. Ce que je lui avais dit, tout en promettant de m'en occuper. Il nous a plus tard apporté plusieurs caisses contenant tous les documents des derniers mois. Nous nous sommes alors rendu compte, Maman et moi, que rien n'avait été fait à ce chapitre depuis un bon moment. Il y avait plusieurs comptes et des lettres dont les enveloppes n'avaient même pas été ouvertes. Remettre de l'ordre dans tout ça a pris pas mal de temps et d'énergie, mais tout a été fait. Au même moment, Jean-François m'a demandé ce qu'il devait faire du camion et de l'équipement restant. Je lui ai alors suggéré de mettre une annonce pour les vendre. Il m'a répondu qu'il ne souhaitait pas avoir d'appels téléphoniques à ce sujet et qu'il mettrait une annonce disant aux gens de m'appeler à notre maison de Fassett. Ce fut presque notre dernière discussion. Il y a ensuite eu un froid énorme entre nous.

Je pense que je comprenais un peu ce qu'il vivait, mais j'ignorais quoi faire. J'en avais parlé à notre psychologue, Hubert Van Gijseghen, qui m'avait suggéré de le rencontrer pour percer l'abcès. Ce que j'ai fait. La réunion a eu lieu à la ferme. Je ne savais pas trop comment dénouer cette crise.

— Qu'est-ce qui ne va pas, Jean-François ? lui ai-je demandé. Tu ne nous parles plus. Qu'est-ce que nous t'avons fait, ta mère et moi ?

Il a pris quelques secondes pour réfléchir et a répliqué :
— Oublie-moi !

Il s'est levé et est sorti. C'est comme ça que nous nous sommes laissés. Le tout n'a pas pris plus de deux minutes. Je suis revenu à Montréal la mort dans l'âme. Pour moi, la famille a toujours été une priorité. C'est vrai que j'avais beaucoup travaillé et que j'avais été absent pendant de longues périodes. Mais tout ça ne changeait rien dans mon esprit à la priorité et à l'amour inconditionnel que j'avais toujours accordés à la famille. Je me rendais compte, douloureusement, que mes enfants avaient leur vie et leurs priorités, et qu'elles pouvaient être différentes des miennes. Une découverte difficile quand on a plus de 60 ans. Sur la route du retour, j'ai pris conscience que dans une famille, même tissée aussi serré que la nôtre, il arrive qu'on échappe une maille. Je me suis rendu compte que je n'étais pas le seul à tricoter cette famille, que d'autres y participaient aussi et qu'ils avaient leur mot à dire sur le motif général de cette vaste tapisserie qu'est la vie. Jean-François, qui a beaucoup de personnalité, venait de me l'enseigner à la dure. Le choc était presque insupportable.

Ce différend entre nous allait faire en sorte que Jean-François se tienne éloigné pendant dix ans. Une éternité.

Comment cela s'est-il finalement réglé ? D'une façon aussi étrange que rapide. Peu après cet épisode, Jean-François a travaillé pour sa sœur Geneviève, qui, comme nous le verrons plus loin, était très impliquée dans la clinique de son mari, Daniel. Pendant deux ans, il s'est occupé de la maison et des enfants. Geneviève vivait à Sainte-Rose et Jean-François faisait, soir et matin, le trajet entre Fassett et Laval. Bref, même après son départ, il est resté en contact étroit avec Geneviève et avait probablement des nouvelles de nous par son entremise. De notre côté, en tout cas, c'est par Geneviève que nous apprenions ce qui lui arrivait. Toujours est-il que, près de dix ans après notre discussion à la ferme, à l'automne 2002, Céline a donné un coup de fil à Geneviève. Ma fille lui a dit qu'elle ne pouvait pas lui parler longtemps car elle allait se faire coiffer chez Jean-François qui avait ouvert un salon à Montebello. Suivant son instinct, Maman lui a demandé de l'attendre, qu'elle voulait aussi y aller. Je n'ai eu ces informations qu'après, puisque je n'étais pas à la maison à ce moment. Quoi qu'il en soit, Geneviève et Céline se sont mises en route. En arrivant près de Fassett, alors qu'elles étaient presque arrivées, Céline a soudainement eu un doute.

— Laisse-moi ici, a-t-elle demandé à Geneviève. Je n'ai pas le droit d'aller le voir comme ça sans l'avoir averti avant. Il ne veut probablement pas me voir.

— Te laisser ici, sur le bord de la route ? a questionné Geneviève, incrédule.

— Oui. Je rentrerai par mes propres moyens.

— Il n'en est pas question, tu viens. Au pire, tu attendras que mon rendez-vous soit terminé et je te ramènerai.

Les deux femmes se sont donc rendues à Montebello. Pendant le reste du trajet, Geneviève a tenté de convaincre sa mère d'aller jusqu'au bout et de rencontrer Jean-François. Mais elle était alors trop inquiète de la réaction de Jean-François pour aller jusqu'au bout de son coup de tête. Geneviève a garé la voiture et Céline s'est préparée à l'attendre. Quelques petites minutes après le départ de Geneviève, on a frappé à la vitre de la voiture. Céline s'est retournée, c'était Jean-François. Il a ouvert la portière et lui a lancé : « Maudite folle ! » avec un grand sourire. Céline est sortie et ils sont tombés dans les bras l'un de l'autre. Un câlin pour combler dix ans d'absence. Soudain, ils se retrouvaient comme s'il n'y avait jamais rien eu et que la maille échappée reprenait sa place.

À partir de ce moment, Maman a commencé à aller au salon pour se faire coiffer et surtout revoir son fils. Je l'ai ensuite accompagnée régulièrement. Mais, malgré mes tentatives de rapprochements, il restait énormément de non-dit. Jamais nous n'avons reparlé des événements survenus dix ans plus tôt. Jamais nous ne nous sommes franchement expliqués. Et j'ai toujours respecté ce désir de mon fils.

Tout doucement, au fil des mois et des années, nos relations n'ont jamais cessé de s'améliorer. Je crois que l'adoption, par Jean-François et Sylvain, de la petite Jeanne au mois d'août 2005 a aussi servi d'accélérateur à ce rapprochement. Nous allons aujourd'hui régulièrement voir Jean-François et nos petits-enfants (Camille est arrivée en 2006). Je suis tellement heureux que les choses se soient replacées et que la famille soit unie de nouveau que j'accepte avec sérénité et bonheur tous les moments qui me sont donnés. L'aventure de la ferme était enfin terminée.

* * *

Parallèlement à cette histoire de ferme, c'est en 1987 que Patrick a décidé de vendre le Club Aventure qui fonctionnait alors très bien et qui avait une excellente réputation. Il en a d'ailleurs tiré un profit intéressant qui lui a permis de s'acheter un terrain dans la région de Léry, près de Châteauguay, pour y bâtir la maison familiale.

La vente de son entreprise a eu des répercussions sur son frère Pierre-Yves qui se retrouvait, par conséquent, sans emploi. Mais il avait plusieurs projets. Il résidait alors avec sa famille dans la région de Châteauguay où il a décidé d'ouvrir une charcuterie. Il n'était pas un spécialiste dans ce domaine, mais il avait quand même certaines notions. J'avais décidé de l'appuyer dans son projet et j'avais largement contribué au financement de son magasin. J'aimais d'ailleurs beaucoup cette idée, puisque la charcuterie représentait le commerce de détail. Le vrai. En plus, c'était tout à fait dans le profil de tempérament de Pierre-Yves. Il est rieur, il a le sens de la répartie et a beaucoup d'entregent, des atouts pour quelqu'un qui est en contact direct avec le client. Dans son magasin, Pierre-Yves proposait des fromages, de la charcuterie et d'autres produits fins et parfois exotiques. Mais malgré ses efforts, ça ne débloquait pas. Les ventes et la clientèle n'étaient pas au rendez-vous. Cela lui a permis néanmoins de rencontrer un fournisseur français, importateur de fromages au lait cru, qui lui en a appris beaucoup sur les différentes saveurs et qualités recherchées et qui l'a initié aux rudiments de la fabrication. Bref, Pierre-Yves était de plus en plus intéressé par les fromages, les vrais, ceux faits à partir de lait non pasteurisé. D'ailleurs, comparativement à la charcuterie, il considérait que les fromages étaient des produits plus purs et beaucoup plus authentiques.

Il a donc décidé de fermer sa boutique qui n'était pas rentable pour se lancer dans l'importation de fromages au lait cru produits en France. Il a aménagé son garage en entrepôt et a fait venir sa première commande. La fromagerie Chaput était née. Encore là, j'étais non seulement son principal bailleur de fonds, mais aussi, comme je l'avais fait pour Jean-François à la ferme, j'étais son mentor, celui qui pousse à se dépasser et à voir encore plus grand.

Pierre-Yves consacrait beaucoup de temps et d'énergie à sa nouvelle entreprise. Au début, il partait avec sa voiture, une glacière pleine de ses fromages à bord, pour aller voir d'éventuels clients. C'est comme ça qu'il a rencontré son premier acheteur, le chef du restaurant L'Express, rue Saint-Denis, à Montréal, pour lui proposer ses produits. Celui-ci avait été surpris de voir autant de fromages de qualité qu'il était difficile de se procurer au Québec à cette époque. Il lui a acheté tout son inventaire ou presque. Aussitôt de retour, Pierre-Yves a passé une autre commande et a, entre-temps, aménagé son garage plus adéquatement afin que le fromage puisse vieillir dans les meilleures conditions possibles. Les fromages Chaput ont commencé à se tailler une réputation enviable auprès de plusieurs restaurants et chefs cuisiniers. Si bien qu'un jour, il a reçu une commande spéciale d'Ottawa. Le chef cuisinier de l'endroit lui dit qu'il devait préparer une réception pour plusieurs dignitaires (il s'agissait en fait d'une réunion des premiers ministres au lac Meech) et qu'il voulait que Pierre-Yves lui livre ses meilleures importations. Ce qu'il a évidemment fait.

La fromagerie semblait donc bien sur ses rails jusqu'à ce que la Gendarmerie royale, la journée même où il avait livré cette commande pour la rencontre des premiers ministres, débarque chez Pierre-Yves pour saisir tous les produits. Les agents ont tout jeté dans l'entrée et ont arrosé les fromages d'eau de Javel. Comme si tout était contaminé et dangereux. Pierre-Yves était consterné. Il regardait toute sa marchandise détruite. Il perdait tout ce qu'il possédait et il y en avait pour plusieurs milliers de dollars. L'ordre de saisie présenté par les policiers était signé d'un responsable de l'Agence d'inspection des aliments et drogues du Canada.

Pierre-Yves m'a aussitôt contacté pour m'aviser de ce qui se passait. Je lui ai répondu qu'il était trop tard pour sauver ses fromages, puisqu'ils étaient déjà perdus, mais qu'il devait appeler immédiatement le fonctionnaire, pour prendre rendez-vous. La rencontre devrait avoir lieu le plus tôt possible. Il fallait, bien entendu, qu'il nous explique cette opération faite sans préavis, mais nous avions aussi l'arrivage prochain d'une nouvelle commande de fromages que nous ne voulions pas voir détruire de la même façon.

Le fonctionnaire nous a reçus le lendemain. J'avais avec moi tous les papiers exigés pour l'importation de fromage au lait cru et tous les formulaires qu'on nous avait réclamés pour faire venir et vendre ces produits. Il n'était pas question que nous nous laissions faire sans réagir. L'atmosphère dans le bureau du fonctionnaire était assez froide.

— Vous vous rendez compte que vous venez de détruire des fromages pour lesquels nous avions tous les papiers d'importation, ai-je dit.

— Mais je vois ici, dans le dossier, que ces fromages n'avaient pas été inspectés par notre agence, a-t-il répondu.

— Personne ne nous a jamais demandé cette inspection, et pourtant nous étions passés par votre agence pour obtenir les autorisations d'importation. Nous venons de perdre plusieurs milliers de dollars de fromage. Et sans aucun avertissement ou préavis. J'aimerais bien savoir pourquoi...

— Écoutez, a-t-il tenté de répondre, visiblement mal à l'aise, vous importez des fromages au lait cru et ils doivent être inspectés avant d'être mis sur le marché.

— Et pourquoi n'avez-vous pas procédé à ces inspections puisque vous saviez que nous les faisions venir et que nous avions l'autorisation pour l'importation et la vente ?

— Parce que..., commença-t-il, encore plus mal à l'aise, il n'y a pas vraiment de test encore disponible au Canada pour ce type de fromage... Probablement parce qu'il y a très peu, pour ne pas dire aucun importateur de ces fromages actuellement au pays.

— Vous n'êtes pas sérieux. Nous venons de perdre des milliers de dollars de fromage pour... rien. Je vais aller présenter le dossier à mes avocats et vous en entendrez parler, ai-je alors lancé en commençant à me lever pour quitter le bureau.

— Vous savez bien, monsieur Chaput, que vous vous embarquez dans une guerre légale à ne plus finir. Je suis désolé, mais...

— Je vais vous proposer un marché, l'ai-je coupé en reprenant ma place. Nous allons, mon fils et moi, consentir rétroactivement à la destruction des fromages. Nous sommes prêts à signer ce formulaire qui vous manque pour légaliser l'opération que vous avez faite. Toutefois, vous allez collaborer à préparer un protocole qui nous permettra, dorénavant et en toute légalité, d'importer et de vendre du fromage. Et il faut que ce soit fait tout de suite.

Et c'est ainsi qu'a été réglé le litige. Oh, ce ne fut pas simple. Le protocole a été extrêmement complexe à remplir puisqu'il n'y avait effectivement pas de tests au Canada pour garantir la qualité du fromage, même si, par ailleurs, ces tests existaient. Tout était à faire et nous nous y sommes mis.

Nous avons évidemment énormément parlé de cette histoire durant les réunions de famille. Je crois qu'elle m'a permis d'enseigner concrètement à mes proches une leçon que j'avais moi-même apprise de mes parents : dans la vie il faut foncer et continuer à défendre ce pour quoi on se bat. On ne doit pas laisser quelqu'un nous brimer dans nos projets. C'est un apprentissage souvent difficile, mais cela demeure un enseignement valable dans beaucoup de situations, pas seulement dans le monde des affaires.

Les fromages Chaput ont ainsi continué à se développer. Nous avions perdu pas mal de produits, mais les nouvelles commandes allaient nous permettre de nous replacer et de repartir avec encore plus d'atouts en main. C'est d'ailleurs ce qui est arrivé. Le garage est même devenu trop petit et Pierre-Yves a déménagé dans des locaux plus grands et mieux adaptés sur la rue Saint-Hubert, près de la rue Ontario, à Montréal. Les choses allaient bien.

En vérité, elles allaient très bien. Et le mérite en revient énormément à Pierre-Yves qui s'est beaucoup investi. En plus de la qualité et de la variété de fromages qu'il proposait, il faut aussi dire que sa facilité à entrer en contact avec ses clients l'aidait. C'est un vendeur-né. Pas étonnant que sa clientèle lui ait été fidèle. Parmi tous ceux qui achetaient chez lui, il y a eu, bien sûr, Pierre Foglia, qui a même fait un article sur les fromages Chaput. Même Mr Bean venait parfois s'y fournir. Oui, Rowan Atkinson, l'acteur bien connu, avait découvert les fromages Chaput et avait ainsi rencontré Pierre-Yves.

Et mon gars avait également ouvert de nouveaux marchés. Il était possible de se procurer des fromages Chaput au Japon ou aux États-Unis. Quelques fromageries de là-bas proposaient nos produits. On nous a d'ailleurs affirmé que Barbara Streisand, la célèbre chanteuse et actrice, achetait régulièrement les fromages Chaput. Alors oui, considérant tout cela, on peut dire que la fromagerie allait bien...

* * *

À cette époque, Geneviève était toujours à Québec avec son mari, Daniel. Comme il terminait ses études en médecine, il avait obtenu la permission de venir faire son stage à Montréal. Et Geneviève n'était certainement pas étrangère à cette demande, car je crois qu'elle voulait revenir près des siens. Geneviève est une femme forte, à l'image de Maman à qui elle ressemble beaucoup. Comme Céline, qui m'a beaucoup aidé et appuyé dans mes projets parfois un peu fous, Geneviève soutenait les efforts de son mari. Mais ne vous y trompez pas. Elle appuyait son mari, mais savait exactement ce qu'elle voulait et jusqu'où elle était prête à aller. Elle a beaucoup de caractère.

Bref, Daniel revenait à Montréal pour faire son stage dans la spécialité qu'il avait choisie. Comme c'était un manuel, il avait opté pour la chirurgie. Mais il a finalement changé d'idée. Je n'en ai jamais eu la confirmation, mais j'y ai toujours vu l'influence de Geneviève. Elle savait pertinemment que cette spécialisation impliquait une disponibilité constante, qu'un chirurgien pouvait être appelé 24 heures sur 24 sept jours par semaine. C'était peut-être demander un peu trop à Geneviève qui avait alors deux enfants. Daniel a donc plutôt opté pour la dermatologie. Depuis longtemps, certains aspects de cette discipline le fascinaient, particulièrement la recherche sur l'influence de la lumière et des lasers sur le traitement de maladies de la peau.

Il m'avait abondamment entretenu de la question lors de quelques visites à la maison. Il y avait même un de ces lasers aux États-Unis qu'il était possible de se procurer. Son enthousiasme était contagieux. Il expliquait les effets possibles du laser et les possibilités éventuelles de traitements avec une fougue et une vivacité qui nous amenaient à partager ses certitudes. Je ne comprenais peut-être pas toutes les implications, mais j'ai décidé de l'appuyer et d'acheter pour lui ce laser. Daniel était alors installé dans une clinique où il partageait des locaux avec d'autres médecins et spécialistes. Ce qui ne lui convenait pas parfaitement, à cause de l'espace restreint et de certaines autres contraintes. Mais, faute de mieux, il y restait.

Par un pur hasard, un jour où j'avais rendez-vous chez mon dentiste sur la rue Graham, j'ai vu un local à louer. À première vue, ses dimensions convenaient aux besoins de Daniel. Je lui en ai parlé et nous sommes allés, ensemble, le visiter. Daniel et Geneviève ont convenu de le louer et y sont encore aujourd'hui.

Daniel a continué ses recherches sur le laser et a amélioré largement le prototype, allant même chercher deux nouveaux brevets mondiaux (qu'il possède toujours) de la technologie du laser.

* * *

Toujours à peu près à la même époque, cette fois en 1993, Isabelle et son mari sont venus prendre quelques jours de vacances avec nous à Naples, en Floride. Isabelle était mariée depuis 1989 avec un Chilien du nom d'Alexandre Libedinsky qui était un excellent chef cuisinier. Il possédait toujours des racines profondes dans son pays d'origine où son père était, au début des années 90, président de la Cour suprême. Alexandre est, je le répète, un excellent cuisinier qui a travaillé pour quelques-uns des meilleurs restaurants montréalais.

Nous étions donc tous assis tranquillement à profiter du temps qui passe en discutant avec des amis. Parmi eux, il y avait un Libanais qui nous expliqua qu'il possédait à Montréal un restaurant dont il souhaitait se départir. Évidemment, compte tenu de la présence d'Isabelle et de son mari, nous en avons passablement parlé. Si bien qu'au retour en ville, j'ai accompagné Alexandre et ma fille pour aller visiter ledit restaurant qui se trouvait sur l'avenue rue Van Horne. Un endroit très bien et avantageusement situé. Et, comme de raison, après en avoir discuté, et en passant toujours par ma compagnie, j'ai acheté le restaurant pour ma fille et son mari. Voilà comment est né Le bouquet garni. Alexandre était enthousiaste. Certainement plus qu'Isabelle qui ne se voyait pas vraiment comme restauratrice, avec deux enfants de moins de deux ans. Mais le projet était intéressant et tout le monde y croyait.

Le restaurant *Au Bouquet Garni* de ma fille Isabelle et de son mari, le chef cuisinier Alexandre.

Nous avons organisé une ouverture officielle impressionnante à laquelle nous avions invité tous nos amis. Il y avait plein de monde et la nourriture était fantastique. Mais si Alexandre connaissait très bien la cuisine, la gestion de la salle de restaurant et le service aux tables n'étaient pas sa force. Ce qui est rapidement devenu un handicap majeur.

Chaque semaine, nous avions une petite rencontre pour faire le point sur la situation. Et quand il le fallait, j'ajoutais un peu d'argent pour répondre aux besoins financiers.

J'aimais, je soutenais et je souhaitais aider Alexandre, mais je voulais qu'il apprenne à la dure. Peut-être trop. Bref, je tenais à être encore impliqué régulièrement, pour aider ma fille et son mari afin qu'ils puissent aussi avoir leur petite entreprise comme les autres enfants. Parce que j'ai toujours cru à la force de la famille, je voulais leur donner un coup de main. J'avais d'ailleurs apporté autant d'aide que je le pouvais. Je me souviens que, pour faire la promotion du restaurant dans le quartier, nous avions fait du porte-à-porte avec des dépliants qu'on laissait dans les boîtes à lettres.

Malgré ces efforts, les choses se gâtaient. Le restaurant vivotait. J'ai réalisé que vous pouvez être un très bon exécutant sans être pour autant un bon entrepreneur.

Malgré une très belle clientèle, une bonne table et un excellent chef, les profits n'étaient pas au rendez-vous. Les fins de mois venaient très vite, si bien qu'Alexandre et Isabelle ne se sentaient pas à l'aise dans cette situation. Ils ne voulaient pas creuser davantage la dette envers nous. Ils ont donc décidé de fermer les portes. Nous avons tout réglé et c'était fini.

Je ne regrette pas ce que j'ai fait, j'y prenais même beaucoup de plaisir. Mais encore là, il faut savoir choisir ses batailles...

* * *

Au début des années 90, nous continuions à aller fréquemment en Floride à notre condo de Naples. En fait, nous nous y rendions plusieurs fois par année et nous y restions chaque fois une semaine ou dix jours. Nous revenions généralement parce que j'avais une conférence à donner. C'était un endroit très confortable et très bien situé, mais il n'était pas très grand, et comme les enfants (et les petits-enfants) venaient souvent faire leur tour, il fallait trouver une solution.

De l'autre côté de la rue, un promoteur avait entrepris des travaux pour construire des condominiums. Ça nous a plu et nous en avons acheté un au premier étage, tandis que Patrick s'en procurait un autre au troisième. C'était beaucoup plus grand, et comme nous conservions celui que nous avions déjà, il y avait désormais bien assez de place pour tout le monde.

Le second condominium que nous avions acheté à Naples en Floride était situé dans cet édifice. Il se trouvait en bas à droite, alors que Patrick avait le sien à un étage supérieur.

Patrick avait terminé la construction de sa maison de Léry et, puisque les enfants grandissaient, il leur cherchait une école qui saurait favoriser leur épanouissement. À ce moment, il lisait un livre sur une nouvelle façon de voir l'éducation et l'école. L'ouvrage faisait fureur à l'époque. Vous en avez peut-être entendu parler, il avait pour titre *Libres enfants de Summerhill*. Dans ce livre, Alexander Neill, un Écossais, expliquait ses théories originales en matière de pédagogie. Il avait créé une école fonctionnant sur les principes de liberté et de démocratie qui faisaient en sorte que chacun (élèves y compris) avait son mot à dire dans la gestion de l'établissement. Il s'agissait, si vous voulez, d'une pédagogie par projet à l'état pur. Patrick était emballé par l'idée et a décidé d'ouvrir, à Léry, le même type d'école et de reprendre ici le rêve né en Europe. Pour y arriver, il devait trouver une terre et y bâtir les locaux qui serviraient de salles de classe. Un investissement important auquel il m'a demandé de participer. J'ai embarqué à fond. Encore une nouvelle aventure où j'avais la chance de guider et d'appuyer un de mes enfants.

Il a donc entrepris les démarches pour obtenir un permis du ministère de l'Éducation et, avec l'appui de quelques dizaines de parents, il a procédé à l'embauche de professeurs. Dans son école, où il y avait aussi des animaux comme des poules, des lapins et même des chevreuils, et qui accueillait une trentaine de jeunes du primaire, tout fonctionnait suivant les règles appliquées à Summerhill.

L'expérience allait très bien. Nous avions même réussi à obtenir l'agrément du ministère, qui reconnaissait, en quelque sorte, la programmation de l'école et qui accordait, pour chaque élève inscrit, un soutien financier. C'est ce qui a permis à Patrick de diminuer les cotisations exigées des parents. Patrick, je crois, est davantage un visionnaire. Il était même, dans le domaine de la pédagogie, très en avance sur son époque. Toutefois, il n'était pas un administrateur. Tout son argent était investi en vue de la réussite pédagogique de son projet. Et je dois dire qu'il y parvenait assez bien. Les résultats qu'il a obtenus avec certains jeunes en difficulté étaient proprement exceptionnels. À tel point que des commissions scolaires du coin lui envoyaient ceux ou celles de leurs élèves qu'elles ne parvenaient plus à encadrer. Pas seulement les commissions scolaires d'ailleurs, puisque même l'hôpital Sainte-Justine lui a aussi confié des cas difficiles. Les jeunes, dont les opinions étaient ici considérées, réagissaient merveilleusement et parvenaient à s'intégrer et à se développer.

Deux ans après l'ouverture de l'école, des parents sont venus rencontrer Patrick pour lui demander d'accepter leurs enfants plus âgés qui devaient entrer au secondaire. Il a accepté. Il y a eu tout d'abord deux enfants de ce niveau, mais le groupe est rapidement passé à dix, puis à douze.

Cependant, le ministère de l'Éducation suivait le tout de près. De très près. Les fonctionnaires talonnaient continuellement Patrick, lui imposant de plus en plus de contraintes. L'arrivée d'adolescents du secondaire changeait, semble-t-il, la donne. D'autant plus que, pour répondre aux attentes des jeunes et favoriser leur développement, Patrick avait décidé de bâtir un pensionnat qui accueillerait certains d'entre eux qui avaient des problèmes plus sérieux. Patrick a toujours été doté d'un sens de la débrouillardise extraordinaire. Pour ces nouveaux bâtiments par exemple, il avait déniché, allez savoir comment, une compagnie roumaine qui fabriquait des maisons préfabriquées à prix intéressant. Il en avait acheté quelques-unes et avait même fait venir des spécialistes de Roumanie pour qu'ils enseignent comment assembler ces maisons. La construction, à laquelle prenaient part les jeunes, devenait donc aussi une expérience pédagogique, un projet en soi.

Mais les fonctionnaires du ministère ne l'entendaient pas de cette façon. Patrick n'avait pas de permis pour exploiter une école secondaire et on l'a sommé de fermer cette section de son école. Mon fils a donc contacté lesdits fonctionnaires pour faire changer leur ordonnance et leur a expliqué ce qu'impliquait leur décision.

— Il doit y avoir une solution, a-t-il plaidé.

— Vous n'avez pas de permis pour une école secondaire. Il faut la fermer.

— Mais qu'est-ce que je fais avec ces jeunes ? Je ne peux pas les abandonner ! Je ne peux pas les mettre à la porte !

— Si les jeunes sont encore là lundi, nous révoquons votre permis et c'est toute l'école qui sera fermée.

Ils étaient intraitables. Mais Patrick était également entêté. Si bien qu'il n'a renvoyé aucun de ces jeunes auxquels il s'était évidemment attaché. Quand l'inspecteur est passé le lundi et qu'il a constaté que les exigences n'avaient pas été respectées, il a tout simplement retourné tous les jeunes chez eux et a fermé l'école. Définitivement.

Aucun des efforts que nous avons ensuite déployés pour faire renverser cette décision n'a obtenu de résultat. Le rêve de Patrick était terminé. Et, du même coup, lui et moi avions perdu tout l'argent que nous y avions investi. La fermeture de cette école m'a toujours semblé être une aberration. Je comprends parfaitement qu'il faut des règles pour éviter des abus

Il me reste malheureusement peu de souvenirs de l'école « La clé des champs » lancée par Patrick, si ce n'est cette photo utilisée pour le dépliant promotionnel.

ou empêcher l'ouverture d'écoles tenues par des charlatans. Mais les succès que Patrick avait obtenus auprès des jeunes étaient généralement à la fois fascinants et extraordinaires. Plusieurs de ces jeunes lui ont dit par la suite qu'ils n'auraient jamais réussi dans la vie s'ils n'avaient pu vivre cette expérience, que c'est cela qui les avait remis sur la bonne voie. Des témoignages émouvants et véridiques qui prouvaient la valeur des principes mis de l'avant. Mais la bureaucratie a parfois des œillères qui l'empêchent de voir au-delà de la stricte réglementation. (J'ai l'impression que nous vivons dans une société de droit, et parfois même carrément de droite.) Si, pour nous, la fermeture de l'école était quelque chose de grave, pour quelques-uns des jeunes qui y étaient inscrits, c'était dramatique. Mais définitivement, l'aventure, qui avait duré près de 5 ans, était terminée...

Patrick est ressorti du projet d'école avec très peu de ressources financières et pas d'emploi. Mais son moral n'était pas à plat. Il était prêt à relever un autre défi. Ce défi s'est présenté avec le Club Aventure. Il avait vendu l'agence quelques années auparavant et elle n'avait pas prospéré comme on aurait été en droit de s'y attendre. Il a donc décidé de la racheter et d'aller encore plus loin. Et, j'ai encore appuyé financièrement cette transaction. Il voulait restructurer complètement le fonctionnement du Club qui avait alors des franchisés dans quelques villes. Il a donc repris les rênes de l'entreprise et a décidé d'ouvrir de nouveaux bureaux à Montréal. Des bureaux relevant directement du Club. Mais le franchisé de la région de Montréal n'a pas vu les choses de cette façon. Il considérait que Patrick lui faisait une concurrence déloyale qui était interdite par le contrat de franchise. Il a décidé de le poursuivre en justice. Un procès long et coûteux s'est engagé. Au bout de quelques années de procédures, Patrick a été condamné à le dédommager pour un montant substantiel, ce qui a provoqué la faillite du Club Aventure. Ce franchisé a alors racheté le nom et a poursuivi les activités de l'agence. Ainsi, non seulement le Club Aventure Voyages, tel que bâti par Patrick, n'existait plus, mais, du même coup, Patrick et moi avions perdu (encore) tous nos investissements. Il ne lui restait plus rien.

En réalité, il lui restait quelque chose, puisqu'il avait encore cette ténacité, cette volonté de recommencer et de rêver. De plus, il avait toujours sa maison à Léry et il avait commencé à s'impliquer dans la fromagerie. En effet, dans les derniers temps du procès, Pierre-Yves, qui venait souvent l'encourager, lui avait proposé de travailler avec lui au développement de la fromagerie Chaput. Les deux frères avaient alors entrepris de collaborer ensemble. Ils avaient, avec mon accord, évidemment, puisque j'étais le principal bailleur de fonds, décidé de construire une fromagerie à Châteauguay où ils feraient leur propre fromage. Nous avions alors conclu une entente selon laquelle chacun de nous avaient un tiers des actions de contrôle de la compagnie. Tous les trois, nous avons fait en sorte de réorienter l'entreprise.

Mais faire du fromage n'est pas simple. Les débuts de cette opération ont été difficiles et laborieux. Nous nous rencontrions souvent pour discuter des états financiers et des stratégies à adopter. Après un semestre, les choses n'allaient pas bien. En fait, la situation était pire qu'au début. Un matin que nous étions réunis à la maison, Patrick, Pierre-Yves, Céline et moi, pour examiner les avenues qui s'ouvraient, le ton a monté entre les deux frères. C'était plus qu'une petite chicane d'actionnaires. J'avais beau tenter de les calmer, rien n'y faisait. Au bout d'un moment, Pierre-Yves s'est levé, a embrassé sa mère et est sorti de la maison.

Sur le moment, je n'en ai pas fait trop de cas. Je n'aimais pas ce qui arrivait, mais j'étais absolument convaincu que Pierre-Yves ne nous laisserait pas et que nous pourrions très bientôt reprendre les discussions. Dans toute entreprise, il est normal qu'il y ait des passages plus difficiles. Cela fait partie du développement et de l'essor. Mais cette fois, je me trompais.

Le lendemain matin, j'ai reçu un appel de la banque concernant la marge de crédit que nous y avions. L'agent de l'institution m'apprenait que Pierre-Yves, un des signataires du compte, les avait avisés qu'il ne se portait plus garant de notre marge de crédit et la banque exigeait que j'augmente ma propre contribution.

J'ai évidemment téléphoné à Pierre-Yves pour savoir ce qui se passait mais malgré tous mes arguments, sa décision était prise et était irrévocable. Nous avons rapidement compris que cette décision était en fait réfléchie depuis un bon moment, car dans les mois qui ont suivi nous avons appris que Pierre-Yves ouvrait une autre fromagerie à moins d'un kilomètre de l'endroit où nous étions. Une fromagerie moderne et automatisée. Il voulait peut-être démarrer son affaire seul cette fois, avec ses propres moyens et ressources, sans avoir son père derrière son épaule. Peut-être voulait-il nous faire comprendre à Patrick, à Céline et à moi qu'il pouvait parfaitement diriger une telle entreprise seul et avec succès. Ce dont je n'avais, bien entendu, jamais douté. Peut-être était-il motivé par d'autres raisons encore, je ne l'ai jamais vraiment su.

Au début d'ailleurs, je croyais que la querelle affectait surtout les relations entre Patrick et Pierre-Yves. Mais rapidement, nous avons dû réaliser que nous étions, Maman et moi, directement impliqués. Pierre-Yves ne souhaitait plus avoir de relations avec nous non plus. Une coupure qui a aussi duré plusieurs années. Mais, après ce que nous avions vécu avec Jean-François (et que nous vivions encore à ce moment), ça a peut-être été un peu moins dur. Quoique je ne sois absolument pas certain de ce que je dis. Comment établir la gradation de la peine de se voir séparé de ses enfants ? Moi, en tout cas, je n'y arrive pas. J'ai tenté de rencontrer Pierre-Yves pour discuter de ce qui nous arrivait. Nous nous sommes vus au parc Pratt, à Outremont, près de notre appartement du Sanctuaire. J'étais aussi nerveux que lorsque j'avais fait une tentative semblable auprès de Jean-François. Et notre discussion, si elle a été moins brève, n'a pas été plus facile à accepter. Il ne voulait vraiment plus nous parler. Ni à moi ni à Patrick. Il prétendait qu'on avait voulu l'exclure du groupe, que je laissais toute la place à son frère, même s'il y travaillait depuis plus longtemps, même si c'était lui qui avait posé les premières pierres de la compagnie. Il était le fondateur et, en ce sens, il avait raison. Mais je peux vous assurer que jamais Maman ou moi n'avions voulu l'évincer. Au contraire, à mon sens, les deux frères formaient une équipe du tonnerre.

Encore une fois, cela m'a donné un coup terrible. Peut-être étais-je trop envahissant dans les affaires et les projets de mes enfants ? Quand doit-on les laisser voler de leurs propres ailes ? Quand doit-on lâcher la bride ? Comment sait-on où se situe la frontière entre les accompagner et prendre leur place ? C'est tout ce débat intérieur qui m'agitait en revenant à la maison. Je me suis alors rendu compte que j'avais énormément de difficulté à les laisser aller. À les laisser vivre leur vie. C'est ce que je comprenais des gestes et des décisions de Pierre-Yves et de Jean-François. Mais pourtant, je ne croyais pas les influencer indûment ou entraver leur vie. Je ne croyais pas non plus avoir de préférence pour l'un ou l'autre. Je voulais juste aider ceux ou celles qui en avaient ponctuellement le plus besoin. Et, à cette époque, c'était Patrick, en tout cas selon Céline et moi, qui avait le plus besoin d'appuis. Mais je n'ai jamais voulu le faire au détriment d'un autre, même si je peux concevoir que cela pouvait donner cette impression. Le froid, là aussi, a duré pendant plusieurs années.

Des problèmes d'approvisionnement, en lait principalement, ont empêché Pierre-Yves de relever pleinement son défi. Il a dû fermer les portes après quelques années d'exploitation. Mais, au fil du temps, il avait été chercher des partenaires d'affaires à qui il avait vendu des actions de l'entreprise. Si bien qu'au moment de la dissolution, il était actionnaire minoritaire, et il avait surtout acquis une expertise colossale de plusieurs éléments de la fabrication du fromage et des machines à utiliser. Il a donc été recruté très rapidement par une compagnie de Rimouski qui se spécialisait dans l'importation de machines pour produire du fromage. Il y a très bien réussi. Il est aujourd'hui consultant pour de grandes fromageries québécoises. Lui aussi a donc relié certains points de sa vie. Depuis son travail dans une ferme où il apprend qu'il aime cette vie, en passant par la charcuterie où il découvre le commerce, puis l'importation de fromages français où il se familiarise avec les différences de saveurs, et enfin la fromagerie où il complète son apprentissage,

Pierre-Yves a su réunir tous ces points pour développer une nouvelle carrière. Voilà qui est extraordinaire.

La brisure avec Pierre-Yves était cependant réelle. Mais elle n'a certainement pas empêché Maman de tenter de réparer les pots cassés. Elle lui téléphonait très régulièrement même s'il ne répondait jamais. Et puis, un samedi matin, en 2007, alors que Céline faisait une nouvelle tentative pour lui parler, il a enfin décroché. Il lui a dit : « Il y a des choses que je comprends maintenant. Comme on ne peut pas se changer ou changer les autres, et surtout comme la vie est si courte, j'ai décidé qu'on s'aimerait comme on est... » En une phrase tout était dit et la page était tournée, et une autre « maille » du tricot de la famille reprenait sa place.

* * *

Le départ de Pierre-Yves a eu une autre conséquence sur la fromagerie Chaput. Nous avions déjà peu de ressources humaines, et le fait qu'il s'en aille n'allait pas améliorer les choses.

Quoi qu'il en soit, les fromages que nous produisions ne trouvaient pas facilement preneurs et, pour être totalement honnête, n'étaient pas aussi bons que nous le voulions. Pourtant, Patrick travaillait avec acharnement à trouver la recette idéale. Je passais autant de temps qu'il m'était possible de le faire à la fromagerie, tentant de lui donner un coup de main et faisant les tâches que je pouvais accomplir. Mais nos efforts ne donnaient pas les résultats escomptés. Je continuais à injecter de l'agent dans l'entreprise pour lui permettre de passer au travers. J'investissais pas mal d'argent, dois-je avouer. Un jour que nous discutions, Céline a lancé, avec sa simplicité coutumière : « Quand tu veux vendre un bon fromage, il te faut une recette pour produire du BON fromage avant tout. » Une vérité de La Palice, me direz-vous. Mais quelle constatation réaliste !

Patrick a alors changé d'approche. Nous avions trois employés à la fromagerie, dont un qui préparait les fameuses recettes. Il les a congédiés et a commencé à apprendre lui-même les façons de faire du bon fromage. Il s'est procuré quelques ouvrages spécialisés et s'est lancé. Il travaillait 14 ou 15 heures par jour, 17 jours par semaine. Ses enfants, du moins les plus vieux, venaient lui donner régulièrement un coup de main. J'ai aussi mis la main à la pâte, si vous me permettez l'expression. Ça a été une période très difficile. Humainement et financièrement. Une période qui nous a valu beaucoup de discussions, à Céline et à moi. Pour savoir jusqu'où nous irions.

▲
Patrick travaillant à la fromagerie Chaput.

La qualité des fromages s'améliorait sans cesse, mais pas assez rapidement et les ventes n'étaient pas au rendez-vous. Nous avions de grosses pertes. Patrick avait un grossiste qui se chargeait de distribuer nos produits aux épiceries et aux restaurants. Pour vous donner un exemple, si les ventes étaient bonnes une semaine, nous devions souvent ensuite créditer des retours importants puisque nos produits étaient en consignation.

Généralement, les ventes ne correspondaient même pas à nos coûts de production. Comme il s'agissait malgré tout du seul revenu de Patrick pour faire vivre sa famille et entretenir sa maison, je continuais à fournir de l'argent et tout mon enthousiasme pour soutenir la fromagerie. Patrick retardait les paiements à ses fournisseurs et même certains comptes personnels pour joindre, tant bien que mal, les deux bouts. Plutôt mal que bien, d'ailleurs.

Pendant plusieurs années, Céline et moi avons mis nos efforts, nos conseils, notre temps et nos économies dans la fromagerie. Entre 1998 et 2002, nous avons investi de grosses sommes dans cette entreprise. Vous comprendrez que nos économies diminuaient très rapidement. Mais je ne réalisais pas que je prenais des risques. Pour moi, il s'agissait simplement d'aider un des enfants. C'est tout ce qui comptait.

En fait, à partir de 2000, juste pour soutenir la fromagerie, nous avons dû puiser dans nos fonds de pension et nous avons dû vendre un de nos condos à Naples, en Floride. Celui qui était le plus récent. Patrick avait vendu le sien depuis déjà un moment.

La question de savoir pourquoi nous ne fermions pas tout simplement cette fromagerie s'est posée souvent et régulièrement avec beaucoup d'insistance. Pourquoi ne pas faire faillite ? Nous avons eu des discussions longues et difficiles, Maman et moi. Parce qu'au seul chapitre des affaires, c'était un très mauvais investissement. Je n'entrerai pas dans les détails, ce serait très ennuyeux et trop compliqué. Disons seulement que tout l'argent que je mettais dans la fromagerie provenait de ma compagnie. C'était, sur papier du moins, considéré comme un investissement. Sur papier encore, c'était presque rentable. J'étais presque riche. Bon… pas vraiment, mais c'était moins grave que dans la réalité. Parce que de ce côté, nous n'avions plus un sou. Tout ce que je gagnais grâce à mes conférences et à mes sessions était immédiatement absorbé par la fromagerie.

J'avais même commencé à emprunter à des amis. Ainsi, un jour j'avais demandé un prêt de dix ou quinze mille dollars à l'un d'entre eux. Quelques semaines plus tard, j'avais dû retourner voir l'ami en question pour obtenir encore de l'argent. Il avait alors refusé de m'en prêter. « Écoute, m'avait-il expliqué, ça ne t'aiderait pas que je te prête encore de l'argent. T'es en train de perdre ta chemise dans cette histoire, avait-il poursuivi. Réveille-toi, Jean-Marc ! »

Et il avait entièrement raison. Ce que nous faisions dénotait un manque total de connaissances en administration et en gestion. Or, ce n'aurait pas dû être mon cas. Avec mon diplôme de l'École des hautes études commerciales, j'aurais dû arrêter cette folie bien avant. En fait, je n'aurais même pas dû m'y engager. Alors la question se posait vraiment : « Pourquoi continuer à investir et à soutenir une compagnie qui perd de l'argent continuellement, et ce, depuis des années ? »

Tout ça peut ressembler à du déni. C'était en effet illogique, mais j'étais si profondément convaincu et certain de la réussite que je ne remettais pas en question notre implication. Il est à la fois facile et difficile d'expliquer ce que certains pourraient considérer comme de l'entêtement. Difficile parce qu'effectivement, ne pas mettre la fromagerie en faillite était une décision de « toto ». Cela aurait été la position logique et cohérente. Mais je ne voyais pas les choses sous cette perspective. Et fort heureusement, Maman avait la même vision que moi. Pour moi, je le répète une fois encore, la famille est essentielle. Elle l'avait toujours été et le sera toujours. Mes quatre autres enfants allaient bien. Ils se débrouillaient chacun dans leur domaine et avec succès. Or, ce n'était pas le cas pour Patrick. Il fallait que nous lui donnions un coup de main. J'aurais fait la même chose pour chacun de mes enfants. Mais à cette période, c'était lui qui en avait besoin. Il était arrivé au bout de ses ressources financières. On menaçait même de saisir sa maison. Et ça, ce n'était pas négociable. J'étais moi-même passé par là et je ne l'acceptais pas plus pour lui que je ne l'avais accepté pour moi. Personne ne devrait pouvoir toucher à la maison familiale. L'endroit où on élève sa famille, l'endroit où on fait grandir nos enfants ne devrait jamais être menacé. Ça non plus, ce n'est peut-être pas très logique, mais c'est comme ça. Cette conviction concernant l'inviolabilité de la maison familiale reflète surtout l'amour d'un père pour sa famille. Or, l'amour n'est pas toujours cartésien. De toute façon, je n'ai jamais essayé de faire croire à quiconque que j'étais l'être le plus logique que la Terre ait porté. J'ajouterai aussi que Patrick avait alors huit enfants. Une belle famille certes, mais une famille qui a des besoins importants.

Il y avait encore un autre élément qui expliquait notre appui à cette fromagerie. Je me souviens qu'un après-midi, à l'été 2000 je crois, après avoir donné un grand coup à la fromagerie, Patrick et moi étions allés prendre une bière dans une brasserie qui était tout à côté. Nous étions un peu découragés. Et quand je dis « un peu », c'est une figure de style. Nous étions complètement à plat, assis tous les deux à siroter une bière.

— Pourquoi est-ce que tu continues à travailler aussi fort, Patrick ? lui avais-je demandé soudain. T'en as pas assez des fois ?

— Qu'est-ce que tu veux que je fasse ? m'avait-il répondu en me regardant droit dans les yeux. Tu as tout investi dans cette aventure et tu voudrais que je laisse tomber ? Que je TE laisse tomber ?

— Tu vas finir par te gâcher la santé dans tout ça. Est-ce que ça vaut vraiment la peine ?

Il a longuement réfléchi, comme s'il débattait pour savoir s'il fallait ou non me dire ce qu'il pensait. Puis il a commencé :

— Tu vois, papa, si jamais j'échoue avec la fromagerie, ce sera le troisième échec de suite. Après l'école, après le Club Aventure, maintenant ce serait la fromagerie ? Quelle image est-ce que je donne à mes enfants ? Comment est-ce que je vais pouvoir me regarder encore ? Comment est-ce que je vais pouvoir ensuite tenter autre chose ? Je n'ai pas le choix. Ce n'est pas du courage, c'est tout bonnement vital...

En une phrase, il avait réussi à exprimer qu'il n'y avait pas d'autre issue. Dois-je vous dire qu'en rentrant à la maison et en racontant à Maman la discussion que je venais d'avoir avec Patrick, nous nous sommes mis à pleurer. Pleurer en comprenant les difficultés auxquelles notre fils faisait face et pleurer parce qu'il ne semblait pas y avoir d'espoir. Mais il était maintenant clair que nous ne l'abandonnerions jamais. On continuerait à se retrousser les manches pour passer au travers. D'ailleurs, le lendemain de cette discussion, j'avais repris mon bâton de pèlerin et j'étais reparti à la recherche d'argent pour nous permettre de faire un autre bout de chemin.

J'ignore si tout ça a représenté un point tournant. Cependant, à partir de ce moment, le vent a semblé tourner. Lentement, les ventes se sont améliorées. Les profits sont apparus. Petits, mais réels. Heureusement, parce que j'avais de moins en moins d'argent. Tout ce qui me restait, c'était nos condos à Montréal et en Floride. Et je préférais, pour toutes sortes de raisons, ne pas les vendre à moins d'y être obligé.

Il aura donc fallu plusieurs années pour qu'enfin, la fromagerie devienne une entreprise rentable. Elle fait aujourd'hui vivre Patrick et sa famille, ce qui est, en soi, une réussite qui prouve que nous avons eu raison de persister. Plus encore, nos fromages sont bons et de plus en plus reconnus pour leur qualité. À cet effet, et pour la petite histoire, j'ajouterai que lors de la visite au Canada du prince William et de son épouse Kate à l'été 2011, lors de leur passage à l'Institut de l'Hôtellerie de Montréal, c'est le fromage « L'Enchanteur » de la fromagerie Chaput qui leur a été servi. Sans être une consécration, nous en avons quand même été fiers.

* * *

Au début des années 2000, les choses ont été de mieux en mieux. Nous étions toujours serrés financièrement, mais nous n'avions pas à nous plaindre. Nous n'avions plus la maison de Fassett, que nous avions vendue en 1999. De toute façon, nous n'y allions pratiquement plus après toute cette histoire de la ferme. Nous avions notre condo au Sanctuaire du Mont-Royal, où Céline s'occupait toujours de mon agenda dans son minuscule bureau. Maman a alors décidé qu'il était temps que nous pensions à trouver quelque chose d'un peu plus grand pour répondre à nos besoins. Elle a donc commencé à regarder ce qu'il y avait de disponible. Dans ses recherches, elle a aperçu une annonce qui disait : « Vivre le long de la rivière ». Intriguée, elle a décidé d'aller y jeter un coup d'œil, et elle est franchement tombée en amour avec ce développement immobilier. Quand elle y est passée, c'était encore un chantier. Mais quel merveilleux endroit ! Un peu à l'ouest du boulevard Saint-Laurent et directement sur le bord de la rivière des Prairies. En fait, ce n'était pas très loin de l'endroit que nous avions visité bien des années auparavant, juste avant de choisir de nous faire construire une maison à Duvernay. Un signe du destin ? Peut-être. Ou peut-être était-ce un autre point à relier dans l'immense toile de notre vie. « *Connect the dots* » qui revenait encore.

Céline s'est donc informée auprès de l'entrepreneur, souhaitant réserver un condominium qui occupait le coin au rez-de-chaussée. Mais le seul qu'il avait était déjà vendu. Il lui a en proposé un autre, qui donnait aussi sur la rivière. Enthousiasmée, elle m'a immédiatement contacté. J'étais alors à l'extérieur de Montréal pour une conférence.

— L'endroit est extraordinaire, m'a-t-elle dit. Ça va te faire penser à Fassett.

— Eh bien, achète-le, lui ai-je répondu. Je pense qu'on a assez d'argent pour ça.

Et Céline est allée signer une promesse d'achat. Au même moment, la fromagerie connaissait de nouveaux problèmes financiers. Pour corriger la situation, j'avais dû y injecter une somme très importante. En fait, pour faire face aux besoins de la fromagerie, j'étais allé rencontrer Jean Coutu. Oui, LE Jean Coutu. Nous nous étions connus plusieurs années auparavant et nous étions demeurés amis. Je lui ai alors simplement expliqué que j'avais besoin de 150 000 $, mais que je pouvais mettre mon condo de Naples en garantie. Il n'a pas hésité une seconde. Il a aussitôt demandé qu'on me prépare un chèque et nous avons convenu que je lui rembourserais le tout en 2002. Cette importante somme me permettait de renflouer encore la fromagerie, mais la situation me laissait avec peu de ressources. Pour terminer cette anecdote, j'ajouterai que nous avons vendu notre condo en Floride en septembre 2002 pour rembourser Jean. Un engagement est un engagement et on se doit de le respecter. Encore des séquelles de ma formation de jésuite. Je lui ai donc remis le capital et les intérêts. Jean Coutu est un homme riche, mais c'est surtout un homme généreux et compréhensif. Quand je lui ai rendu la somme, il m'a fait la remarque suivante que je me permets de retranscrire ici parce que j'en suis encore très fier. Il m'a dit : « Tu sais, Jean-Marc, j'ai prêté de l'argent à plusieurs personnes pour leur donner un coup de main. Mais tous n'ont pas été aussi fidèles. Ça fait plaisir... » À ce moment, j'ai pensé à la confiance qu'il faut avoir pour prêter autant d'argent. Je me suis dit que certaines décisions, parfois difficiles, nous suivent toute la vie. Par exemple, quand j'avais refusé de faire faillite, à l'époque de la fermeture de Permanse, et ce, malgré les conseils de mon comptable, plusieurs doutaient à la fois de ma décision et de ma capacité à me relever. Or, le fait d'être passé au travers, du moins je le crois, prouvait qu'on pouvait encore me faire confiance. J'ai toujours eu l'impression que Jean Coutu, qui savait un peu ce que j'avais traversé, reconnaissait ainsi l'importance que j'accordais à ma réputation. Il faut quelquefois des années avant que deux points ne se joignent, mais, encore une fois dans ma vie, la phrase « *connect the dots* » prenait tout son sens.

Si bien, pour revenir à mon histoire, qu'étant donné tout ce qui s'était passé, les liquidités qui étaient disponibles quelques mois avant pour l'achat du condo venaient de disparaître. Et voilà qu'entre-temps, l'entrepreneur nous contacte pour nous aviser que le condominium que Céline désirait, celui qui faisait le coin, venait de se libérer. Comme il était passablement plus cher, c'est vraiment sur un coup de cœur que nous avons décidé de le prendre quand même. Même si nous n'en avions plus nécessairement les moyens.

Quand vint le moment de signer l'hypothèque pour l'achat de l'appartement, il ne nous restait plus d'argent. Comme je l'ai un peu expliqué, il y avait techniquement des fonds qui apparaissaient aux livres de la compagnie par laquelle passaient toutes mes transactions. Les états financiers faisaient état de placements dans la fromagerie, il nous restait aussi le condo à Naples en Floride (qui n'était pas encore vendu), de même que celui du Sanctuaire du Mont-Royal et quelques minuscules autres investissements. Je crois qu'aujourd'hui, on appellerait ça de l'argent virtuel. Tout ceci pour dire qu'en réalité, nous n'avions pas un sou. Je suis donc parti pour tenter de trouver une hypothèque auprès de ma banque et j'étais assez confiant. La demande a été refusée. J'ai obtenu la même réponse d'autres institutions que j'avais approchées.

Un jour, près de la maison, en passant devant une succursale bancaire, j'y ai vu l'annonce d'une promotion hypothécaire. Je ne risquais pas grand-chose à tenter le coup. Je suis entré et j'ai remis mes états financiers à la responsable pour l'analyse de mon dossier. Quelques jours plus tard, quelqu'un de la banque a téléphoné à la maison. Nous étions à la fin décembre 2001. J'étais (encore) à la fromagerie et Céline a pris l'appel. La demande était non seulement acceptée, mais si nous venions compléter la demande avant le 31 décembre, nous pourrions profiter d'une offre exceptionnelle de 7000 $ comptant que la banque transférerait dans notre compte. Il fallait donc faire vite puisque, à cause des congés des Fêtes, il n'y avait plus beaucoup de possibilités d'aller signer. Bref, Céline m'a immédiatement rejoint par téléphone et m'a appris la nouvelle en me disant qu'il fallait nous rendre tout de suite à la banque. Je lui ai répondu de m'y attendre et que je partais sur-le-champ. Il fallait quand même un certain temps pour faire le trajet entre Châteauguay et le nord de Montréal. Si bien qu'au moment où je suis arrivé à la succursale, tous les papiers étaient remplis. Je n'avais plus qu'à signer. Une entente exceptionnelle étant donné notre situation. Une chance inouïe. Je suis certain que la banque savait qu'elle prenait un risque en me prêtant ainsi. Mais elle n'a pas eu à le regretter. Car j'ai effectivement pu régler le tout rapidement. En 5 ans, l'hypothèque était remboursée, ce qui m'a laissé un excellent nom à cette banque. J'y suis retourné quelques fois par la suite et je n'y ai jamais eu de problème à obtenir ce que je souhaitais. Je me souviens par exemple qu'en 2009, ma fille Geneviève m'a contacté pour me dire que, pendant son séjour en Floride, elle avait vu un condo à vendre. Il s'agissait d'une reprise bancaire qui s'inscrivait probablement dans cette vaste catastrophe du krach économique immobilier aux États-Unis. Bref, tout compte fait, il s'agissait surtout d'une excellente opportunité. Mais Geneviève devait réagir très vite et n'avait pas le temps d'entreprendre au Québec des démarches hypothécaires. Je lui ai donc proposé de demander moi-même un prêt qu'elle me rembourserait ultérieurement. J'ai ensuite pris contact avec cette banque où tout a été réglé en moins de 24 heures, si mes souvenirs sont exacts.

Bref, au printemps 2002, nous avons été parmi les tout premiers à emménager dans ce complexe près de la rivière des Prairies. Il restait encore beaucoup de travail à faire pour l'aménagement paysager, mais notre condo était terminé. Et il était effectivement magnifique. Beaucoup plus vaste que celui que nous venions de laisser, il avait l'extraordinaire caractéristique d'avoir trois murs complètement vitrés, ce qui nous donnait une vue exceptionnelle sur la rivière. Je ne me suis jamais lassé de la regarder couler au rythme des saisons. Nous y sommes toujours et, ai-je besoin de l'ajouter, nous y sommes très heureux...

12

La maladie frappe encore

E n 1992, lors d'une discussion, Daniel Barolet, médecin (dermatologue pour être plus précis) et époux de ma fille Geneviève, m'a expliqué qu'à mon âge (j'avais 62 ans), je devais commencer à prendre certaines précautions pour ma santé. Ainsi, il m'a recommandé de passer annuellement un examen de la prostate. Je vous l'ai dit, je n'avais jamais été malade et cela me semblait un peu superflu, mais j'acceptai, même si, comme tous les hommes, je savais qu'il n'y avait rien d'enthousiasmant à passer un tel examen.

J'ai donc pris rendez-vous avec le Dr Jean-Paul Perreault, de l'hôpital Saint-Luc, que me recommandait Daniel. Je me suis soumis à des prises de sang et j'ai subi le fameux test dans le cabinet du médecin. Tout était (et en ce qui me concerne, c'était la réponse évidente) normal. J'ai néanmoins continué à faire cette vérification chaque année, et toujours sans problème.

Jusqu'en 1997. Le Dr Perreault m'a alors appris que les prises de sang indiquaient une anomalie. Il était possible qu'on ait détecté un cancer et, pour s'en assurer, il m'a fait passer une biopsie. En fait, on a prélevé cinq échantillons de la prostate, sur lesquels trois ont révélé la présence de métastases. J'avais le cancer, fort probablement celui de la prostate, et il fallait passer à l'action.

Quelques jours plus tard, à son bureau, il nous a expliqué, à Céline et à moi, ce que cela impliquait.

— Il y a trois traitements possibles, nous a-t-il dit. Nous pouvons installer des implants radioactifs, un nouveau traitement[22]. Il y a aussi la radiologie, ce qui nous permettrait d'irradier la prostate et, enfin, il y a la chirurgie par laquelle nous pourrions procéder à l'ablation totale de la prostate.

Je tentai d'encaisser le coup. Je ne voyais que cette foutue maladie qu'est le cancer. Les traitements ne me disaient rien. Je voulais seulement que l'on puisse l'éliminer de mon corps.

— Mais vous, docteur, si vous étiez à ma place, lui ai-je demandé, qu'est-ce que vous feriez ?

— J'irais voir un autre docteur, a-t-il répondu en riant pour détendre un peu l'atmosphère. Non, plus sérieusement, a-t-il poursuivi, dans un tel cas, je suis un peu biaisé. Voyez-vous, la radiologie est souvent efficace, mais il est toujours possible qu'il reste des cellules cancéreuses dans la prostate, malgré les traitements. Les implants sont encore une nouvelle technologie et je ne peux dire quelles sont les chances de guérison totale. Il reste l'ablation. Et je suis chirurgien. C'est assez radical, mais je peux vous assurer qu'on enlève ainsi complètement le cancer. Il n'en reste rien dans l'organisme. Il y a évidemment une dernière option : ne rien faire. Plusieurs hommes qui ont reçu le même diagnostic décident de ne rien faire et vivent avec leur cancer. Je ne vous le conseille pas, mais ça demeure possible.

J'ai regardé Maman. Nous avons toujours tout décidé ensemble et ça n'allait pas changer aujourd'hui. D'ailleurs, un seul regard nous a suffi.

— Alors allons-y pour l'ablation, ai-je répondu. Quand pouvez-vous m'opérer ? Cette semaine, c'est possible ?

— Attendez un peu, a lancé le Dr Perreault en riant. Laissez-moi prendre mes vacances et on verra au début d'août.

Voilà qui réglait la question. J'allais me faire opérer le 18 août 1997 au retour de ses vacances. Comme souvent dans ma vie, la décision avait été prise en quelques secondes. Finalement, je suis peut-être un homme d'action. Prendre une telle décision et surtout la prendre aussi rapidement, le médecin me l'avait fait remarquer, est plutôt rare. Il avait même ajouté que 80 % des hommes qui venaient le consulter ne revenaient plus par la suite

22 Cette technique, innovante à l'époque, était utilisée depuis seulement quelques années aux États-Unis. Elle s'est, si j'ai bien compris, passablement généralisée par la suite. Il s'agit d'une technique dite du Cheval de Troie où des implants radioactifs sont placés directement dans la prostate.

et que la presque totalité d'entre eux venaient toujours le rencontrer sans leur épouse. J'étais, déjà là, un peu marginal en me présentant avec Maman. Mais cette façon de faire allait précisément dans la lignée ce que j'avais toujours fait. Quand on a en mains les informations pertinentes et dignes de foi, il ne reste qu'à foncer. Pourquoi attendre ? Pourquoi aller faire d'autres recherches ou d'autres consultations ? Je voulais guérir et, pour y parvenir, il fallait passer par l'opération. Voilà ! Tout était dit.

Je ne pensais pas que l'avenir puisse être sombre. Je n'ai d'ailleurs pas eu, ni à ce moment ni plus tard avant l'opération, d'appréhensions pour la suite des choses. Mon côté optimiste laissait plutôt entrevoir que, dès la fin de l'opération, tout serait rentré dans l'ordre. Parce qu'il reste aussi un autre élément auquel je crois, c'est la volonté de guérir. Céline me l'avait déjà prouvé, mais c'était une réalité que j'avais aussi connue très souvent ailleurs. Ceux qui veulent guérir prennent les moyens pour y arriver. Ceux qui ne sont pas entièrement convaincus et décidés vont dire des choses et agir autrement. Or moi, j'aime trop la vie et j'y crois trop pour tergiverser. Je me souviens de ce type, atteint du cancer de la gorge et qui venait de subir une intervention et qui pourtant, était sorti fumer une cigarette aussitôt qu'il en avait été capable. Jamais il ne guérira. Bref, mon opinion était arrêtée et définitive. La solution passait par l'opération et c'était tout. J'étais « cancéreux », même si je ne ressentais pas de symptômes. Et cela m'effrayait.

J'avais alors 67 ans. Je me suis surtout rendu compte que je n'étais pas indestructible comme je l'avais toujours pensé. Je pouvais donc être malade, comme Céline l'avait été. Et ç'a été pour moi un dur contact avec la réalité. Le seul mot « CANCER » faisait peur. Mon père en était mort, comme ma mère, et Céline en avait été atteinte d'une façon sévère et dangereuse. Dans son cas, heureusement, tout s'était bien terminé. Mais qu'en serait-il pour moi ? J'étais très inquiet, même si je tentais (plutôt mal que bien, je crois) de ne pas le laisser voir. « There's no free lunch », disait ma mère, et c'était encore vrai. Rien n'est jamais gratuit dans la vie. Si on veut guérir, il faut en payer le prix. Voilà quelle était ma position.

Comme vous voyez, j'avais à ce moment une idée assez stricte des choses. Je n'avais pas été malade souvent et je croyais que, pour guérir, il suffisait de le vouloir. Bien entendu, je le crois encore, mais plutôt dans le sens où si on ne veut pas guérir, on ne guérira effectivement probablement pas. Toutefois, l'inverse n'est pas nécessairement vrai. Le fait de vouloir guérir n'entraîne pas automatiquement la guérison. Il y a des maladies contre lesquelles toutes les batailles sont vouées, ultimement, à l'échec. Mais, selon moi, il faut quand même livrer ces guerres... Bref !

J'avais cependant plusieurs interrogations. Tout avait commencé à se replacer dans ma vie, entre autres au chapitre des finances. Devrais-je arrêter toutes mes conférences à cause de cette saloperie ? Et si oui, qu'est-ce que j'allais faire ? Ces questions me préoccupaient. Je me rabattais sur la certitude du médecin que l'ablation de la prostate réglerait définitivement le problème. Quant à savoir ce que cela impliquait, je l'ignorais.

Le Dr Perreault nous avait bien donné un document vidéo qui expliquait l'opération et ses conséquences. Nous l'avons regardé, Maman et moi, mais seulement à la veille de l'opération dans ma chambre de l'hôpital Saint-Luc et nous l'avons fait un peu comme on regarde un documentaire, sans nous sentir impliqués, sans penser que c'était de nous et de notre avenir qu'il était question. La vidéo abordait en détail les suites de l'intervention en précisant que la vie sexuelle serait dorénavant impossible, qu'il n'y aurait plus d'érection et que même l'excitation diminuerait. Mais je ne me rendais pas compte. Tout ce que j'avais en tête, c'était ce fichu cancer qui me grugeait.

La veille de l'opération donc, j'étais, comme convenu, à l'hôpital. Au matin, on m'a préparé et transporté à la salle d'opération. Quand je me suis réveillé, quelques heures plus tard, on m'a dit que l'intervention était une réussite et que tout s'était parfaitement passé. Pour la première fois depuis plusieurs semaines, j'étais serein, malgré les douleurs. Le cancer était vaincu.

Je suis resté à l'hôpital quelques jours et, rapidement, les douleurs ont diminué. Mais, pendant ces quelques jours, j'ai réalisé que j'avais perdu ma virilité. Je comprenais enfin qu'on ne procédait pas à l'ablation de la prostate sans en subir les conséquences. Je ne veux pas entrer dans des détails pénibles (autant à lire pour vous qu'à revivre pour moi) mais lorsqu'on a enlevé la sonde et que j'ai constaté, avec passablement d'horreur, que je n'étais plus capable de m'empêcher d'uriner, j'ai pris conscience de l'immensité de cette perte. Or, cela ne représentait qu'un volet des effets de l'opération. L'autre conséquence était que je n'étais plus un homme. En tout cas, c'est comme ça que je l'interprétais. Je ne serais plus actif sexuellement. Une réalité terrible à affronter. Je pensais à ces femmes qui doivent se faire enlever un sein et qui disent ensuite qu'on leur a volé leur féminité. Je ne sais pas jusqu'à quel point cette analogie est exacte, mais je pense comprendre parfaitement ce que ces femmes peuvent vivre et ressentir. Je n'avais, à ce moment, absolument aucune idée de la façon dont j'allais passer à travers cette épreuve qui affectait aussi directement Céline. Parce que, sans entrer dans les détails trop intimes, nous avions toujours aimé faire l'amour. C'était pour moi une façon extraordinaire de lui dire et de lui prouver que je l'aimais. Je comprenais alors que nous devions passer à une autre étape, que cette période était définitivement terminée. C'était déroutant.

Le docteur m'avait aussi expliqué que je devrais pour les prochains mois (il en a fallu six pour moi) porter continuellement une couche, le temps nécessaire pour que mon deuxième sphincter se mette à fonctionner. Je vous raconte ces détails parce qu'ils ont eu une importance énorme dans mon quotidien. Car porter une couche pour un homme, ce n'est pas évident. Je ne veux absolument pas dire que c'est une sinécure pour les femmes, mais je vous garantis que pour un homme, c'est loin d'être facile.

Deux semaines après l'opération, j'allais suffisamment bien pour reprendre les conférences, dont une à Mont-Tremblant.

Or, pour ce genre de sessions, je quitte la maison le matin et je reviens en fin d'après-midi ou le soir, une fois le travail accompli. Cette fois-là, et c'était la première fois, je devais travailler avec une couche. Même si on ne pouvait la voir sous mes pantalons et mon veston, ça demeurait très gênant. Toutefois, le véritable problème, ce sont les toilettes. Quand la conférence a été terminée, j'ai dû y passer avant de reprendre la route vers Montréal. Mais les toilettes pour hommes ne sont pas prévues pour la réalité que je devais dorénavant affronter. Pas question, bien entendu, d'aller aux urinoirs. Pour des raisons évidentes. Mais une fois dans les toilettes, qu'est-ce qu'on fait avec la foutue couche ? Il n'y a pas de poubelle et il est impossible de tenter de la faire passer en actionnant la chasse d'eau. Alors quoi ? C'était la première fois et j'étais là, comme un imbécile, ne sachant pas quoi faire. Alors j'ai pris la seule décision qui m'est venue à l'esprit, soit de revenir à la maison en portant cette même couche. Et je vous assure que ce n'était pas confortable. Pas du tout. En route, je pleurais de rage face à mon corps que je ne contrôlais plus.

Quelques jours plus tard, je devais donner une autre conférence, mais sur un bateau, cette fois. Céline, à qui j'avais raconté ma mésaventure précédente, m'a accompagné. Elle a réservé une cabine où je pouvais être seul, pour « vaquer » à mes affaires personnelles. À partir de ce moment, les conférences ont commencé à mieux aller, puisque je les appréhendais moins.

Et ce n'était là que le début de cette adaptation postopératoire. Bon... Prenons un autre exemple : l'achat des couches. Vous comprenez, j'avais alors 67 ans, j'étais encore en grande forme, j'étais déjà très connu et reconnu à différents endroits depuis mes présentations au Grand Théâtre de Québec et à la Place des Arts de Montréal.

Vous me voyez entrer dans une pharmacie, faire discrètement le tour des allées (bien entendu, il n'est pas question que je demande de l'aide à un employé), pour trouver finalement l'étagère où sont les couches ? Je joue au touriste. Je jette discrètement un coup d'œil aux alentours pour constater que les autres clients ne semblent pas s'intéresser à ce que je fais. Et juste au moment où je vais mettre la main sur une boîte de couches, quelqu'un derrière moi me lance : « Vous ne seriez pas monsieur Chaput ? Je suis tellement content de vous voir. J'ai vu votre spectacle... » Je vous fais grâce de la suite de ce cauchemar.

Or, chaque fois que je voulais aller chercher des couches, c'était cette image qui me venait en tête. Celle de quelqu'un qui m'interpellait au moment où je prenais le sac de couches. Je ne pouvais pas me résoudre à ce que cette éventualité puisse ne pas survenir. Je me voyais, avec cet air gêné et en pleine détresse de celui qui vient de se faire attraper la main dans le sac, ne sachant pas quoi répondre et espérant seulement que le mouvement de ma main vers cet autre produit inoffensif juste un peu plus haut puisse passer pour naturel. Ce qui aurait, bien entendu, été impossible. C'est quand on veut cacher des choses que nos intentions sont les plus évidentes. Tout cela pour dire que je n'arrivais pas à aller à la pharmacie. Et pourtant, ce n'était pas si grave.

Heureusement, Maman a accompli cette corvée pendant plusieurs mois. Je n'ai jamais su comment elle y parvenait. Je ne lui ai d'ailleurs jamais demandé. J'avais trop peur de la réponse.

Bon ! C'est sûr que je blague un peu ici. Mais je peux quand même vous garantir que c'est traumatisant. Toute cette quotidienneté à apprivoiser, ce n'était pas évident et je suis certain que ce ne doit pas l'être davantage aujourd'hui pour ceux qui doivent (ou devront) traverser la même épreuve. Or, ce n'est là que la pointe de l'iceberg. Le côté finalement rigolo de la chose, quoique, sur le moment, il n'y avait vraiment rien de drôle.

Parce qu'au-delà de ces inconvénients, je ressentais un malaise psychologique profond. Physiquement, je me portais à merveille. Mais sur le plan psychologique, l'apprentissage est lent et très progressif. En fait, j'estime qu'il n'est toujours pas terminé. On s'adapte, mais on n'accepte jamais sa condition.

L'aspect essentiel qui découle de l'ablation de la prostate demeure l'absence de vie sexuelle. Et ce n'était pas difficile seulement pour moi. Céline l'éprouvait également. Ne plus pouvoir faire l'amour avait une connotation impensable parce que les relations sexuelles restaient la plus grande preuve d'amour que je pouvais lui donner. Curieusement toutefois, et presque paradoxalement, cette absence – ou cette épreuve – nous a beaucoup rapprochés. Une tendresse incroyable, l'un pour l'autre, a pris la relève. Quand tu ne peux plus offrir ces étreintes corporelles, tu dois développer, dans le quotidien, une attention particulière aux petits gestes.

Je me souviens qu'au cours d'une des rares entrevues que mon épouse a accordées à la télévision, elle avait expliqué notre situation. Elle avait précisé que, plus tôt, dans notre entourage, trois personnes étaient décédées d'un cancer de la prostate. Elle avait dit qu'elle préférait, sans aucune hésitation, avoir un mari vivant mais légèrement diminué qu'un mari mort. Elle a ensuite ajouté, avec ce sourire complice, que depuis l'opération j'étais aux petits soins avec elle. Que j'étais plus attentif et prévenant que jamais auparavant, ce qui avait un charme indéniable, avait-elle conclu. À la suite de cette entrevue, plusieurs femmes s'étaient dites un peu jalouses d'elle, malgré cette lacune dans une partie importante des relations. Et ces témoignages m'avaient fait chaud au cœur.

Le temps passait quand même, sans se soucier de nos petits bonheurs ou de nos petits malheurs. Pendant les années qui ont suivi, j'ai repris toutes mes activités et je me suis impliqué à fond, comme vous avez pu le constater, dans les entreprises de mes enfants.

J'ai ensuite oublié mes problèmes de santé jusqu'en 2004. Cette année-là, en repassant mes examens annuels, les docteurs ont détecté la réapparition de cellules cancéreuses dans la même région. Comment était-ce possible ? Je n'en ai pas la moindre idée. Depuis ce temps, on contrôle la maladie, entre autres par l'injection régulière d'un médicament qui détruit la testostérone qui alimente le cancer. Si je comprends bien, il s'agit essentiellement de piqûres d'hormones féminines. Et là, j'ai fait une autre découverte. Quand on introduit des hormones féminines dans le corps d'un homme, nos réactions changent. En tout cas, ce fut le cas pour moi. Depuis quelques années, je suis bien plus émotif que je ne l'étais. Je pleure pour un oui ou pour un non. J'ai même des chaleurs. C'est vous dire... Mais, en fin de compte, je suis encore vivant et en pleine forme. Et je vis de merveilleux moments avec mes enfants, mes petits-enfants et la femme de ma vie. Voilà tout ce qui importe.

* * *

Pendant ce temps, le 2 avril 1999, le Vendredi saint, pour être précis, Céline avait gardé trois de nos petits-enfants, Jérémie, Augustin et Nicolas. Elle était sortie avec eux et ils avaient été particulièrement turbulents. Quand elle est rentrée le soir, elle était complètement épuisée. Ces jeunes de huit à dix ans avaient une énergie inépuisable qui était venue à bout de celle, pourtant exceptionnelle, de Maman. Toutefois, le lendemain, Céline était encore vidée, sans dynamisme. Ce qui n'était pas du tout à son image. Inquiets, nous nous sommes rendus à la clinique médicale du Sanctuaire du Mont-Royal où nous résidions. Le médecin lui a diagnostiqué une dépression profonde et lui a prescrit des médicaments qui devaient l'aider à se relever.

Le dimanche de Pâques, nous avons reçu les enfants et nous devions ensuite prendre quelques jours de vacances avec Pierre-Yves et sa femme. Daniel, voyant l'état de Céline, lui a plutôt suggéré d'aller, dès le lendemain, à l'hôpital pour se faire examiner. Ce que nous avons fait. L'instinct et l'expérience de mon gendre étaient justes. On a cette fois découvert une pneumonie. Les médecins ont aussi craint que le cancer de l'intestin, dont elle avait souffert, n'ait refait apparition et qu'il se soit étendu aux poumons dont l'état était lamentable.

Comme un malheur n'arrive jamais seul, pendant qu'on la traitait à l'hôpital, Céline a contracté le staphylocoque doré. Ceci conjugué à une pneumonie sévère, inutile de dire que son état s'est dégradé. Le personnel soignant l'a traitée énergiquement pendant plusieurs jours. Mais quand elle est enfin revenue à la maison, elle n'était toujours pas très forte. En fait, elle a passé l'été sur le carreau.

À la fin de l'été, je me suis rendu à Saint-Jovite où je devais donner une conférence pour la caisse populaire de l'endroit. Cette session avait été organisée par Marthe Rivard, administratrice de l'institution. Nous nous connaissions depuis déjà un bon moment car nous nous étions rencontrés, quelques années auparavant, alors que je faisais des chroniques pour une station de radio de Sainte-Adèle. Elle m'a demandé des nouvelles de Céline et j'ai pu lui expliquer avec quels problèmes elle se débattait depuis des mois. Je lui ai dit que, malgré les traitements et les médicaments, elle ne semblait pas prendre du mieux. Nous ne savions vraiment plus quoi faire.

Marthe Rivard m'a alors expliqué, que si nous n'étions pas si loin, elle aurait pu lui faire une thérapie de Reiki.

Le Reiki, m'a-t-elle expliqué, vise à soulager les souffrances, à apporter un calme mental, une paix intérieure et un bien-être général. Or, elle était, au fil des ans, devenue « maître reiki ».

À vrai dire, j'étais très sceptique. Ces approches ésotériques ne m'inspirent pas confiance et je m'en méfie. Pourtant, Marthe Rivard était une femme sensée et logique, mariée, qui plus est, avec un pharmacien.

Bref, elle m'a recommandé de rencontrer une dame de Montréal qu'elle connaissait et qui avait une bonne réputation. Elle pourrait peut-être aider Céline, disait-elle. Je ne savais trop quoi penser de toute cette affaire. À mon retour, j'en ai touché un mot à Maman qui ne me semblait pas non plus déborder d'enthousiasme.

Nous avons plutôt convenu que Céline m'accompagnerait à Saint-Jovite, pour la conférence que je devais donner en fin de semaine. Elle pourrait alors rencontrer Marthe avec qui il serait possible de commencer les sessions de Reiki. Nous avons réservé une chambre dans un gîte du passant pour quelques jours, le temps nécessaire pour l'intervention de Marthe qui prévoyait au moins quatre sessions au rythme d'une par jour.

C'est ainsi que le premier après-midi de notre séjour, nous nous sommes rendus chez Marthe et André Fortier (son mari).

Alors que Marthe s'occupait de Céline, André et moi avons discuté pendant deux heures. J'étais une fois encore surpris qu'un pharmacien comme lui, avec un esprit scientifique, puisse adhérer à ce genre de traitement. Mais il semblait certain des résultats. Toujours est-il qu'à notre retour au gîte, Maman m'a assuré qu'elle se sentait reposée. Pas nécessairement mieux, mais très calme.

Le lendemain matin, nous sommes retournés chez Marthe pour le second traitement. Dans l'après-midi, comme Céline se sentait bien, nous avons décidé d'aller faire une promenade pour visiter cette charmante petite ville. Tout à coup, Maman a une brusque envie d'aller aux toilettes. C'était un cas d'urgence. Encore une fois je n'entrerai pas dans les détails, mais je dirai seulement qu'elle a eu l'impression de se vider totalement. Ce qui l'a évidemment laissée assez faible.

Le jour suivant, nous sommes encore retournés chez Marthe pour le troisième traitement. Céline lui a relaté son expérience de la veille et Marthe a répondu que c'était normal et même bon signe. Cela montrait que le corps réagissait. Elle a ensuite procédé à l'avant-dernière étape du traitement qui a été complété le lendemain matin.

Au terme de cette dernière matinée nous sommes rentrés en ville. Le changement qui s'était opéré en Céline était incroyable. C'était une nouvelle femme qui était assise à mes côtés. Nous n'en revenions tout simplement pas ! Dès notre retour, Maman se sentait assez forte et en forme pour reprendre ses activités de bureau. Elle a fait sa journée comme si elle n'avait jamais été malade.

Quand nous en avons parlé à des amis, nous avons fait rire de nous. Et, en vérité, nous ignorons complètement si ce sont les traitements de Marthe qui ont eu ces effets spectaculaires. Mais il faut se rendre à l'évidence : en une fin de semaine Céline a été guérie. J'ai, par la suite, regardé ce que les scientifiques disaient du Reiki. En fait, aucune étude sérieuse n'est arrivée à la conclusion que l'efficacité du Reiki dépasse celle du placebo.

Ce n'est pas, disent-ils, une médecine basée sur les faits mais plutôt une technique basée sur la foi. Peut-être est-ce le cas. Nous ne connaissions rien à cette médecine, mais nous y avons cru. Nous l'avons donc essayée à 300 % et il y a eu des résultats.

Qu'en est-il alors vraiment ? Je n'en sais rien. J'ai toutefois été le témoin d'une guérison totale et entière pour Céline. Du jour au lendemain, ses problèmes ont été chose du passé. Elle est redevenue celle qu'elle était, avec toute la fougue et la force que je lui connaissais. Si je ne peux pas affirmer catégoriquement que l'intervention de Marthe à travers le Reiki a été déterminante, je peux cependant dire que, dans son cas, nous croyons sincèrement que c'est ce qui a fait la différence. Nous y croyons d'ailleurs encore puisque Céline continue toujours à se faire suivre. Pour le reste, votre opinion vaut certainement la mienne...

Chapitre
13

Boum professionnel et drame familial

P endant tout ce temps, pendant que nous nous occupions de la ferme, du fromage, de l'école, du restaurant et de tous ces autres projets, la vie professionnelle continuait. Je donnais des conférences aux corporations, devant des chambres de commerce ou des organismes, de même que pour des compagnies, sur une base très régulière, ce qui m'amenait dans plusieurs régions du Québec. Financièrement, c'était toujours notre vache à lait. Je faisais aussi des chroniques dans quelques médias, surtout des stations radiophoniques, et j'écrivais quelques papiers dans des journaux ou revues, des réflexions bien personnelles sur la société et l'actualité. J'avais donc toujours une certaine notoriété auprès de la population.

Un peu partout, on me demandait souvent si j'allais encore offrir et présenter des conférences ouvertes au grand public. Un peu comme celles que j'avais cessé de faire environ une décennie plus tôt. Bien sûr, ce type de conférence m'attirait toujours et je trouvais flatteur que des gens souhaitent m'entendre, mais de tels événements ne sont pas faciles à organiser. Or, cela m'intéressait d'autant plus (et j'en étais certain) que la tenue de tels événements deviendrait une locomotive pour les conférences aux corporations. En tout cas, c'était ce qui s'était passé avec celles de Québec et de Montréal à l'époque, alors je ne voyais pas pourquoi il en serait autrement maintenant.

Un jour, à l'automne 2002, tandis que nous étions tranquillement assis à discuter, Maman et moi, je lui avais fait part de cette demande fréquente pour refaire des grands spectacles et de mon envie de retenter l'aventure.

— Je ne sais pas si c'est possible à organiser, mais je suis certain que nous pourrions encore rejoindre bien du monde, lui ai-je dit, sachant très bien que c'était elle qui devrait s'occuper de toute la logistique si nous nous lancions de nouveau dans cette aventure.

— Honnêtement, Papa, je ne m'en sens pas capable, a-t-elle répondu en me regardant un peu tristement. Ce n'est pas juste une question d'énergie, car de ce côté, ça irait plutôt, a-t-elle ajouté, mais je n'ai plus les contacts pour organiser des grands événements. Quand nous avions commencé à le faire, tout était tellement plus simple. Regarde juste la promotion... Aujourd'hui il faut avoir des contacts auprès des recherchistes pour passer à la télévision dans des émissions qui sont regardées. Je n'ai aucune de ces entrées. Non... Je ne suis plus capable d'organiser des conférences pour le grand public, a-t-elle conclu.

— Et pourquoi ne pas faire appel à une compagnie spécialisée ?

— La dernière expérience n'a pas été très réussie, a-t-elle lancé.

— Mais on peut tenter le coup quand même. Il doit y en avoir d'autres qui organisent des événements du genre.

Céline a alors pris quelques instants pour réfléchir puis a repris :

— Tu te souviens peut-être qu'on a déjà été engagés par une firme pour des corpos... Attends... Ça s'appelait Pierre Gravel International. Je me rappelle que, du côté administratif, ça avait été très bien. Tout était clair et précis. Je pense qu'on pourrait avoir confiance en eux pour nous aider dans les gros événements... Je pourrais continuer à m'occuper des conférences aux corporations et ils prendraient la relève pour les spectacles.

— Ça me va. On va leur téléphoner.

Encore une fois, mon goût de passer à l'action avait pris le dessus. Et puis, dans mon esprit, tenter une nouvelle expérience mais avec quelqu'un que nous connaissions déjà, c'était un peu comme si nous reliions de nouveaux points dans cette trame qu'est la vie : *Connect the dots*. J'ai alors téléphoné à Pierre Gravel, lui expliquant que nous aimerions le rencontrer pour discuter de quelques projets et que nous souhaitions organiser une série de conférences pour le grand public. Il se rappelait très bien de nous et nous a invités à aller le voir le soir même. C'est ainsi que le 5 octobre 2002, nous nous sommes rendus à Granby pour le rencontrer.

Nous nous étions déjà parlé pour des conférences destinées aux employés de corporations, mais jamais nous ne nous étions vus. J'ignorais complètement à quoi il pouvait ressembler. Quand nous sommes entrés dans son bureau, nous avons découvert un bonhomme assez grand et corpulent qui portait fièrement une chemise western et des bottes de cowboy. À ses côtés se tenait son épouse, une très belle femme raffinée et élégante. Mais c'est l'allure de Pierre Gravel qui a alors retenu notre attention et qui m'a fait sourire.

En fait, il faut que je vous raconte ici une petite aventure qui nous était arrivée, à Céline et à moi, plusieurs années avant, à l'époque où je dirigeais encore Administration et Finance. Céline trouvait que je travaillais trop et m'avait convaincu d'engager un gérant qui prendrait une partie des dossiers.

J'avais fait passer des annonces dans les journaux expliquant mes besoins et les compétences souhaitées des éventuels candidats. Je recherchais une personne mature qui aurait les aptitudes pour assurer les suivis de plusieurs dossiers techniques. Bref, j'avais reçu de nombreux curriculum vitæ et j'avais rencontré les postulants qui me semblaient les plus intéressants. Parmi ceux-ci, il y en avait un qui, lors de l'entrevue, m'avait beaucoup plu. J'avais aussitôt senti des atomes crochus et j'estimais qu'il avait toutes les qualités que je voulais. Au terme de l'entrevue, ma décision étant presque prise, je lui ai dit que j'aimerais qu'il rencontre Céline, car j'avais une immense confiance en son jugement. Je l'avais donc invité, le soir même, pour un souper qui nous permettrait de continuer nos discussions et à nos épouses de se rencontrer. Je lui avais dit de venir nous rejoindre à la maison et que nous irions ensuite au restaurant.

Un peu plus tard, vers 16 heures, j'avais téléphoné à Maman pour lui annoncer cette sortie et j'étais retourné au boulot. J'avais juste oublié de convenir, avec mon candidat, d'une heure précise pour ce rendez-vous. Avec tout ce que j'avais à faire, je n'étais jamais à la maison avant 18 h 30, ce qui m'apparaissait une heure normale pour aller au restaurant. Je ne voyais donc aucun problème.

Céline était à la maison en train de commencer à préparer le souper des enfants quand, vers 17 heures, on sonne à la porte. C'était le type et son épouse qui arrivaient pour la soirée. Céline ne savait pas trop quoi faire. Elle n'était pas prête, les enfants n'avaient même pas mangé et je n'étais évidemment pas encore arrivé. Elle les a donc installés dans le salon en leur expliquant qu'ils devraient patienter un peu. Je n'étais pas là pour voir la scène, mais je peux facilement imaginer le malaise de mes invités et la colère de Maman à mon égard.

Ceci dit, je suis finalement rentré et la soirée a, malgré tout, été charmante. Je crois d'ailleurs me rappeler que Maman s'est bien payé ma tête pour mes talents d'organisateur mondain. Quoi qu'il en soit, le soir, avant de nous coucher, j'ai demandé l'avis de Céline :

— Alors, qu'en penses-tu ? C'est un type bien, non ?

Céline m'a fait ce petit air de celle qui regarde quelqu'un de trop naïf.

— Il ne fera pas l'affaire, a-t-elle doucement mais catégoriquement lancé.

— Comment, il ne fera pas l'affaire ? ai-je répliqué. Il a toutes les qualités voulues et en plus il est sympathique.

— Il portait des bas blancs.

— Qu'est-ce que ses bas viennent faire là-dedans ? ai-je demandé, car je ne voyais pas le rapport.

— Il portait des bas blancs. C'est tout, a-t-elle répété comme une sentence qui se justifiait d'elle-même.

— Mais qu'est-ce que c'est que cette histoire ?

— Quelqu'un qui porte des bas blancs pour aller souper au restaurant avec sa femme et rencontrer son futur patron, c'est quelqu'un qui ne sait pas comment prendre des initiatives heureuses et c'est quelqu'un qui manque de jugement. C'est comme ça. Il ne fera pas l'affaire. Tu me demandes mon avis, je te le donne.

Je n'en revenais pas. Comment pouvait-elle me dire quelque chose de si grotesque ? Depuis quand la couleur des chaussettes a-t-elle une importance quelconque dans le choix d'un employé ? Je n'ai évidemment pas tenu compte de ses commentaires et j'ai quand même embauché le type. Et ce fut une erreur. Il n'avait pas d'initiative et n'a pas rempli les attentes que j'avais. Je l'ai congédié moins de trois mois plus tard.

Et, depuis cette époque, chaque fois que nous rencontrons quelqu'un qui porte des bas blancs, nous nous regardons et nous nous sourions en pensant qu'il s'agit probablement de quelqu'un de bien, mais qu'il ne fera pas l'affaire.

Cette longue parenthèse pour expliquer qu'en voyant Pierre Gravel, avec sa chemise et ses bottes de cowboy, j'ai eu un doute. Je me demandais s'il portait des bas blancs sous ses bottes. Je n'étais soudainement plus convaincu du tout que ça marcherait entre nous. Il faut ajouter, pour être franc, mais nous l'avons su plus tard, que Pierre arrivait de sa ferme, ce qui expliquait sa tenue plus sportive. De plus, il avait accepté de nous rencontrer un vendredi soir. Que demander de plus ? Alors, tant qu'à être ici, à Granby, pourquoi ne pas discuter ? D'ailleurs, en quelques minutes, cette première impression s'était complètement évaporée. Pierre et Carole, son épouse, nous plaisaient beaucoup.

Nous avons expliqué que nous souhaitions trouver un agent qui organiserait les grandes conférences.

— Ce serait un honneur pour moi d'être votre gérant, nous a dit Pierre. Mais si vous faites partie de mon agence et des artistes dont je m'occupe, tout passera désormais par ici, même vos conférences aux entreprises.

— Ah oui ? ai-je répondu, surpris.

— Je m'occupe des négociations, des contrats, de la facturation, de la promotion, de tous les détails. Et tout sera clair entre nous.

Voyant que nous hésitions, il nous a simplement demandé d'y réfléchir et de le recontacter quand nous serions décidés. Sur le chemin du retour, nous avons évidemment discuté de sa proposition. Je comprenais tout à fait sa position. S'il travaillait avec moi, il le faisait pour tout ce qui touchait ma carrière publique. En y réfléchissant, c'était un peu normal, mais je ne m'attendais pas à ça. Pas plus que Céline d'ailleurs. Et, malgré cette première impression que j'avais eue en le voyant, je me rendais compte qu'il s'agissait de quelqu'un de très organisé et qui savait parfaitement où il allait et comment atteindre ses objectifs. Il s'occupait déjà d'une centaine de personnes, mais n'avait aucun « conférencier » dans ce qu'il appelait son écurie. Par contre, je n'étais pas certain que je voulais perdre le contrôle des corpos. Il nous avait bien sûr expliqué que nous ne le perdrions jamais, mais j'avais quelques craintes.

De plus, s'il s'occupait aussi des contacts et des démarches administratives des corpos, Céline pourrait prendre un peu de repos, ce qui lui ferait peut-être du bien après toutes ces années où elle en avait eu la charge. Il fallait effectivement y réfléchir un peu. Mais mon opinion de Pierre Gravel est bien meilleure que ne le laissait croire ma première réaction. Sa transparence, sa façon directe et sans détour d'aborder les questions me plaisaient beaucoup.

Le lundi suivant, la décision était prise. Comme il nous avait fait bonne impression, alors il ne restait qu'à foncer et à tenter le coup. Je ne sais pas s'il avait prévu notre réponse, mais quand je lui ai téléphoné il nous a répondu que nous pourrions aller signer le contrat le lendemain, que tout était déjà prêt.

Jamais, par la suite, et nous sommes maintenant ensemble depuis des années, nous n'avons eu à nous plaindre de cette décision. Pierre Gravel et son équipe nous ont toujours appuyés et protégés. J'ai aussi compris que Gravel est quelqu'un de très prudent. Le premier contrat que nous avons signé concernait exclusivement l'organisation de sessions corporatives. Il aura fallu attendre en mars 2003 pour en signer un portant sur l'organisation de spectacles au grand public.

Quand nous avons paraphé ce premier contrat, nous avions déjà rencontré les autres membres de son équipe, dont Maryse Gagné qui s'occupait essentiellement de « vendre » les produits aux corporations. Elle s'y était mise rapidement et les résultats n'ont pas tardé à se concrétiser. J'ai donc donné de nombreuses conférences dans les semaines et les mois qui ont suivi.

Cependant, l'idée d'événements pour le grand public continuait à m'intéresser et j'en parlais régulièrement à Pierre Gravel. Comme il n'avait jamais entendu une de mes conférences, il avait décidé de venir, avec sa femme et Luc Quintal, gérant des spectacles en salles de l'agence, voir à quoi ça ressemblait alors que je devais me produire à Scott Jonction, en Beauce, dans un établissement appelé La cache à Maxime. Je faisais ma présentation lors du souper annuel de la chambre de commerce de l'endroit et ma prestation était prévue immédiatement après le repas. Mais comme c'est souvent le cas dans ce genre de soirée, les discussions ont été très longues et le service n'a commencé que vers 21 heures.

Ça ne me troublait pas particulièrement parce que, d'une part, il arrivait fréquemment qu'il en soit ainsi et que, d'autre part, Pierre, son épouse et Luc n'étaient pas encore arrivés. En fait, ils s'étaient perdus en chemin et ne sont entrés à la Cache que vers 22 h 45. Pierre fut alors très étonné de constater que je n'avais pas encore commencé. Mais le repas n'était toujours pas terminé. Pendant que nous prenions un café, il a regardé la petite scène et m'a dit ne pas comprendre comment je pourrais faire ma conférence avec si peu de moyens et devant une salle remplie de gens sans doute fatigués, qui avaient l'estomac bien rempli et dont plusieurs avaient peut-être abusé de bons vins. Toujours est-il que vers 23 h 15, j'ai enfin pu me lancer.

Pendant près de deux heures je n'ai pas arrêté, amenant les gens à me suivre dans les dédales de ma logique parfois bien particulière. Vers 1 heure du matin, au terme de la conférence, les gens se sont levés pour applaudir chaleureusement, malgré l'heure extrêmement tardive. Les réactions (ce qui me surprend encore aujourd'hui) ont été excellentes. Après avoir remercié les gens et les organisateurs, j'ai pris un dernier café avec Pierre Gravel avant de reprendre la route vers la maison. Pierre m'a dit qu'il avait adoré, que je l'avais fait rire et pleurer et qu'il fallait absolument prévoir un spectacle pour le grand public. Voilà comment ont été posées les premières pierres de « Politiquement incorrect ».

▲

Pierre Gravel est rapidement devenu un excellent ami. Nous sommes réunis cette fois autour d'une bonne table. Pierre est au centre et Luc Quintal, un autre brillant collaborateur de son agence, est à sa gauche. Nos épouses sont assises devant.

Mais Pierre Gravel est un homme prudent. Il ne voulait pas que nous commencions immédiatement dans de grandes salles. Il voulait, comme c'est souvent le cas pour d'autres artistes, débuter dans des endroits plus petits pour roder le « show ». Je me souviens que le spectacle a été présenté pour la première fois dans une salle de Waterloo, près de Granby, devant 200 personnes. Je sais que ça peut faire un peu prétentieux, mais, même si je comprenais le raisonnement de Pierre, je trouvais qu'on y allait trop doucement. Je présentais régulièrement des conférences aux entreprises devant beaucoup plus de monde, sans compter que j'avais très souvent fait la Place des Arts où étaient rassemblées des milliers de personnes. Mais je respectais sa façon de travailler et nous nous y sommes pliés sans problème. Poursuivant ce cheminement, de plus grandes représentations ont été organisées à compter de décembre 2003. Fort heureusement pour moi, les réactions étaient toujours bonnes et les salles pleines. Nous avons ensuite fait les plus grandes scènes des plus grandes villes du Québec. Et chaque fois, je gardais la même mise en scène que pour mes conférences corporatives, c'est-à-dire qu'il y avait quatre tableaux blancs, une petite table (sur laquelle s'empilaient mes notes et des articles de journaux) et une chaise. Voilà toute la scénarisation dont j'avais besoin. Il n'y avait pas de jeux d'éclairage ni de musique. Juste le public et moi. Cela restait très simple et humain, un peu à mon image.

Parallèlement, Luc Quintal, l'un des collaborateurs de Pierre Gravel, le spécialiste des tournées, participait, à Rimouski, à un événement annuel pour présenter les différents produits au Réseau des organisateurs de spectacles de l'est du Québec (ROSEQ). Il y proposait (entre autres) mes conférences, de sorte qu'une tournée québécoise s'est alors organisée.

C'est aussi à peu près à cette époque que Sébastien G. Côté s'est joint à l'équipe de Pierre Gravel. Il y occupait les fonctions

Christian Barsalou est un autre excellent collaborateur et ami de PG International.

de directeur des communications et du marketing. Il s'est aussi impliqué dans l'organisation des étapes et du déroulement de la tournée. Il m'a toujours été d'une aide précieuse et possède un jugement très sûr.

Enfin, avec Christian Barsalou, qui était notre directeur de tournée, nous avons amorcé un merveilleux voyage qui nous a conduits dans tous les coins du Québec. Je sais que c'est un peu contradictoire, mais une telle tournée est exaltante, apporte une forte dose d'adrénaline pure, et, en même temps, c'était très calme, un peu comme des vacances pour Céline et moi. L'horaire était bâti de sorte que nous partions chaque fois pour six ou sept jours pour présenter « Politiquement incorrect » dans différentes régions. Et partout, nous avons été merveilleusement accueillis. Nous avons rencontré des gens formidables et vu des paysages fantastiques. Je ne sais pas si vous connaissez la Côte-Nord en plein hiver, mais c'est quelque chose à voir au moins une fois dans sa vie. Une suite de paysages grandioses, sauvages et fabuleux, avec, à marée basse, de la glace accrochée aux rochers comme autant de sculptures fantastiques.

Je me souviens aussi de ce passage au Témiscamingue où j'avais rencontré un certain Chaput. Nous avions donc échangé un peu sur ce curieux hasard pour nous rendre compte que nous étions parents (éloignés mais parents quand même). Je me rappelle également ce passage à Rivière-du-Loup dans une salle immense qui, pour une des très rares fois de la tournée, n'était pas pleine. En réalité, il y avait à peine 300 personnes sur une possibilité de 1500. Maman et moi étions déçus, même si l'accueil a été excellent. Nous avons appris le lendemain que, quelques jours avant nous, un chanteur populaire du moment n'avait attiré qu'une cinquantaine de spectateurs. Comme quoi, quand on se compare, on peut se consoler.

Le lendemain de cette mémorable présentation, nous avons pris le traversier sur lequel une dame m'a reconnu. « Monsieur Chaput, m'a-t-elle dit avec un grand sourire, j'ai tellement entendu parler de vous et de vos spectacles. Quand donc allez-vous venir à Rivière-du-Loup ? » Je n'ai pas su quoi répondre. J'y étais la veille pour présenter ma conférence et, de toute évidence, elle ne l'avait pas appris. Peut-être plusieurs autres l'ignoraient-ils aussi. Voilà d'ailleurs un problème qui me semblait récurrent concernant les tournées effectuées dans les régions du Québec. J'avais personnellement constaté (et je l'avais confirmé en discutant avec des artistes en tournée) que la promotion annonçant les différents spectacles était inégale selon les endroits où nous devions nous présenter. Elle était parfois même inexistante.

Bref, tout cela fut une aventure merveilleuse. Jusqu'en 2007, fin de ce spectacle et de cette tournée, j'aurai visité une foule de municipalités, donné plus de 100 conférences auxquelles ont assisté plus de 50 000 personnes. « Politiquement incorrect » a remis ma vie publique en selle. Outre les spectacles, plus de 20 000 copies du DVD produit ont été vendues et j'ai écrit un livre, écoulé à plus de 15 000 exemplaires, qui m'a permis d'aller encore plus loin en ajoutant des aspects et des anecdotes que je n'avais pas le temps d'insérer dans les spectacles. J'avais 77 ans quand nous avons mis un terme à « Politiquement incorrect » et je crois que ce fut ma plus belle période dans ce que je me plais à appeler ma carrière populaire.

En fait, si j'avais un regret à exprimer sur ma vie professionnelle de cette époque, je dirais seulement que, contrairement à ce que je prévoyais au départ, les spectacles au grand public de « Politiquement incorrect » n'ont pas servi de locomotive aux conférences corporatives. Au contraire. Les spectacles que j'ai donnés un peu partout, devant tant de monde, ont fait en sorte que les entreprises se sont mises à craindre que trop de leurs employés ne m'aient déjà vu en scène pour me faire revenir. Je comprenais parfaitement par ailleurs que si je donnais cinq spectacles à Terrebonne, les entreprises de l'endroit pouvaient douter de la pertinence de me faire revenir dans les mois suivants pour une assemblée annuelle. Cette perception a eu pour conséquence de diminuer la demande pour les conférences corporatives. J'étais peut-être un peu... Comment dire ? Surexposé ? Mais ce serait vraiment chercher la petite bête, car ce fut une époque très heureuse professionnellement.

Avant même la fin de « Politiquement incorrect », j'avais commencé à travailler sur une autre série de conférences intitulée « Maintenant ou jamais ». Et nous avons lancé ce nouveau spectacle en 2008 à la salle André-Mathieu de Laval. Mais il a été convenu, cette fois, de faire des modifications à la présentation. J'imagine qu'on souhaitait me faire entrer au 21e siècle. À partir de là, plutôt que les grands tableaux et mes notes éparpillées sur la petite table, j'ai eu droit à quelque chose qui ressemble à du multimédia, même si je ne suis pas certain de savoir ce que c'est. Mes connaissances informatiques à ce chapitre sont pour le moins modestes. Céline dirait probablement qu'elles sont inexistantes.

On a donc décidé qu'il y aurait désormais, en plus de mes trois tableaux, un écran géant où une série de photos et de reproductions d'articles de journaux défileraient au fur et à mesure de ma présentation. Il pouvait même y avoir de la musique à certains passages pour accentuer l'impact de la conférence. Bref, un véritable spectacle. Le problème, c'est que je n'ai pas et je n'ai jamais eu de textes fixes. J'improvise selon la réaction des gens et, si je trouve une information qui m'accroche, même quelques instants avant d'entrer en scène, je peux modifier complètement quelques passages afin d'y insérer cette nouvelle donnée. Voilà comment j'ai toujours fonctionné. Le soutien technologique devenait un handicap. Je ne me sentais pas moi-même, convaincu d'être moins libre de m'exprimer. D'autre part, et je le comprends mieux avec du recul, cette seconde série de conférences était peut-être un peu trop près de la précédente. En ce sens, il y avait du matériel qui se ressemblait.

En fin de compte, je me sentais moins enthousiaste sur scène et cela a certainement eu des répercussions sur les résultats. Parfois, je me vois comme une éponge qui absorbe toute l'information qui passe autour. Je m'en sers alors pour mes conférences. Le cadre trop strict que la technologie m'imposait a limité mon inspiration et le rythme de ces présentations. Je sentais moins cette exaltation et cette excitation qui m'ont, je pense, toujours caractérisé.

Finalement, cette seconde tournée qui a duré jusqu'en 2010 a moins bien fonctionné que la première. Comprenons-nous, « Maintenant ou jamais » n'a pas du tout été un échec. Cette tournée a seulement moins bien marché que « Politiquement incorrect ». Toutefois, et peut-être est-ce le corollaire de cette moins bonne performance publique, les conférences corporatives ont eu un regain de popularité.

Professionnellement, la dernière décennie a donc été vivante, énergisante, motivante et remplie de merveilleuses découvertes. Bref, l'un dans l'autre, depuis les débuts de mon association avec Pierre Gravel, nous pouvons être fiers des résultats et je peux affirmer que, même à 80 ans, ma carrière se poursuit encore avec succès. Ce qui est, en soi, une réalisation étonnante et une source de fierté.

* * *

Si la vie professionnelle se déroulait plutôt bien, la vie familiale devait me réserver d'énormes surprises. Mon gendre, Daniel Barolet, mari de ma fille Geneviève, est, je vous le rappelle, dermatologue. Je le qualifierais d'ailleurs sans hésiter « d'excellent ». Or, comme la plupart des dermatologues, Daniel est très sensible aux cancers et, bien entendu, principalement à ceux de la peau. Et il fait très attention à toute la famille, nous invitant à aller régulièrement le consulter pour passer un examen complet à ce chapitre. Il en va ainsi depuis de nombreuses années. En fait, c'est lors d'une de ces consultations qu'il a découvert un mélanome assez sévère chez mon fils aîné Patrick, en 2003, la même année où Céline a été atteinte d'une pneumonie. Il en a aussi diagnostiqué un, au début de 2005, chez Maman. Il était moins grave mais il a fallu le traiter sans tarder.

Tout ceci pour dire que la famille est sensible à ce genre de problème et que nous sommes suivis de près par Daniel qui nous tient à l'œil, ce qui a aussi toujours permis de guérir rapidement les tumeurs qui se sont présentées parce qu'elles étaient prises à temps. Donc, quand, en juin 2005, je suis allé passer mon examen annuel chez Daniel, je n'étais pas craintif. Je n'étais pas inquiet non plus quand il a décelé, sur mon bras, un petit quelque chose qu'il n'aimait pas. Comme il le faisait toujours quand il avait un doute, il a fait une biopsie pour analyse en laboratoire. Je ne sentais aucune raison de m'inquiéter, je savais être en de bonnes mains.

Parallèlement, Rose, la troisième fille de Geneviève et Daniel, une adorable enfant de 16 ans, avait une petite excroissance sur la peau du ventre que son père avait détectée. Daniel s'en était évidemment occupé. Il ne laissait rien au hasard. Surtout pas quand il s'agissait d'un de ses enfants. Il a donc fait faire les analyses voulues.

Par ailleurs, elle avait sur le biceps gauche une autre bosse dont elle s'amusait car cela lui donnait de la musculation. Comme Rose faisait de l'équitation – et elle y avait beaucoup de talent – et comme elle s'occupait aussi des chevaux, ses parents ont cru qu'il pouvait s'agir d'un coup reçu pendant l'une des nombreuses séances d'entraînement. Rose adorait les chevaux. Or, ce sont des animaux intelligents et beaux, mais ils sont aussi gros et peuvent, même sans le vouloir, donner des coups qui font mal. Le genre de chose qui arrive probablement régulièrement dans les écuries.

Toujours est-il qu'à 7 h 30, le lundi 11 juillet 2005, j'étais en train de prendre mon café à la maison en lisant le journal quand le téléphone a sonné. C'était mon beau-fils qui venait de recevoir les résultats de mes examens. La tache qu'il avait repérée sur mon bras était un mélanome. Il m'a avisé qu'il avait immédiatement pris les dispositions pour que je me fasse opérer dans les meilleurs délais et avait pris les arrangements avec le chirurgien. Je n'avais donc pas à m'inquiéter. Comme je l'ai dit, ce n'était pas la première fois qu'un tel diagnostic était posé pour un membre de ma famille. Et Daniel m'avait assuré que le problème avait été détecté à temps. Je m'étais donc remis à mes occupations, notant simplement à mon agenda la date de l'intervention.

Le même matin, vers 11 heures, la sonnerie du téléphone retentit encore. Céline a pris le combiné. C'était Geneviève qui appelait, elle était en pleurs. Croyant que notre fille avait appris la nouvelle à mon sujet, elle a simplement tenté de la calmer en la rassurant sur ma santé. Mais il s'agissait d'autre chose. C'était plutôt l'inquiétude d'une mère pour son enfant. Je crois que Geneviève avait un mauvais pressentiment concernant la bosse sur l'estomac de Rose. Je n'étais pas au courant de tous les détails, mais je pense que la petite devait, la journée même, aller à l'hôpital pour passer un examen complémentaire.

Geneviève a expliqué à Céline que Rose était alors à son centre d'équitation. Sa sœur aînée Virginie irait la chercher pour la ramener à la maison de Rosemère, d'où il fallait la conduire à l'hôpital Sainte-Justine. Geneviève a demandé à Maman de l'accompagner, ce qu'elle a évidemment immédiatement accepté de faire.

Pour justifier sa présence, Maman raconterait à Rose que nous nous étions chicanés le matin et qu'elle avait besoin de sortir un peu. Détail que j'ignorais alors. De plus, comme Rose souffrait aussi de scoliose et qu'il était fréquent que Céline l'accompagne à l'hôpital pour ses traitements, il n'y aurait rien de bien étrange au fait qu'elle l'escorte encore cette fois. C'est d'ailleurs cette explication que Céline donna à Rose, dans la salle d'attente, pour lui faire comprendre certains examens non prévus. En fait, Maman lui rappela qu'elle devait avoir un traitement la semaine suivante, mais comme il y avait des vacances à l'hôpital, il avait été décidé de devancer les choses.

Même si j'étais sous le choc, je demeurais confiant. J'avais dû rester à la maison pour continuer la préparation d'une conférence que je devais donner plus tard cette semaine-là. Et puis, il était évident que ma présence aurait été étrange et qu'il valait mieux attendre que Céline me donne des nouvelles.

Tout ce que j'ai appris de cet après-midi-là m'a donc été raconté par Maman. Rose a passé quelques examens. À un moment donné, Céline est demeurée avec la petite dans la salle d'attente pendant que Geneviève était allée discuter avec quelqu'un. Maman n'a rien entendu de l'échange, mais a vu, du coin de l'œil, Geneviève pleurer. Quand cette dernière est revenue, elle a simplement indiqué que les médecins souhaitaient passer des examens additionnels le lendemain matin. En fait, je crois que personne ne savait encore de quoi il s'agissait, mais Maman a alors compris que l'état de Rose était peut-être plus sérieux qu'elle ne le pensait.

Bref, en sortant de l'hôpital cet après-midi-là, Rose a demandé à Céline si elle pouvait aller voir son grand-père même si, croyait-elle, j'étais fâché contre sa grand-mère. Céline lui a répondu qu'il vaudrait peut-être mieux qu'elle me donne un coup de fil pour voir si j'étais de meilleure humeur. Je ne savais, comme je l'ai précisé, rien de ce petit mensonge. Quand le téléphone a sonné, je croyais que Maman m'appelait pour m'informer du déroulement des choses, car il y avait plusieurs heures que j'attendais.

— Oui, ai-je répondu.

— C'est moi, grand-papa. Est-ce que tu es encore fâché ? m'a dit Rose que j'avais immédiatement reconnue.

— Fâché ? Pourquoi serais-je fâché ?

— Grand-maman m'a tout raconté. Vous vous êtes chicanés ce matin. On sort de l'hôpital et je voudrais aller chez vous, mais pas si tu es de mauvaise humeur.

— Je pense que ta grand-mère t'a raconté une petite histoire, ai-je continué en riant. Je ne suis pas fâché. Et surtout pas contre toi. Et d'ailleurs, toi, comment ça va ? ai-je ajouté.

— Très bien. Et si tu n'es plus en colère, on arrive, a-t-elle conclu avant de raccrocher.

Je ne savais pas trop quoi penser de tout ça. Mais j'aurais bientôt des nouvelles. Quand elle est entrée dans la maison, Rose resplendissait de vitalité. Elle semblait en pleine forme. Pendant que ce tourbillon d'énergie dévorait des fraises saupoudrées de sucre, Maman m'a mis au courant des derniers développements et de ses doutes. J'étais assommé. Je la regardais et je ne pouvais croire que cette magnifique jeune fille puisse être gravement malade. La vie est si injuste. J'ai eu, à ce moment, une appréhension... Non, plutôt une intuition, le sentiment que rien ne serait facile dans les prochaines semaines et les prochains mois. Surtout pour elle.

Près de Rose, je regardais Geneviève qui faisait tout son possible pour que rien ne transpire de son inquiétude. Pourtant, ses yeux révélaient la peur qui la rongeait.

Le lendemain, Rose est retournée à l'hôpital pour passer les autres examens. Elle se laissait guider par ses parents. Souvent, quand on lui posait des questions sur telle ou telle chose, elle les regardait et s'en remettait totalement à leur décision. « Je vous fais confiance... Je me fie à vous », disait-elle. Je dois avouer que cette attitude me troublait. Un doute s'insinuait dans mon esprit. Rien de clair, mais ce genre de crainte que vous ressentez et que vous ne pouvez expliquer. Je n'aurais pas pu formuler cette pensée en mots, mais si j'avais dû le faire, j'aurais dit que Rose se fiait trop aux autres. Elle ne prenait pas la responsabilité de sa maladie. Mais elle était tellement jeune pour comprendre cela. Elle ne pouvait pas se battre avec toute l'énergie voulue pour guérir. C'est probablement injuste de ma part d'exprimer cette idée. Rose était jeune et superbement intelligente. Mais les jeunes se croient toujours éternels et savent pertinemment que leurs parents sont et seront toujours là pour les protéger et faire au mieux pour leur avenir. Pourquoi aurait-elle dû s'alarmer ? Elle n'avait qu'à suivre les conseils de ceux et celles qui l'aimaient et, ainsi, tout serait pour le mieux. La vie est simple quand on a 16 ans. Enfin... elle devrait l'être. Voilà néanmoins la pensée fugace qui m'a alors traversé l'esprit.

En après-midi, au terme d'une autre journée de tests, l'ennemi était clairement identifié. Rose était sévèrement atteinte. Elle a alors appris, sans probablement prendre conscience de toute l'ampleur du combat qui s'amorçait, qu'elle était malade. Même si elle ne ressentait encore rien. Même si elle se sentait la même énergie que la semaine précédente, la maladie progressait dans son corps. Elle était atteinte d'un cancer des os. Une forme virulente d'ostéosarcome, un cancer qui s'attaque principalement aux jeunes pendant leur croissance. C'était grave.

Ce soir-là, Geneviève nous a invités, Céline et moi, à souper avec eux. Je l'ai déjà dit, mais je constatais encore une fois combien ma fille ressemblait à sa mère. Elle avait la même force de caractère et la même détermination. Pendant le souper, alors qu'elle expliquait aux cinq autres enfants que Rose avait une maladie grave, elle a utilisé les mots qu'il fallait pour désamorcer une éventuelle crise tout en étant suffisamment précise pour qu'ils comprennent que les mois à venir seraient très difficiles pour Rose. Geneviève affichait la même solidité devant l'adversité que sa mère. J'avais vraiment l'impression que, pour toute la famille, elle était le phare qu'il fallait suivre et écouter pour passer à travers les moments difficiles. En la regardant cependant, je percevais les sentiments parfois violents qui la troublaient. Mais seuls les adultes pouvaient voir, au-delà de l'image calme et confiante qu'elle affichait, toute l'inquiétude qu'elle vivait face à la maladie et à l'avenir de sa fille, de son enfant!

Tout au long de cette épreuve d'ailleurs, Geneviève a toujours fait très attention pour que les sœurs et le frère de Rose soient protégés face à l'adversité qui frappait la famille. Je ne sais pas comment elle s'y prenait, mais j'ai souvent remarqué, au fil des mois qui ont suivi, que les plus jeunes n'ont jamais réellement compris la gravité de la situation et l'enfer que vivait Rose. Ils la savaient malade, ils étaient prévenants et gentils avec elle, mais ils n'avaient pas vraiment conscience du drame que leur sœur vivait. Je peux évidemment me tromper, mais c'était ma perception des choses. Et, après coup, je crois qu'il était très sage d'agir ainsi.

Dès ce moment, Rose a entrepris ses traitements de chimiothérapie. En quelques semaines, elle a perdu ses magnifiques cheveux blonds et un peu de sa force vitale. Elle passait toutes les semaines à l'hôpital et ne revenait à la maison que les fins de semaine. Cinq longues journées de traitements de chimio chaque semaine pour deux minuscules journées à la maison dans ses affaires. Et beaucoup de souffrances. Je ne l'ai pas vue à l'hôpital. Rose ne souhaitait voir personne sauf la famille immédiate et, bien entendu, Céline qui passait beaucoup de temps à son chevet.

Rose était une adolescente extraordinaire qui vivait beaucoup dans son imaginaire. Elle lisait énormément (au moins un livre par semaine) et avait bâti un petit monde autour d'elle. Peu avant sa maladie, comme j'avais un contrat aux Éditions Héritage, je l'avais proposée à l'éditeur pour critiquer leurs livres jeunesse. Cet éditeur a en effet une vaste collection de titres qui s'adressent aux enfants et aux adolescents et les Éditions Héritage reçoivent donc de nombreux manuscrits d'auteurs qui veulent se faire publier. L'éditeur fait souvent appel à des lecteurs ou lectrices témoins qui lisent et commentent ces ouvrages, ce qui influence la décision finale. C'est dans ce cadre que j'avais soumis le nom de Rose. Elle était très excitée à cette idée et avait très hâte de commencer. La maladie a mis un frein à ce projet.

Mais ce qui lui a le plus manqué pendant ces longues semaines, je crois, ce sont les chevaux. Il n'est pas facile de vous expliquer à quel point elle les adorait. Mais, juste pour vous donner une idée, j'allais souvent la chercher à la sortie de son école à Sainte-Rose pour la conduire à ses cours d'équitation dans une écurie de Saint-Janvier. Comme je le fais en toutes circonstances, j'arrivais tôt pour l'attendre. Je me garais devant l'entrée et, sitôt la fin des classes, je regardais tous les élèves qui quittaient l'établissement. Très souvent, Rose sortait parmi les dernières, comme si elle avait tout son temps. Elle grimpait dans la voiture et prenait sa collation qu'elle mangeait lentement pendant le trajet. Je tentais bien d'entamer la discussion, mais elle ne répondait que par monosyllabes.

— Alors, ta journée a bien été ? lui demandais-je.

— Oui.

— As-tu eu des examens aujourd'hui ?

— Non.

— Il s'est passé quelque chose de spécial en classe ?

— Rien.

Voilà le genre de conversation que nous avions. Juste quelques mots difficilement extirpés. Et le trajet jusqu'à Saint-Janvier durait environ une heure, ce qui n'avait rien d'enthousiasmant. Une fois arrivée, elle me regardait et me disait simplement que je pouvais revenir dans une heure et quart, qu'elle serait prête et sortait de la voiture sans ajouter un mot.

J'avais ensuite pris l'habitude d'aller boire un café dans un restaurant pas trop loin pour lire les journaux ou un livre que je m'étais apporté. Quand le délai était écoulé, je retournais à l'écurie pour la ramener à la maison. La Rose qui entrait alors dans la voiture était transformée. Elle était resplendissante, enjouée, dynamique et n'arrêtait plus de parler. Elle me contait alors tout ce qui lui arrivait, me parlait de ses lectures, de ses projets, des chevaux, de ses amis, de tout ce qui lui passait par la tête. Il arrivait même souvent qu'une fois rendus à la maison, nous restions assis dans l'auto de longues minutes parce qu'elle devait absolument terminer l'histoire qu'elle avait commencée. Durant le trajet du retour elle n'avait pas arrêté de parler. Voilà comment était Rose après avoir vu les chevaux. Une adolescente adorable qui babillait sans cesse, et qui m'entraînait dans le tourbillon de sa vitalité. Voilà aussi pourquoi je pense que les chevaux ont dû tellement lui manquer pendant les mois qu'ont duré les traitements.

▲
Rose adorait les chevaux et était une merveilleuse cavalière.

À compter du mois de juillet, chaque jour, les effets secondaires des puissants traitements de chimiothérapie laissaient leurs traces sur Rose. Elle a, comme je l'ai signalé plus tôt, perdu ses magnifiques cheveux, mais elle était aussi de plus en plus affaiblie. Je n'étais certainement pas le seul, mais j'étais profondément touché et bouleversé par ces changements. La science livrait une lutte titanesque au cancer, mais c'était le corps de Rose qui était le champ de bataille. Et ça laissait des traces.

Or, la vie est parfois étrange dans son indifférence aux individus. Pendant que Rose bataillait avec acharnement pour sa guérison, une autre vie arrivait dans la grande famille. Jean-François, qui avait entrepris depuis un bon moment des démarches d'adoption, venait de recevoir une merveilleuse nouvelle : la petite Jeanne, qui venait de naître, arrivait pour transformer son existence. J'ai personnellement ressenti son arrivée comme une bouffée d'énergie dans cette période difficile. Je garde aussi précieusement en mémoire cette première rencontre entre Jeanne et Rose qui combattait la maladie. L'image extraordinaire de ce petit bébé que ma petite-fille, assise dans sa chaise berçante à la maison, tenait tendrement dans ses bras en pleurant. Jamais je n'ai senti avec autant d'intensité la force de la vie. Quand j'y pense, et j'y pense souvent, je revois les yeux de Rose qui embrassaient avec une émotion incroyable ce bébé si minuscule et qui déjà prenait déjà tellement de place. C'était fabuleusement beau.

* * *

L'automne a été singulièrement pénible. Pour tout le monde, mais particulièrement pour Rose, bien entendu. L'une des choses qui m'attristaient le plus, c'est l'impuissance que je ressentais. J'imagine facilement que ce sentiment était bien plus fort et profond pour Geneviève et Daniel, mais je l'éprouvais intensément aussi. Comment était-il possible qu'une jeune fille comme Rose ait à passer par autant de tourments et de souffrances ? Surtout, comment était-il possible que je ne puisse rien y faire ? Voilà certainement le genre de pensée qui vient à tous ceux qui doivent traverser ces épreuves. Les enfants ne devraient jamais être aussi malades. C'est tout.

Les traitements se poursuivirent donc pendant l'automne. En octobre, les médecins, qui avaient dès le départ situé l'origine du mal dans le bras gauche où les os étaient très largement nécrosés, ont décidé de tenter une intervention délicate, longue et extrêmement douloureuse qui devait permettre de rebâtir le bras. Rien de moins. Cette opération devait avoir lieu à l'hôpital Maisonneuve. Il s'agissait malgré tout d'une nouvelle encourageante puisque, selon ma compréhension des choses, cela impliquait qu'en éradiquant l'origine du cancer, les chances de réussite avec les traitements de chimiothérapie augmentaient. Pendant les deux semaines qu'elle a passé à cet hôpital, Rose a souffert le martyre. Mais l'intervention a été une réussite.

Elle est ensuite retournée à Sainte-Justine pour poursuivre ses traitements de chimiothérapie. Céline, qui était aussi souvent que possible auprès d'elle, me racontait sa force devant la maladie et la douleur. Après les traitements, elle vomissait souvent, puis s'endormait, à bout de forces. Un après-midi, m'a relaté Maman, elle regardait sa petite-fille dormir en pleurant tout bas. Comment pouvait-on faire autant de mal à une jeune fille ? Puis, Rose a ouvert les yeux et a vu sa grand-mère.

— Pourquoi tu pleures ? lui a-t-elle demandé.

— Parce que je te vois souffrir et que je ne peux rien faire.

— C'est pas grave, grand-maman. Pleure pas ! a-t-elle doucement ajouté en se rendormant.

Et c'est ainsi que s'est poursuivie sa lutte contre le cancer. Après l'opération au bras, nous avions eu de bons espoirs de voir son état s'améliorer. Pendant des semaines encore les traitements ont continué.

Étonnamment peut-être, ce ne fut certainement pas le Noël le plus triste pour la famille de Geneviève. D'accord, Rose avait dû entrer à l'hôpital quelques jours avant Noël, et y était restée presque jusqu'à la fin du mois de décembre, mais toute la famille se réunissait régulièrement dans sa chambre et l'atmosphère demeurait festive. Tous les enfants avaient accepté de bon gré de n'ouvrir aucun cadeau avant qu'elle ne soit revenue à la maison qui était encore décorée pour Noël à son retour. Nous avons eu la chance, Céline et moi, d'y être et de voir la joie dans ses yeux alors qu'elle déballait ses cadeaux. Elle était très faible, mais Dieu qu'elle avait encore cette soif de vivre.

* * *

En janvier 2006, j'étais à la maison, qu'une équipe de professionnels avait envahie pour enregistrer une publicité pour les spectacles de « Politiquement incorrect ». Je ne me souviens pas du texte, mais on parlait de quelques thèmes abordés durant ces conférences, comme d'arrêter d'être aussi rationnel; que le cœur peut faire des miracles; qu'il suffit souvent d'y croire pour y arriver, etc.

Maman et Geneviève sont entrées pendant une des prises. Sans bruit elles se sont dirigées vers la chambre à l'arrière de la maison. En passant, Céline m'a fait signe de les rejoindre immédiatement. J'ai laissé l'équipe quelques minutes pour aller les voir. J'avais un mauvais pressentiment.

En entrant dans la pièce, j'ai vu ma fille qui semblait dévastée, anéantie.

— Que se passe-t-il ? ai-je demandé, anxieux, en voyant Maman qui tenait Geneviève dans ses bras.

— Geneviève et Daniel ont rencontré les médecins ce matin, a-t-elle répondu la voix cassée.

— Et alors, quelles nouvelles ?

— Ils ont conclu, a continué Céline, que le protocole de soins qui avait été établi ne fonctionnait pas. Ils disent qu'ils cessent les traitements jusqu'à ce qu'ils trouvent un nouveau protocole.

Je ne comprenais pas. Pourquoi voulaient-ils arrêter de la soigner ? Mon esprit refusait d'envisager la suite.

— Mais qu'est-ce qu'ils vont faire ? Qu'est-ce qui va arriver à Rose ? ai-je insisté.

— Ils ne peuvent plus rien faire, tu comprends ? a-t-elle lancé comme dans un cri. Rose va demeurer à la maison et... attendre, a-t-elle continué en éclatant en sanglots.

J'étais terrassé. Je ne pouvais pas accepter cette nouvelle. Je ne pouvais pas croire qu'on arrêtait les traitements. Tout ce que je comprenais, c'est qu'on abandonnait Rose. C'était inimaginable qu'on en soit rendu à ce point. Je me suis littéralement écroulé, dévasté par cette nouvelle, et je me suis mis à pleurer. Pendant de longues minutes, je crois, nous nous sommes tenus ensemble, laissant sortir une immense, une colossale peine. La vie est tellement fragile.

Dans la pièce tout à côté, des gens attendaient que je revienne pour faire une publicité sur une conférence dans laquelle j'allais dire aux gens que rien n'était impossible, que l'on pouvait toujours passer au travers des événements et des difficultés, pour peu qu'on y croie vraiment. Et là, on venait me dire que j'avais tort. Qu'il y a des circonstances devant lesquelles on ne peut rien faire d'autre que d'attendre la fin. C'était trop illogique ! Il y a quelques semaines à peine, c'était Noël, période de réjouissances, de joie et d'amour pendant laquelle on échangeait des présents, et j'apprenais aujourd'hui qu'on allait peut-être nous enlever l'un des plus beaux cadeaux du monde. C'était impensable et totalement contre ma nature profonde d'accepter cette situation.

Doucement, j'ai repris un peu le contrôle de mes émotions. Céline m'a dit que, si je m'en sentais capable, je devrais retourner avec l'équipe de production qui attendait à quelques pas. J'ai laissé Maman tenter de soutenir et consoler Geneviève, et je suis retourné devant les caméras. J'ai brièvement expliqué au réalisateur ce qui nous arrivait et je lui ai demandé d'être patient pour que nous puissions terminer la session. J'ignore comment j'ai trouvé la force de finir cette publicité. L'esprit humain est parfois étrange. Le fait de m'obliger à me concentrer sur un travail, finalement sans grande importance, m'a forcé à réagir et m'a aidé à passer au travers du premier choc. En y pensant maintenant, je comprends que certains ont pu croire qu'il s'agissait là d'une tâche bien insignifiante et que j'ai manqué de sensibilité en retournant aussitôt travailler. C'est bien possible en effet. J'aurais peut-être dû dire à tout le monde de partir pour rester avec ma fille et ma femme. Mais j'agissais un peu par automatisme. Je voyais seulement qu'il y avait un engagement à terminer et, comme un robot, je l'ai fait. Je remarque que c'est un comportement que j'ai souvent eu dans ma vie. Un peu comme pendant la grave maladie de Maman, quand je m'étais malgré tout retrouvé à Montreux, en Suisse, devant l'hôtel où je devais donner une conférence. Je m'étais aussi demandé ce que je faisais là, plutôt que d'être aux côtés de Céline. Puis, comme il n'y avait pas de réponse, j'avais résolument monté les marches qui menaient à l'entrée et je m'étais littéralement lancé dans la conférence. Quand je ne sais pas comment réagir ou quoi faire, je fonce. Sans réfléchir. Je l'avais fait à Montreux, je l'ai refait cette journée-là.

Un soir, durant cette période, nous sommes allés souper chez Geneviève et Daniel, car nous avions besoin de nous retrouver et de nous serrer les coudes. Si j'ai bien compris, la maladie était rendue à un stade où il se produisait une véritable ossification du corps. Bientôt, si ce n'était pas déjà commencé, certains organes, comme les poumons ou les reins, se transformeraient et se solidifieraient. Daniel, qui avait tous les rapports et tous les documents en main, nous avait expliqué que dans son état actuel, seulement 2,5 % de patients s'en tiraient. Les chiffres étaient froids et implacables. Daniel ne nous disait pas tout ça avec détachement. Bien au contraire. Je ne l'avais jamais vu aussi troublé et bouleversé. La souffrance se lisait parfaitement sur son visage.

Mais en entendant ces mots, je m'étais dit que nous ne pouvions pas accepter le diagnostic sans lutter nous aussi. Peut-être ai-je eu tort. Je ne souhaitais pas qu'il y ait d'acharnement thérapeutique, mais je me disais qu'il devait y avoir, quelque part, une solution. Il y a toujours une solution. Était-ce du déni ? Peut-être ! J'ai regardé Daniel et je lui ai dit qu'il devait exister un moyen, qu'il fallait encore chercher.

Nous nous sommes mis au travail sur l'ordinateur, fouillant sur Internet dans toutes sortes de directions. Il a alors découvert qu'un médecin de Houston était considéré comme l'un des plus grands spécialistes mondiaux de l'ostéosarcome et qu'il travaillait actuellement sur un nouveau protocole de recherche. Daniel a tenté de le joindre à sa clinique du Texas. Évidemment, il n'y était pas. En fait, il prenait, je crois, des vacances. Daniel a tant insisté qu'on lui a dit que le message serait transmis au plus tôt au médecin. D'ailleurs, peu après, il nous a rappelés et Daniel a pu lui expliquer l'urgence de la situation.

C'était un homme sympathique et généreux qui a compris notre détresse. Daniel lui a aussitôt fait parvenir, par courrier, l'ensemble du volumineux dossier de Rose. Il examinerait le tout afin de savoir si elle pouvait être candidate au nouveau traitement. Si tel était le cas, il enverrait toutes les informations à l'hôpital qui la traitait ici à Montréal.

Dans les jours suivants, il s'est avéré que Rose ne pouvait entrer dans le programme de recherches, son état étant trop avancé. Toutefois, presque en même temps, les responsables à l'hôpital Sainte-Justine ont, de leur côté, trouvé un autre protocole applicable pour Rose. Il fallait cependant compter quelques semaines pour tout mettre en place. Il ne restait qu'à attendre que tout se mette en branle.

Quelques jours plus tard, Rose est retournée à l'hôpital pour entreprendre le nouveau traitement qui devait durer plusieurs semaines. Et si les effets secondaires des précédents traitements de chimiothérapie étaient importants, les effets de ce nouveau traitement, bien que différents, n'étaient certainement pas moins pénibles. Ça demeurait un véritable calvaire.

C'est à cette époque qu'on lui a appris que son souhait de « Rêves d'enfants » avait été accepté et qu'elle pourrait amener toute sa famille en vacances en Jamaïque pour une semaine. Une pause fort bienvenue dans cette interminable course à obstacles. Ils sont partis à la mi-mars et je suis allé les conduire à l'aéroport dans la camionnette de Daniel. (Il s'agissait presque d'un mini-autobus, car avec 6 enfants, il faut de l'espace.) Bref, nous nous sommes rendus à l'aéroport et tout le monde était joyeux. Rose y est entrée en marchant, appuyée sur ses deux parents, un magnifique sourire sur son visage.

Une semaine plus tard, quand je suis retourné les chercher, Rose était très faible. On la poussait dans un fauteuil roulant car elle n'avait plus l'énergie de marcher. Elle avait adoré son voyage, mais il avait lourdement taxé ses forces. Daniel a dû la prendre dans ses bras pour l'installer dans la camionnette. Céline et moi étions tout près quand Geneviève s'est approchée de nous. J'ai perçu une incommensurable tristesse dans ses yeux. Elle a regardé sa mère et a dit, d'une voix basse et étranglée par l'émotion, un peu comme un appel de détresse : « Je suis en train de la perdre, Maman... » La réalité de cette chienne de maladie est inéluctable. Elle était sur le point de gagner.

Le nouveau protocole de soins s'était terminé avant le départ en vacances. Au retour, il fallait en faire le bilan pour évaluer la suite des opérations. Or, cette semaine-là, Rose avait fait une crise sérieuse qui avait requis de l'amener d'urgence à l'hôpital. L'ostéosarcome, dans sa phase avancée, s'attaque aux organes, dont les poumons, et provoque alors une suffocation. Rose avait ce genre de crises. De plus en plus souvent.

J'ignore complètement quelles ont été les discussions à ce moment, mais il a été convenu qu'il n'y avait plus de traitement possible pour elle. Il fallait désormais tenter de faire au mieux. J'ai toutefois ensuite appris qu'un nouveau type de protocole avait alors été établi. Le genre de protocole dont je n'aurais probablement pas eu la force de parler. Celui qui prévoyait les dernières étapes.

Geneviève et Daniel ont profité cette fois du séjour de leur fille à l'hôpital pour faire aménager leur chambre à la maison afin que Rose y ait non seulement un lit du genre de ceux des hôpitaux, mais qu'elle puisse aussi avoir à sa disposition tous les appareils indispensables pour assurer son bien-être, dont une machine qui lui donnerait de l'oxygène.

Je dois avouer que je m'en suis voulu. Peut-être que si je ne m'en étais pas mêlé, si je n'avais pas insisté, si je n'avais pas aussi fortement nié la réalité et la gravité de la maladie, si nous ne nous étions pas fabriqué un espoir utopique avec le nouveau traitement, peut-être que Rose aurait moins souffert. Je l'ignorerai toujours, mais il me restera un poids sur la conscience. Celui de ne pas être certain d'avoir bien fait. Celui d'avoir trop cru en l'impossible. Comme souvent dans ma vie, je n'avais pas voulu voir ni accepter la réalité. Ce « déni » de la maladie de ma petite-fille a peut-être fait qu'elle a enduré des souffrances inutiles...

Rose est rentrée à la maison à la fin du mois de mars. Elle n'avait que 17 ans et était pourtant mourante. Elle reposait dans le lit que ses parents avaient fait installer dans leur propre chambre.

Quand elle est revenue de l'hôpital, une amie de Geneviève a eu l'idée de lui offrir un chien MIRA qui pourrait lui tenir compagnie. On voulait qu'elle puisse avoir un compagnon bien à elle pour le reste de ses jours. Rose ne l'a jamais accepté. Elle n'en voulait pas et nous avons dû le retourner.

Céline passait énormément de temps avec sa petite-fille et j'y allais aussi souvent que je le pouvais. Certains jours, quand j'y étais et qu'elle était suffisamment en forme, Rose et moi discutions de choses et d'autres. Mais la plupart du temps, nous restions près d'elle à la regarder dormir, au son de la machine qui lui insufflait l'oxygène. Ce son restera à jamais gravé dans ma mémoire. C'est le son de la vie, mais aussi celui de la douleur et de la maladie. Un écho aussi permanent que le bruit des vagues qui frappe la rive. Un bruit qui, encore aujourd'hui quand je l'entends, me remue l'âme.

Les jours ont passé, exigeants pour ma petite-fille, mais aussi pour ses parents. Dans la nuit du 14 au 15 avril, soit la nuit du Vendredi saint, il était 1 heure du matin quand Geneviève nous a téléphoné à la maison. Elle avait besoin de parler. De sentir une présence. Nous n'avons pas hésité et Céline lui a répondu que nous nous rendions aussitôt chez elle. Maman et moi sommes restés au chevet de Rose pendant que Geneviève et Daniel pouvaient profiter d'un très bref répit et prendre un peu de repos.

J'étais assis sur une petite chaise droite dans l'entrée de la chambre et je regardais la petite qui semblait dormir paisiblement. Seul le bruit de la machine à oxygène perturbait le silence. Daniel et Geneviève se reposaient dans leur lit, au bout duquel se trouvait celui de Rose, et Céline, assise sur une chaise près de sa petite-fille, somnolait en lui tenant la main. Je ne parvenais pas à m'assoupir. Cette nuit-là, le poids des ans pesait sur mon âme. J'étais en colère contre la vie et toute l'injustice qui l'accompagne parfois. C'était tellement arbitraire. Pourquoi devait-elle partir ? Pourquoi n'étais-je pas à sa place ? J'avais 76 ans et j'avais connu une très belle vie. Il aurait été normal et logique que je me trouve sur ce lit. Rose commençait à peine son existence alors que j'avais pleinement profité de la mienne. Elle avait encore tout à découvrir. Elle avait eu si peu de temps pour laisser traîner ses pas. Elle n'avait même pas encore connu l'amour. Il lui restait tant de choses à faire, tant de beautés à contempler, tant de gens à rencontrer et à apprécier, tant de défis à relever. J'ai saisi quelques bouts de papier qui se trouvaient là et, pendant de longues minutes, j'ai écrit. Il fallait que je traduise en mots les sentiments violents qui m'assiégeaient. J'écrivais sur la majesté de la vie, la puissance du moment présent et l'importance d'en profiter au maximum. J'ai ainsi noirci quelques pages. C'étaient, en quelque sorte, mes adieux à Rose. Mais, en même temps, j'y disais que la vie est belle et qu'elle vaut la peine d'être vécue, aussi pleinement que possible.

Quand j'ai eu terminé, je ne me suis pas relu. J'ai pris les feuilles, je les ai roulées en boule et je les ai jetées.

Au matin, Rose a eu une terrible crise. Elle suffoquait. Immédiatement, Daniel et Geneviève se sont approchés, tentant de la calmer. Quand cette attaque s'est dissipée, j'ai compris que le dernier protocole entrait en jeu. Il avait été convenu à l'avance avec les médecins et prévoyait le moment où commencer les injections de morphine pour contrôler la douleur. Cela signifiait aussi que si nous voulions lui parler une dernière fois pendant qu'elle était consciente, il fallait le faire tout de suite. Céline est allée réveiller les enfants et les parents de Daniel qui étaient aussi venus prêter main-forte. Toute la famille s'est rassemblée auprès du lit.

Quand le moment est venu, Daniel a pris la seringue et lui a dit :

— Je vais te faire une piqûre pour soulager la douleur.

Rose savait parfaitement ce que cela signifiait.

— Non papa, ça va aller, a-t-elle dit d'une voix douce mais faible. Je suis encore capable.

J'ai alors senti tout l'amour de Daniel pour sa fille et la fragilité de sa détermination. Le geste était nécessaire, mais tellement difficile. Il a jeté un coup d'œil à Geneviève qui savait aussi pertinemment que c'était la seule solution. Après neuf mois, nous étions arrivés au bout de la route. Peut-être était-ce grâce à l'affection inouïe et à la volonté inébranlable d'une mère qui sait que son enfant ne doit plus avoir à souffrir, mais dans un simple coup d'œil, j'ai eu l'impression que Geneviève réaffirmait qu'il n'y avait plus d'autres options.

Daniel a regardé sa fille avec énormément de tendresse puis il a ajouté :

— Non, ma chérie, il faut que tu te reposes. Je vais te faire l'injection...

Puis, aidé par Geneviève, il lui a administré la morphine. J'admire encore le courage qu'il leur a fallu pour le faire. Je ne crois pas que j'en aurais eu la force. Je sentais les larmes couler sur mes joues. Je tenais Maman par la main et je me sentais ravagé par une immense tristesse.

Toute la journée nous avons été à son chevet. J'avais la responsabilité d'aviser Daniel quand le moment venait de faire une nouvelle injection. Les heures s'étiraient au son de la machine à oxygène.

Vers 3 h 10 du matin, Rose a bougé. Nous étions tous réunis, près de son lit dans une belle solennité. Soudain elle a doucement ouvert les yeux. Elle a regardé tous ceux qui l'entouraient pendant quelques secondes beaucoup trop brèves. Geneviève la tenait dans ses bras. Elle était là, si frêle et pourtant si belle. Puis ses yeux se sont fermés. Pour la dernière fois. Il était 3 h 15. Rose venait de mourir. Tout le monde s'est approché pour la toucher délicatement dans un grand moment de tristesse, de tendresse et d'affection.

J'ignore pendant combien de temps nous sommes restés là à la regarder et à pleurer. Assez longtemps sans doute car, à un moment donné, j'ai levé les yeux vers une petite lucarne qui donnait vers l'est, et j'ai vu poindre les toutes premières lueurs de l'aube. Le soleil de Pâques se levait. Le soleil qui marque la Résurrection. Mais même le soleil doit se faire une raison. Rose nous avait laissés.

* * *

Chacun de nous, je crois, ressentait au plus profond de son être cette douloureuse perte. Nous tentions de nous consoler. Je ne peux pas parler pour les autres, mais pour ma part, je revoyais son sourire et ses yeux adorables. Je la voyais avec ses chevaux, avec ses livres. Je me souvenais de ces petits détails, souvent insignifiants, mais qui expriment pourtant toute la personnalité d'un être. Je me suis rappelé, entre autres choses, qu'elle aimait les roses blanches. Peut-être parce qu'elles avaient le même nom et la même beauté. Tout bas, je continuais à lui parler pour lui expliquer qu'elle ne devait plus avoir peur désormais. Elle était au-delà de ces choses. Et elle resterait un exemple de courage et de force. Je l'aimais tant.

Pendant ces moments où nous partagions tous une grande intimité, j'ai dit, je ne me souviens plus à qui, que j'avais écrit hier mes adieux à Rose et que cela m'avait fait un bien considérable.

— Et où est ce texte ? m'a-t-on demandé.

— Je l'ai jeté tout de suite après avoir terminé.

— Va le chercher, s'il te plaît.

— Je ne me souviens même pas où il peut se trouver, avais-je répondu.

Mais quelqu'un est allé fouiller et m'a rapporté le document tout fripé et j'ai lu ces notes à haute voix. Je vous en rapporte ici un extrait :

« La vie est un magnifique cadeau qu'on n'a certes pas gagné. Et je me demande souvent si on l'a mérité. (...)

Que faire pour mériter ce cadeau de son vivant ? Le mériter pendant que le cœur bat à un rythme régulier, que la respiration est stable. Que fait-on de ces quatre-vingt-six mille quatre cents secondes que l'on reçoit toutes les vingt-quatre heures ? On nous dit qu'il faut en profiter ! (...) On nous dit de vivre pleinement, c'est-à-dire en cessant de vouloir s'accrocher à la vie d'hier et de vouloir la refaire comme elle était. (...)

Il faut alors réaliser qu'il ne reste que le présent, qu'aujourd'hui, et que c'est là la façon de mériter la vie. Vivre pleinement aujourd'hui ! Et pour cela, prendre son temps ! Car la vie passe et coule et l'on ne sait pas quand elle s'arrêtera. Je la regarde ce matin fuir dans une course folle. Rose, notre petite fille haletante, voudrait bien la poursuivre. Impossible !

Il y a 17 ans, on a fait à Rose un magnifique cadeau : la vie ! On lui avait parlé d'une longue vie, d'une belle vie pleine de promesses. Et voilà que brusquement elle fuit cette vie, sans crier gare. En neuf mois à peine, elle a brisé tout l'élan que les seize années précédentes nous permettaient d'espérer magnifiques. Neuf mois à peine pour réaliser combien le cadeau était précieux. (...) »

* * *

Puis la réalité nous a encore rattrapés. Rose étant décédée à la maison, il fallait organiser la suite des choses. Daniel a donc contacté le salon funéraire pour qu'on vienne la chercher. Quand, plus tard en avant-midi, les gens du salon sont arrivés, après nous avoir transmis leurs condoléances, je les ai regardés entrer dans la chambre.

Il leur a fallu plusieurs minutes pendant lesquelles nous sommes tous restés silencieux. La porte s'est soudain ouverte et les deux hommes en sont sortis. Ils ont emporté le corps de Rose qui me semblait si petit. Geneviève, qui avait réussi par pure force de caractère à maîtriser ses émotions, s'est alors effondrée en criant : « NON ! NON ! NON ! » Et nous nous sommes tous remis à pleurer, accablés de douleur, en regardant la petite camionnette s'éloigner avec notre enfant adorée.

Après ce choc colossal, Céline a décidé de retourner dans la chambre pour ramasser les choses. Il fallait bien le faire. Tout le monde redoutait ce moment et personne ne voulait vraiment y aller. Mais à peine était-elle entrée qu'elle nous appelés : « Venez ! Venez voir ! »

Comme les autres, quand je suis allé voir dans la chambre, j'ai eu le souffle coupé. Les hommes du salon funéraire avaient refait le lit où on voyait encore nettement la place qu'avait occupée ma petite-fille. Il y avait surtout ces trois roses blanches qui avaient été posées sur l'oreiller. Un signe du destin qui nous rappelait que Rose serait toujours avec nous. J'ai éclaté en sanglots.

* * *

L'après-midi même, à la demande de Daniel et Geneviève, je les ai accompagnés au salon pour les dernières formalités. Nous avions convenu que notre Rose serait exposée une seule journée et, à la demande des parents, que le cercueil serait fermé. Je comprenais parfaitement les raisons qui les motivaient. Ils respectaient ainsi la volonté de leur fille qui ne se trouvait plus belle sans ses cheveux. Ainsi, tout le monde pourrait conserver en mémoire son image alors qu'elle était resplendissante de vie et d'énergie. Personnellement, je considérais que c'était ça un peu dommage car, même dans les derniers instants, je l'ai toujours trouvée magnifique. Mais je comprenais très bien cette décision. Geneviève a aussi décidé qu'elle ne serait pas incinérée mais qu'elle serait plutôt enterrée.

Il a ensuite fallu choisir un cercueil. Je ne sais pas s'il vous est déjà arrivé de « magasiner » ce genre de chose, mais c'est une expérience très pénible. Ce doit d'ailleurs l'être dans tous les cas. Et quand il s'agit d'une adolescente qui a été terrassée au début de sa vie, ça devient impossible. Comment choisir quelque chose qui lui correspondrait ? Rien n'est fait pour une fille de cet âge. On ne devrait jamais mourir aussi jeune. C'est Geneviève, avec son sens pratique, qui a finalement tranché. Un cercueil très simple et sobre, mais également très digne.

Rose serait exposée le mercredi suivant, ce qui nous laissait deux jours pour tenter de mettre un peu de baume sur nos plaies. Quand je repense à ces journées, je me demande comment j'aurais réussi à passer au travers sans l'appui de Céline. Tout au long du calvaire qu'a dû vivre notre petite-fille, Céline a non seulement été près d'elle, mais elle était aussi près de moi. C'est elle qui m'avait donné la force de continuer à travailler et de donner des conférences. Maman a toujours été et est encore celle qui me permet d'avancer.

Pendant ces deux jours de préparatifs, la famille a bâti un carrousel de photos de Rose. On la voyait à toutes les époques de sa trop brève vie. Des souvenirs merveilleux qui avaient été mis sur la musique d'*Évangéline*, une chanson qu'elle adorait. C'était très émotif, mais également très beau et très solennel.

La famille avait aussi demandé aux gens qui voulaient lui témoigner un dernier hommage de n'envoyer, s'ils souhaitaient le faire, que des roses blanches.

La réponse a été incroyable. Dieu que j'ai été estomaqué quand je suis entré pour la première fois dans le salon où reposait le cercueil. Il y avait des roses blanches partout. Un jardin de roses blanches qui occupaient tous les coins de la salle. Un extraordinaire témoignage de l'amour que tout le monde portait à notre petite. Un vibrant hommage à la vie et à la beauté.

Rose a été enterrée le vendredi au cours d'une cérémonie très intime. Elle a été mise en terre au cimetière de Sainte-Rose, près de la rivière des Mille-îles. Le grand voyage de sa vie était définitivement terminé. Elle aura toujours sa place dans mon cœur, mais son absence ne cessera jamais de créer un vide impossible à combler. Adieu, Rose ! Non ! Pas un adieu, plutôt un au revoir. Nous nous reverrons de l'autre côté du décor.

* * *

Il y aurait encore tant à raconter. Mais certaines choses doivent demeurer secrètes au fond de nous. Je veux cependant témoigner de l'incroyable courage de Geneviève et Daniel. Autant pendant toute cette épreuve que dans les années qui ont suivi, ils ont été d'une force fantastique. Ils ont réussi à soutenir et à préserver la vitalité de la famille. Ils ont fait face à l'adversité comme je ne suis pas certain que j'en aurais été capable. Je sais que Geneviève, pour en avoir discuté avec elle, ne se considère pas comme courageuse. Elle dit qu'elle n'avait pas le choix d'agir autrement. Les événements étaient ce qu'ils étaient et il fallait passer au travers.

Peut-être... Mais je suis loin d'en être convaincu. Pour moi, il ne fait aucun doute qu'ils ont été et demeurent des parents formidables avec une indomptable force de caractère. Ils ont toute mon admiration et je veux qu'ils le sachent.

Dans le même sens toutefois, et même après plusieurs années, je sais que la douleur est toujours aussi vive dans leur cœur. Aussi, je vais à mon tour vous demander, vous qui lisez ces lignes, un petit service. Je vous ai expliqué ce que j'ai ressenti pendant ces quelques mois, parce que je crois profondément que non seulement cela a été un moment extrêmement important dans ma vie, mais aussi parce que je pense que d'autres, qui sont passés par de tels drames, s'y reconnaîtront et pourront y trouver un peu de réconfort. Geneviève, Daniel et leurs enfants n'avaient certainement pas demandé à vivre ces moments et encore moins à ce qu'ils soient un jour connus et révélés dans une biographie. C'est peut-être là une partie du fardeau à porter quand vous êtes l'enfant de Jean-Marc Chaput. Et je m'en excuse. Donc, si jamais vous connaissez Daniel, Geneviève ou leur famille, si jamais vous les croisez, je sais que vous respecterez leur douleur et que vous demeurerez discrets.

Que dire de plus, sinon que quelques années plus tard, Céline et moi sommes allés retrouver Geneviève, Daniel et le reste de la famille à leur condominium en Floride. Rose n'a jamais eu l'occasion d'y aller. Près de l'entrée, il y a une chaise sur laquelle sont accrochés un t-shirt et le chapeau de Rose. Une éclatante démonstration qu'elle est toujours avec nous, qu'elle aura toujours sa place... et que c'est maintenant elle qui nous protège.

▲

Rose est toujours présente dans mon cœur.
Je t'aime, ma petite !

Chapitre

14

La vie, toujours la vie

Les jours et les semaines qui ont suivi la mort de Rose m'ont semblé bien fades et tristes. Je sais à quel point la douleur a pu être vive pour sa mère, son père et le reste de sa famille, et je ne veux pas la comparer à la mienne. D'ailleurs y a-t-il vraiment une gradation de l'intensité de la peine que l'on peut ressentir à la disparition d'un être cher ? Quand on se sent le cœur et l'âme en morceaux, qu'ils soient brisés en cent pièces ou en mille n'y change que peu de choses. C'est un passage extrêmement difficile à traverser. Nous avons tous vécu, parents, enfants et petits-enfants, cette pénible période et nous en sommes ressortis bouleversés, écrasés de peine et de chagrin, mais vivants. Et c'est cela qui reprend, finalement, toujours le dessus.

Début juin, Vincent, le fils aîné de Patrick, est venu prendre un café à la maison. Vincent était amoureux d'un jeune Belge du nom de Mathieu Lemercier. Ils s'étaient rencontrés, quelques années auparavant, grâce à Internet, et s'étaient découvert des affinités profondes. Au fil des ans, Mathieu était venu plusieurs fois au Québec et des liens solides s'étaient créés entre les deux jeunes gens. C'est d'ailleurs au cours de ces voyages qu'il avait eu l'occasion de voir la fromagerie Chaput et même d'y travailler. Or, il étudiait en génie mécanique et s'était inspiré de son expérience ici pour élaborer sa thèse de maîtrise. En fait, il s'était rendu compte qu'il serait possible d'automatiser et de mécaniser plusieurs étapes de la fabrication du fromage. Il suffisait pour cela de concevoir de nouvelles machines, tâche à laquelle il s'était attelé. Il avait, par exemple, imaginé un engin permettant de tourner les meules de fromages à des moments précis du vieillissement ou encore ce mécanisme qui apportait les fromages dans les différentes salles de la production au moment requis. Bref, il avait créé tout un système complexe et complet d'automatisation qui pouvait s'adapter à une fromagerie comme celle de Patrick.

Quand le moment est venu de défendre sa thèse, les professeurs de l'université à Bruxelles, qui avaient peu de notions sur le fonctionnement d'une fromagerie, avaient invité Patrick à faire partie du jury pour y apporter son expertise. C'était d'autant plus logique que le système créé par Mathieu l'avait été en fonction des particularités de la fromagerie Chaput. Patrick avait, évidemment, accepté cette chance extraordinaire. Or, l'exposé de la thèse devait se faire dans quelques jours.

Voilà ce que Vincent, qui avait alors 20 ans, venait nous raconter. Il attendait, probablement encore plus anxieux que Mathieu, les résultats de cette présentation. D'autant plus d'ailleurs qu'immédiatement après cet examen, Mathieu quitterait la Belgique pour venir s'installer ici, avec Vincent, dans une maison que les deux jeunes gens s'étaient achetée. J'étais très heureux pour lui et je trouvais amusante sa fébrilité.

Quand il a eu fini de nous parler de tout ce qui arrivait et du départ prochain de Patrick pour Bruxelles, Maman l'a regardé avec un grand sourire et lui a demandé :

— Est-ce qu'on y va ?

— Qu'est-ce que tu veux dire ? lui a-t-il répondu, intrigué.

— Ben, on y va et on ramène Mathieu avec nous. Ça va être une belle surprise, non ?

Et c'est comme ça, sur un coup de tête, que nous avons acheté trois billets et que nous sommes partis, moins d'une semaine plus tard, pour Bruxelles, au grand plaisir de Vincent et de Mathieu. En fait, juste de les voir, je crois que nous étions, Maman et moi, aussi heureux qu'eux.

Nous ne sommes restés en Belgique que quelques jours puisque nous devions revenir pour nous préparer à partir à... Paris. Mais cet autre voyage avait, lui, été prévu plusieurs semaines avant.

Sur un coup de tête, nous étions partis en Belgique avec notre petit-fils. Nous voici à Bruges. De gauche à droite : Vincent Chaput (le fils aîné de Patrick), Maman et moi, Marie-Claire et Benoit Lemercier entourent leur fils Mathieu.

En fait, plusieurs mois avant le décès de Rose, Céline et moi avions pensé qu'il serait possible, à l'été 2007, de partir pour Paris avec les trois filles aînées de Geneviève. Jamais nous n'avions imaginé la tragédie qui attendait Rose.

Quelques semaines après son décès, Céline a quand même remis l'idée sur le tapis. Je crois que Rose aurait aimé ce voyage et aurait encore plus apprécié que nous le réalisions, même si elle n'était plus là pour nous accompagner. Bref, Céline a d'abord contacté Geneviève pour savoir ce qu'elle en pensait. Elle n'était pas contre l'idée, bien au contraire, mais elle ne voulait pas prendre une telle décision à la place de ses filles. « Il faut que tu leur en parles toi-même », a-t-elle finalement répondu. Maman a donc appelé Justine et Virginie. Elles avaient, à ce moment, respectivement 21 et 19 ans et étaient et sont toujours de merveilleuses jeunes femmes. Elles ont accepté avec enthousiasme, je crois, ces petites vacances qui leur permettraient de découvrir la « Ville Lumière ».

Je sais que j'ai une facilité naturelle à toujours trouver le côté positif des choses et des événements. Je suis néanmoins étonné de constater la puissance de la vie. De voir avec quelle force elle revient, même au détour d'expériences traumatisantes. En 80 ans, je l'ai personnellement remarqué très souvent. Chaque fois que j'ai vécu une période noire, il y a eu ensuite de grands moments de bonheur. Quand survient un changement dans la vie, c'est rarement synonyme de recul. C'est un peu contradictoire, mais il est évident pour moi que les difficultés peuvent et doivent être utilisées comme tremplin. Elles nous permettent souvent de nous dépasser et d'apprécier davantage ce que nous avons...

Comme je l'ai déjà signalé, mon père disait parfois qu'on n'a jamais vu quelqu'un reculer en recevant un coup de pied au cul. Et c'est une telle vérité. Les problèmes et les ennuis nous forcent à avancer. La mort de Rose était et demeure un événement tragique. Jamais un enfant ne devrait mourir, surtout pas des suites d'une « chienne » de maladie. Mais quand ça arrive, il nous faut réagir et laisser la vie reprendre ses droits. Il ne faut pas oublier. Il ne faut jamais oublier. Mais il faut ensuite penser aux nouvelles aventures qui se profilent et continuer à bâtir des projets. Rose nous a montré qu'il faut profiter pleinement du présent et de tous les moments qui passent. Voilà le véritable enseignement qu'il faut en tirer.

Donc, pour revenir à mes deux petites-filles, en un rien de temps le voyage a été accepté et préparé. Nous sommes partis vers la fin du mois de juin, à peine quelques jours après notre retour de Belgique. Pour les jeunes filles, il s'agissait de leur premier voyage en France et j'entendais bien profiter de cette semaine pour leur faire découvrir les splendeurs de Paris. Nous avons visité quelques endroits extraordinaires comme la cathédrale Notre-Dame-de-Paris, le Louvre (enfin, un très court survol parce que l'endroit est immense) et, bien entendu, la tour Eiffel. Il faut savoir que Paris, en été, est envahi de touristes et que la Tour semble être un arrêt incontournable pour chacun d'eux. Néanmoins, cette fois, j'avais envie de monter tout en haut pour admirer la ville. Les filles étaient d'accord, malgré les longues files d'attente.

Quand nous étions à Paris avec nos deux petites-filles, Justine et Virginie, Maman attendait souvent à l'extérieur pendant que nous visitions des musées.

Céline, qui n'apprécie pas ces activités, a décidé de nous attendre en bas pendant que nous entreprenions notre tournée. Pour atteindre le sommet de la tour Eiffel, il faut prendre trois ascenseurs. Et chaque fois, il y avait foule et il fallait patienter. Malgré tout, chaque étape nous faisait découvrir une partie de la ville et chaque niveau avait son panorama. Cette journée-là, il faisait très beau et la vue portait encore plus loin. Quand nous avons atteint le sommet, même si j'avais déjà pu admirer le spectacle, j'en ai encore eu le souffle coupé. Mais surtout, à ce moment-là, j'ai vraiment senti que Rose était avec nous, qu'elle profitait aussi du paysage et qu'elle l'appréciait. Ce jour-là, je voulais croire aux anges. Je la sentais si proche que je lui parlais, comme si elle était à mes côtés. Et je pense que Justine et Virginie ressentaient aussi sa présence. Pour moi, ça a été un moment magique. Pendant un court instant, j'étais à Paris avec mes trois petites-filles et j'étais heureux.

Bon ! Dit ainsi, ça fait un peu mystique. Mais il n'en est rien. J'ai toujours été persuadé que ceux et celles qui nous quittent restent vivants dans nos souvenirs et dans nos cœurs. Cette fois-là, Rose était avec nous.

Notre séjour à Paris a été un entracte merveilleux. Je crois que les filles ont beaucoup apprécié, même si, parfois, j'ai eu l'impression que leur famille leur manquait et qu'elles auraient aimé être en même temps à Montréal et à Paris.

À l'automne 2006, comme nous avions depuis plusieurs années pris l'habitude d'aller dans le Sud aux Fêtes, Geneviève nous a proposé de nous joindre à eux pour les vacances de Noël au Club Med. Rose était décédée au printemps et Geneviève souhaitait que Céline et moi soyons avec sa famille pour nous serrer les coudes dans cette période de l'année toujours plus émotive. Cela m'avait vraiment fait chaud au cœur.

Ce bref séjour fut très agréable. Cela me faisait du bien d'être aussi proche de la famille pour partager ces instants. Il y a d'ailleurs eu des moments très émouvants, comme cette soi-rée du 2 janvier où nous avons célébré l'anniversaire de Rose. Elle aurait alors eu 18 ans. Le personnel qui s'occupait du service a dû trouver très curieux que nous célébrions une personne absente, mais ce n'était pourtant pas le cas, ils se trompaient. Rose était là. Je la savais parmi nous.

Je crois que Geneviève et Daniel n'ont jamais manqué de célébrer la fête de leur fille. Là aussi, je me sens privilégié puisque nous avons souvent eu la chance de vivre ces anniversaires avec eux. Nous étions déjà proches de Geneviève et de son mari Daniel. Les événements de l'année précédente avaient tissé des liens extrêmement serrés entre nous, mais ces vacances m'ont semblé nous rapprocher davantage.

* * *

L'automne 2006 devait apporter un nouveau chamboule-ment dans notre vie. Maman et moi vivions seuls depuis quelques années quand Nicolas, le fils aîné de ma fille Isabelle et de son mari Alexandre, vint nous rejoindre dans notre condominium.

Quand j'y pense, je constate que nous avons toujours été très proches de Nicolas. Mais les circonstances de son arrivée sont très étonnantes.

Isabelle avait épousé Alexandre en juillet 1989 et a accouché de Nicolas le 26 mai 1991. Ils vivaient alors dans un appartement à Outremont, près de notre résidence du Sanctuaire du Mont-Royal. Nous les voyions régulièrement pour les aider avec ce magnifique petit bébé.

L'automne suivant, Geneviève, qui avait déménagé à Sainte-Rose, a proposé son ancienne maison de Laval à Isabelle. C'est là que le couple a emménagé en octobre 1991. Et Isabelle est de nouveau devenue enceinte. Mais la grossesse a été plus difficile. Elle devait être suivie de près par les médecins qui s'inquiétaient à la fois pour elle et pour le bébé.

Les dernières semaines avant l'accouchement, nous avons pris soin de Nicolas pendant que sa mère, immobilisée sur le dos 24 heures sur 24 à l'hôpital, consacrait ses énergies pour la venue de ce nouvel enfant. Philippe est né prématurément en mars 1992, neuf mois après Nicolas, et a dû rester quelques semaines à l'hôpital. Il a finalement fait son entrée à la maison en avril.

Vous imaginez bien qu'avec deux enfants de moins d'un an, le travail ne manquait pas. Céline et moi sommes donc allés donner un coup de main pour aider Isabelle autant que nous le pouvions. Je me souviens que Céline y allait tous les jours. Pour ma part, je m'y rendais le soir, toutes les fois que je le pouvais. Il faut d'ailleurs rappeler qu'Alexandre, étant cuisinier, travaillait presque chaque soir de la semaine. Pendant que Céline aidait Isabelle avec Philippe, je m'occupais de Nicolas. Dieu que je l'ai bercé, et Dieu que j'adorais ça. Je pense que je l'ai bercé plus qu'aucun de mes enfants. Je lui donnais aussi le biberon que le petit régurgitait sur moi une fois sur deux. Puis, après l'avoir lavé et changé, j'allais l'installer pour la nuit. Pendant quatre mois je crois, nous y sommes allés tous les jours. J'étais donc très proche de Nicolas.

L'été suivant, nous sommes partis en vacances à notre condominium de Floride. Pendant notre absence, une personne venait aider ma fille afin qu'elle ne soit pas seule avec les enfants. Toute cette période était très occupée puisque c'est aussi à cette époque que Patrick s'était lancé dans l'aventure de l'école et que Pierre-Yves tentait le coup avec les fromages. Si j'ajoute à cela que je donnais toujours des conférences aux entreprises, on comprend qu'il nous manquait quelques heures dans la journée pour arriver à tout faire.

Toutefois, durant les mois et même les années qui ont suivi, nous avons toujours été proches d'Isabelle et nous nous occupions beaucoup de nos petits-enfants, Nicolas et Philippe. Céline est d'ailleurs devenue la seconde mère de ces deux-là. Au fil de nos visites, j'avais cependant la triste impression que tout ne baignait pas dans l'huile pour Isabelle. J'ai déjà expliqué qu'elle souffrait d'une maladie relativement peu connue appelée « personnalité limite ». Mais, à ce moment, nous l'ignorions encore. Je remarquais toutefois qu'il lui arrivait de se mettre en colère, souvent pour des riens. J'y voyais le comportement d'une forte personnalité et de quelqu'un d'un peu soupe au lait, mais, à mon sens, il n'y avait rien de sérieux. Ce n'était pas toujours agréable, mais ce n'était pas dramatique non plus. Par exemple, il nous arrivait, pendant que nous étions chez elle, de vivre de beaux moments familiaux, suivis, quelques minutes plus tard, d'une terrible colère qui nous mettait mal à l'aise et dont nous ne comprenions pas vraiment l'origine. Ensuite, une fois la tempête passée, Isabelle ne savait généralement pas pourquoi nous n'étions pas contents.

Maman et moi en parlions souvent sur le chemin du retour, car ces colères étaient fréquentes et empoisonnaient la vie de toute la famille. Céline avait un jour avancé l'idée qu'elles étaient peut-être liées à son cycle menstruel. Si j'avais exprimé une telle hypothèse moi-même, j'aurais probablement été considéré comme un terrible « macho ». Enfin... Mais venant de Céline... ça passait. Elle en avait même touché un mot à Louise, ma sœur, qui connaissait bien Isabelle et tous mes enfants. Dans sa logique implacable et terre à terre, Louise lui avait simplement répondu : « Alors, elle est menstruée une fois par semaine. » Voilà qui réglait le cas de cette théorie.

Au fil des ans, ces colères m'apparaissaient plus fréquentes et toujours plus violentes. Nous aurions dû, me dis-je parfois, nous apercevoir que quelque chose clochait. Nous aurions alors pu l'aider.

Céline est rarement d'accord quand je parle ainsi. Pour elle, nous avons toujours tenté de comprendre ces comportements et d'y trouver des explications logiques. Elle avait d'ailleurs, je l'ai déjà dit, avancé plusieurs hypothèses. Elle cherchait l'élément déclencheur qui aurait irrité notre fille et provoqué la crise. Mais quand on ne connaît pas l'existence d'une maladie, il est difficile d'arriver aux bonnes conclusions.

▲

Ça peut paraître difficile à croire, mais voilà comment nous célébrions nos Noël en famille à notre condo de Naples : tout le monde sur la plage !

Une année, alors que nous étions en Floride avec Geneviève, Patrick et Isabelle ainsi que leurs familles, elle a fait une terrible colère à cause d'une simple histoire de jeux entre les enfants ou quelque chose du genre. Malgré nos efforts, elle est devenue incontrôlable. Sur un coup de tête, elle a décidé de ramasser ses affaires, a installé les enfants dans la voiture et a pris la route, à 21 heures, pour rentrer à Montréal.

Bref, ce n'était pas toujours joyeux. Nous savions qu'elle était suivie psychologiquement et médicalement depuis la naissance de Philippe, mais aucun diagnostic ne permettait d'expliquer ce genre de comportement. Nous avions aussi remarqué (bon, peut-être était-ce seulement moi et peut-être est-ce aussi le genre de constatation qu'on imagine avoir fait, *a posteriori*) que la relation entre Nicolas et sa mère était souvent ombrageuse. La logique implacable de cet enfant faisait souvent rager Isabelle au plus haut point. Mais le contraire était aussi vrai. La façon de penser et d'agir de sa mère semblait parfois enrager Nicolas.

Nicolas est doté d'une vive intelligence. Une espèce de surdoué. Il avait la capacité de ne pas beaucoup travailler à l'école et de réussir quand même. Nous avions aussi appris qu'il avait eu quelques problèmes de comportement à son établissement scolaire. Suffisamment en tout cas pour que l'École internationale de Laval, qu'il fréquentait en secondaire 3, ait décidé de ne pas le reprendre l'année suivante. Il n'était pas violent, mais peut-être un peu... comment dire... arrogant et suffisant ! Comme le sont souvent les jeunes de cet âge qui croient savoir et connaître absolument tout sur toutes les questions. Mais c'était aussi un enfant qui savait parfois être parfaitement adorable. Chose certaine, il avait et a toujours beaucoup de caractère.

Je reviens à l'automne 2007. Le 8 octobre au matin, le lundi de l'Action de grâce, pendant que nous étions à la maison, le téléphone a sonné. C'était Isabelle, et elle était nettement en crise. « Si vous ne venez pas chercher Nicolas tout de suite, je l'envoie à la DPJ [23] », a-t-elle déclaré.

Nous avons immédiatement pris la voiture pour aller chez elle, car elle nous lançait un ultimatum. J'étais follement inquiet. En arrivant, j'ai vu que les policiers étaient déjà sur place. Céline est aussitôt sortie de l'auto pour s'élancer vers la maison. Quand j'ai voulu la suivre, un policier m'a demandé de demeurer dans la

23 Direction de la protection de la jeunesse.

voiture et d'attendre, que tout était sous contrôle. J'ai alors vu Nicolas sortir de la maison, accompagné par un autre agent le conduisant vers l'auto de police pour l'asseoir sur la banquette arrière. Nos réactions sont parfois étranges. Je suis resté dans la voiture et j'ai monté le volume de la radio où jouait de la musique classique pour tenter d'arrêter de réfléchir. Comme si les choses allaient se replacer par magie.

De toute évidence, la crise d'Isabelle avait été particulièrement intense. J'ai vu Céline s'approcher du policier qui surveillait Nicolas pour discuter. C'est seulement alors que je me suis avancé. Il n'était pas question que Maman laisse son petit-fils partir avec les policiers vers un endroit inconnu. Elle voulait qu'ils nous laissent Nicolas pour le ramener à la maison. Pendant ce temps, un autre policier sortait de la maison avec les bagages de Nicolas.

— Si nous vous le laissons, dit-il, vous en serez responsables.

— Évidemment, a répondu Maman.

— Et combien de temps pouvez-vous le garder ?

— Aussi longtemps qu'il le faudra, a affirmé Céline, décidée.

Et voilà comment Nicolas nous a été confié. Pendant ce temps, les policiers, qui avaient appelé une ambulance, ont fait transporter Isabelle à l'institut Albert-Prévost, rattaché à l'hôpital Sacré-Cœur et spécialisé en psychiatrie et en santé mentale.

J'étais personnellement en plein désarroi. Je ne comprenais pas comment la situation avait pu dégénérer de cette façon. Il a rapidement fallu s'adapter, car il était évident que Nicolas resterait avec nous pendant un certain temps. Or, notre maison n'était pas faite pour accueillir un pensionnaire. En effet, nous possédons un grand condominium où il n'y a que deux pièces. La plus vaste inclut le salon, la cuisine, la salle à dîner et mon bureau, le tout en aire ouverte et presque entièrement vitrée, offrant une vue imprenable sur la rivière des Prairies. La seule pièce fermée (outre les toilettes, bien entendu) est notre chambre. Nous avons donc installé notre petit-fils de notre mieux, lui déposant près d'une des immenses fenêtres un matelas gonflable qui lui servirait de lit. Ce n'était pas génial, mais ça dépannait. Quelques heures après son arrivée, il avait donc sa place. Au moins, pendant ce temps, Isabelle était en sécurité, ce qui nous enlevait déjà un poids.

Dans l'après-midi, Maman a donné un coup de fil à l'institut Prévost pour prendre des nouvelles de notre fille. On lui a alors appris qu'Isabelle était partie. Comme elle n'avait pas de tendance suicidaire, ils n'avaient aucune raison de la retenir. Elle était donc rentrée chez elle. Or, Nicolas n'entendait pas du tout retourner avec sa mère. Le conflit entre ces deux-là avait pris des proportions telles qu'il refusait catégoriquement de la voir et même de lui parler. Et je le comprenais puisque sa mère, pendant sa crise, l'avait tout simplement mis à la porte.

Comme il nous arrivait souvent quand nous ne savions pas comment gérer une situation difficile ou une crise dans la famille, nous sommes allés, cette semaine-là, voir notre psychologue, M. Van Gijseghen (juste Maman et moi). Nous lui avons expliqué la situation en lui demandant comment nous devions réagir.

La situation doit être temporaire, a-t-il expliqué. Nicolas a des parents et il doit retourner vivre avec eux. La vie chez ses grands-parents n'est qu'une roue de secours pour faire face à une situation ponctuelle, a-t-il ajouté. Cela ne doit pas devenir permanent.

— Et combien de temps cette situation peut-elle durer ? ai-je demandé.

— Trois semaines, trois mois, trois ans, tout dépendra. Mais ce n'est pas définitif. Ce ne doit pas l'être.

Voilà comment, à 76 ans, alors que nous vivions seuls en couple, Céline et moi, depuis plusieurs années, nous nous sommes retrouvés avec un adolescent de 16 ans en pleine détresse, qui se sentait rejeté par ses parents et qui avait, au cours des ans, accumulé bien des déceptions familiales et quelques grandes rancunes.

* * *

Comme cela lui arrivait parfois, en revenant chez elle après cette visite à l'institut Prévost, Isabelle semblait ne pas se souvenir de tout ce qui s'était passé. Elle se questionnait sur son fils Nicolas. Pourquoi n'était-il pas encore rentré à la maison ? Pourquoi ne revenait-il pas ? Elle se rappelait néanmoins qu'il était chez nous. Mais Nicolas ne souhaitait pas du tout retourner chez lui. Et nous avions bien l'intention de respecter sa décision. C'est peut-être un peu fort comme image, mais j'avais eu l'impression que, pour Isabelle, nous faisions ni plus ni moins qu'un kidnapping. Ce qui a, bien sûr, créé un petit froid entre notre fille et nous.

À cette époque, Céline et Isabelle voyaient le même médecin. Lors d'une visite, elle s'était ouverte à sa docteure, s'interrogeant sur le comportement de sa fille. Peut-être, avait suggéré Maman, Isabelle a-t-elle besoin d'examens psychologiques et pas seulement physiques... Bien entendu, la docteure ne s'était pas avancée sur ces questions et n'avait pas répondu. Nous avons toutefois su, plus tard, qu'au cours d'une visite d'Isabelle, elle lui avait fait passer une évaluation psychologique par un psychiatre. C'est ainsi que le 9 novembre 2007, le médecin spécialiste a rendu sa conclusion : Isabelle était personnalité limite (ou borderline).

Pour ceux qui, comme moi, ne savent rien de cette maladie, j'ai trouvé une citation de John Gunderson, psychiatre américain spécialiste dans la prise en charge des « borderline ». Il décrit ainsi l'affection :

« Il s'agit de gens, pour la plupart des femmes, qui ont grandi avec le sentiment de ne pas avoir reçu l'attention et l'appui qui leur reviennent. Ils en sont révoltés et ils cherchent des façons de compenser cela dans leurs relations. Ils ont des attentes élevées et, quand leurs besoins sont de nouveau abandonnés, ils y répondent avec de la colère et du désespoir. »

La maladie étant diagnostiquée, Isabelle prenait dorénavant des médicaments pour en contrôler les effets, ce qui a beaucoup amélioré son état et ses relations avec les autres. Toutefois, l'un des problèmes avec les « borlerline », comme c'est d'ailleurs le cas avec plusieurs maladies psychologiques, c'est qu'il est impérieux que les gens respectent la posologie de leurs médicaments.

Il est clair que la maladie mentale n'excuse pas automatiquement la personne atteinte pour certains gestes qui ont pu être posés ou certaines paroles qui ont pu être prononcées. Peut-être quelque part y avait-il une volonté, enfouie mais réelle, d'exprimer ou de faire ces choses... C'est possible. Je crois plutôt que cela peut expliquer les raisons des gestes ou des paroles de ma fille. Cela explique, tout au moins, la fréquence et la violence de certaines colères. De plus, comme Isabelle ne se souvenait pas toujours de ce qui était arrivé, il devenait plus difficile pour moi de la tenir totalement responsable de ses comportements souvent inexplicables.

Puis, le 21 décembre 2007, alors que ma sœur Louise était à la maison, Isabelle a téléphoné. Elle était de nouveau en crise. Je discutais avec elle, m'efforçant de la calmer, quand Céline m'a fait signe de la garder en ligne pendant qu'elle se rendait chez elle avec Louise. Nous avons discuté pendant plusieurs minutes quand elle m'a annoncé qu'elle avait ingurgité toute la bouteille de pilules. J'ai vainement tenté de la raisonner, mais elle a raccroché. J'ai aussitôt recomposé son numéro et, à ma surprise, elle a répondu.

— Excuse-moi, lui ai-je dit, j'ai dû peser sur une mauvaise touche et j'ai raccroché.

— Tu n'as pas raccroché, a-t-elle répliqué, c'est moi. Je ne voulais plus te parler...

— Écoute, Isabelle, il faut qu'on parle, ai-je insisté. Parlemoi, je t'en prie... Discutons tranquillement...

Et j'ai essayé de poursuivre la conversation, espérant que Céline arriverait au plus tôt. Parce que, honnêtement, j'ai peu de facilité pour interagir dans de telles situations. Je n'ai pas la force et la conviction que manifeste Céline dans de telles circonstances. Je pense qu'elle réussit beaucoup mieux que moi à maîtriser ses émotions et, par voie de conséquence, à aider les autres. Mais je faisais de mon mieux. Puis, après quelques minutes de discussion, il y a eu un bref silence.

— Qu'est-ce qu'il y a, Isabelle ? Parle-moi !

— Papa, m'a-t-elle répondu, la peur dans la voix, la police est dans la maison...

En effet, pendant que Céline et Louise se rendaient chez notre fille, Maman avait donné un coup de fil à Geneviève pour lui demander son avis. C'est elle qui avait dit qu'il ne fallait pas qu'elle se rende seule sur les lieux. Geneviève avait décidé, devant la gravité potentielle de la situation, de ne prendre aucun risque et avait contacté les policiers pour qu'ils interviennent. Voilà pourquoi les agents, répondant à un appel d'urgence, étaient arrivés avant Céline et étaient entrés dans la maison.

— Passe le téléphone à un policier, ai-je demandé à Isabelle, je vais leur parler.

Il y a eu quelques instants d'attente, puis quelqu'un a pris l'appareil. J'ai expliqué à l'agent que leur venue était providentielle parce que ma fille avait avalé des pilules. J'ignorais alors qu'ils répondaient à un appel d'urgence. J'ai continué en ajoutant que je croyais que ma fille faisait une tentative de suicide. « On s'en occupe », a-t-il laconiquement répondu.

J'ai su par la suite que Céline et Louise étaient arrivées presque en même temps que les policiers, mais qu'ils leur avaient demandé d'attendre à l'extérieur, le temps de vérifier qu'il n'y avait pas de danger pour qui que ce soit. Puis, l'inspection faite, les policiers ont aussitôt fait venir une ambulance pour transporter Isabelle à l'institut Albert-Prévost. Ce sont les ambulanciers qui l'ont sortie de la maison et l'ont installée dans leur véhicule. Céline s'était alors approchée pour l'accompagner dans l'ambulance, ce à quoi Isabelle a opposé un refus formel, mais visiblement, elle ignorait ce qu'elle disait. La crise n'était pas terminée. Les ambulanciers ont donc accepté de laisser monter Céline qui a tendrement tenu la tête d'Isabelle pendant tout le trajet pour la calmer.

Comme Louise m'avait appelé pour m'expliquer le déroulement des événements, je suis immédiatement parti les retrouver à Prévost. Je me sentais seul et si désemparé, mais surtout follement inquiet pour ma fille, mon bébé, mon enfant.

Ma sœur Louise qui nous a tant soutenus pendant les moments difficiles.

À l'institut Albert-Prévost j'ai retrouvé Céline qui attendait. Isabelle était dans une unité de soins d'urgence, gardée par un policier. Le personnel infirmier s'occupait d'elle et elle devait rapidement être vue par un psychiatre. Il ne servait à rien de rester là, nous a-t-on alors expliqué.

— Pouvons-nous revenir demain ? a demandé Céline.

— Téléphonez plutôt, a répondu l'infirmière. Nous vous dirons ce qu'il en est.

En rentrant à la maison, je me souviens que Maman avait l'air soulagée.

« Pour la première fois depuis bien longtemps, je vais dormir tranquille, m'a-t-elle dit. Je ne suis plus inquiète, parce que je sais qu'Isabelle est en sécurité et qu'elle va être bien traitée. »

Étrangement, pour moi, c'était tout le contraire. Je ne savais pas ce qui arrivait à ma fille. Je ne comprenais pas cette maladie. Cette ignorance me stressait. Mais la confiance de Maman me rassurait. Je me sentais si coupable. Mais de quoi ?

Je n'aurais pu le dire. Coupable comme un père qui se dit qu'il aurait dû en faire plus, qu'il aurait dû voir ce qui se passait, qu'il aurait dû agir autrement pour éviter que sa fille ne souffre. Je la revoyais encore enfant, blonde, belle et si enjouée. Je refusais d'accepter qu'elle soit psychologiquement malade. Avez-vous remarqué qu'on accepte facilement quelqu'un qui a une maladie physique ? Un bras cassé, un ulcère d'estomac, un cancer, on comprend ça. Pas de problème. Mais la maladie mentale... C'est souvent considéré comme une faiblesse, une honte mais pas comme une maladie. Ma fille m'avait crié son mal intérieur et je ne l'avais pas compris.

C'est d'ailleurs en prenant conscience de cette réalité que je suis devenu plus tard le porte-parole de la Fédération des familles et amis de la personne atteinte de maladie mentale. Cet organisme aide non seulement les proches de personnes atteintes de troubles mentaux à accepter la chose, mais les accompagne aussi pour aider ceux et celles qui en souffrent. Les statistiques canadiennes indiquent qu'une personne sur cinq souffrira de problèmes psychologiques au cours de sa vie. Or, pour chaque personne atteinte, quatre personnes de son entourage seront aussi touchées. Voilà la réalité !

Mais, en 2007, je ne savais encore rien de tout ça et j'étais bouleversé. Je me rappelais des histoires terribles que j'avais lues quand j'étais au collège et qui expliquaient que, dans l'ancien temps, on isolait les personnes malades psychologiquement dans des villages perdus pour ne pas les voir. Je m'imaginais ainsi Isabelle retirée du monde. Il n'y avait vraiment aucune logique dans ma façon de voir les choses. Et j'ai très mal dormi cette nuit-là.

Le lendemain, comme convenu, nous avons contacté l'hôpital. Les médecins ont été avares de commentaires, se contentant de dire qu'Isabelle avait eu de nouvelles crises et qu'il était préférable que nous ne venions pas pour le moment. J'ai compris que son état était plus sérieux que je ne le croyais.

Nous ne l'avons revue que trois jours plus tard, à Noël, dans une salle commune qui me rendait nerveux. Elle ressemblait en tout point à celles que l'on voit dans certains films qui traitent de ce qu'on appelle les « asiles de fous ». J'étais très impressionné. Il y avait partout des gens dont plusieurs avaient des comportements que je trouvais... étranges.

Mais toutes ces impressions se sont rapidement évanouies quand j'ai vu ma fille. J'ai appris qu'on avait changé et rectifié sa médicamentation, ce qui a eu des effets immédiats. Elle était un peu amaigrie mais semblait très bien. Elle était parfaitement consciente de tout ce qui se passait et, plus important encore, de tout ce qui s'était passé. Elle comprenait qu'elle avait fait une crise grave et qu'elle ne pouvait plus continuer à vivre ainsi. Elle admettait son état. Et moi, pour la première fois, je l'ai aussi accepté. Pendant tout l'après-midi nous avons discuté. Quand nous l'avons finalement laissée, je me sentais soulagé. Je savais qu'il y avait des solutions pour elle. C'était tout ce qui m'importait.

Isabelle devait apprendre à vivre avec ses émotions. Pendant six mois, elle a été suivie et les résultats ont été, à mon avis, spectaculaires. Elle a recommencé à s'épanouir et j'ai retrouvé ma fille.

* * *

Pendant tout ce temps, Nicolas vivait toujours avec nous à la maison. Le temps des Fêtes a donc été assez « tranquille » avec tout ce qui arrivait à Isabelle, surtout que Nicolas ne voulait rien savoir de ce qui se passait. En fait, ça le dérangeait et même que ça l'irritait quand nous en parlions. Nous nous sommes donc efforcés d'être discrets. D'une certaine façon, je comprenais (en tout cas, j'en avais l'impression) ce qu'il éprouvait. Il sentait qu'il avait été abandonné pas sa mère et par son père et ne voyait dans la maladie aucune justification de ce qu'on lui avait fait vivre.

Comme je l'ai dit, Nicolas est un jeune homme extrêmement intelligent et sensible, mais qui doit souvent être motivé. Par exemple, à la fin de sa session précédente en secondaire 4, il nous avait expliqué qu'il aurait beaucoup aimé continuer ses classes au Collège Brébeuf. Nous en avons discuté pour finalement accepter de partager les frais de scolarité avec ses parents, à condition évidemment qu'il ait les notes exigées et qu'il y soit admis. Il a donc été passer les examens d'entrée à Brébeuf, qu'il a réussis haut la main, si je m'en souviens bien. Il restait toutefois un hic important. Comme il avait peu étudié en secondaire 4, il risquait de ne pas avoir les notes requises pour être accepté dans son nouveau collège. Nous étions alors, si je me rappelle bien, en mars, et la direction de l'école voyait difficilement comment il pourrait sauver son année. Alors, il s'est mis à étudier d'arrache-pied, à mettre les bouchées doubles et, à la surprise de plusieurs, a obtenu les notes nécessaires pour passer à Brébeuf. Quand il veut, il peut. Il n'y a pas de doute là-dessus. Il a donc commencé en septembre au Collège Brébeuf et y réussissait très bien.

Après quelques mois, le temps est venu d'améliorer l'installation de Nicolas dans la maison. Il n'était toujours pas question qu'il retourne chez sa mère et il n'était pas question non plus qu'il s'installe seul en appartement. Céline et moi représentions, à ce moment-là, sa famille. Nous avons donc réaménagé le condominium et j'ai transféré ailleurs mon bureau pour lui laisser cet espace. Il avait même été question de monter une cloison pour lui faire une chambre plus intime, mais il n'avait pas voulu en entendre parler. Nicolas ne souhaitait pas de murs autour de lui. Son espace était donc toujours dans cette aire ouverte de l'appartement.

Cet aménagement comportait cependant des inconvénients. J'avais (et j'ai d'ailleurs évidemment encore) un mode de vie très différent de celui d'un adolescent de 17 ans. J'avais ainsi l'habitude de me lever tôt et de prendre un café en lisant mes journaux. Mais voilà ! Je le dérangeais. Je faisais du bruit et je le réveillais. Et il me le reprochait. À vrai dire, il y avait bien des sujets et des situations où nous nous heurtions. La cohabitation accentuait le conflit des générations.

J'ai souvent pensé que Nicolas réagissait simplement comme il avait appris à le faire. Je peux bien sûr me tromper dans mon analyse, mais Nicolas a souvent, durant son enfance, connu la querelle et les colères. En fait, j'ai bien l'impression que la colère était souvent LA façon de régler les choses. Voilà la leçon qu'il avait retenue dans sa famille, m'étais-je dit.

Quand il est arrivé chez nous, et je crois que c'est encore vrai quelques années plus tard, il a conservé un peu cette attitude. Pour lui, hausser la voix, argumenter, se mettre en colère sont des outils à utiliser pour régler une situation et faire sa place, pour montrer qu'il existe et qu'il a besoin qu'on l'écoute. Peut-être suis-je paternaliste et un peu condescendant en disant cela. C'est possible. Mais c'est ainsi que je perçois les choses.

Il faut aussi mentionner que ce genre d'accrochages survenait plus rarement avec Céline. Elle a toujours eu une ouverture d'esprit plus grande que la mienne sur ces questions. Il est vrai, et peut-être l'ai-je déjà dit : Céline est merveilleuse.

Néanmoins, un jour que nous avions rencontré le psychologue (toujours sans Nicolas) afin de lui demander des conseils sur la façon d'agir, nous lui avons raconté qu'il y avait assez souvent des désaccords, des petites chicanes, entre Nicolas et moi. Il a écouté les exemples que nous lui citions, réfléchi un peu et nous a dit : « Je vais vous expliquer quelque chose... Quand deux mâles se retrouvent à la même source, il y a toujours des conflits. » Il a ensuite regardé directement Céline et a ajouté : « Or, vous, madame, vous représentez la source. »

Nicolas adore sa grand-mère et il est évident que je prends un peu de place dans sa vie. Comment pourrait-il en être autrement après 60 ans de mariage ? Il y a probablement un peu de jalousie de la part de Nicolas, bien qu'il puisse ne pas en être conscient. Cependant, pour être totalement honnête, je dois avouer que je suis certainement moi-même un peu jaloux (Maman dirait sans doute que je le suis beaucoup). Il y avait des années que j'étais seul avec elle. Nous nous connaissons si bien que nous n'avons souvent même pas besoin de parler pour savoir ce que l'autre veut dire ou ressent. Alors j'ai quelquefois l'impression, fausse évidemment, de perdre ma place, que Céline comprend trop la position de Nicolas et pas assez la mienne. Bref, tout ceci pour expliquer que le covoisinage « Nicolas / Jean-Marc » ne se passait pas sans heurts.

* * *

Au printemps 2008, pour souligner la fin du secondaire de Nicolas et comme Isabelle allait maintenant beaucoup mieux, Céline a proposé, si Nicolas obtenait son diplôme, de partir, lui, sa mère, Céline et moi, pour aller passer une semaine à Paris. Mon petit-fils n'était peut-être pas très enthousiasmé par l'idée, mais n'était pas contre. Isabelle de son côté a aussitôt accepté.

Nicolas a obtenu son diplôme et Céline s'est donc procuré les quatre billets nécessaires. Le départ était prévu pour le début d'août. Quand le moment est venu, Nicolas a reculé. Soudain, le petit emploi d'été qu'il venait de décrocher prenait une importance cruciale. Il lui était désormais impossible de partir. Bon ! Peut-être suis-je un peu de mauvaise foi en utilisant ces mots. Ce qu'il avait vécu n'était, de toute évidence, pas encore digéré. Pas suffisamment en tout cas pour entreprendre un voyage avec sa mère. Et je le comprenais fort bien, vu l'ampleur et la profondeur de la douleur qu'il ressentait d'avoir été rejeté. J'étais quand même déçu.

Nous sommes donc partis à trois et ces vacances furent passionnantes. Je ne retiendrai qu'une seule anecdote sur cette escapade. Un jour que nous venions de visiter les Invalides, nous nous sommes arrêtés à la boutique de souvenirs. Parmi tous les objets qui étaient offerts, nous avons acheté pour Isabelle une petite boîte à pilules en émail sur laquelle il y avait une image de Joséphine, la femme de Napoléon. Nous avons rapidement baptisé ce pilulier « Joséphine ». Depuis ce temps, chaque fois que nous voulons lui rappeler de prendre ses médicaments, nous lui demandons simplement : « As-tu ta Joséphine ? » et le tour est joué.

* * *

Les semaines sont devenues des mois, les mois des années et Nicolas est toujours à la maison. Elle est devenue « sa » maison comme, je crois, nous sommes devenus « sa » famille. Au moment

Pendant notre séjour à Paris avec ma fille Isabelle, nous avons encore une fois été voir la tour Eiffel.

d'écrire ces lignes, Nicolas a 20 ans. C'est un jeune homme accompli qui poursuit ses études. Il possède ce côté fonceur et entreprenant qui le pousse, même s'il ne sait pas encore dans quel domaine, à vouloir avoir un jour sa propre entreprise.

Nous avons encore des prises de bec. Nous en aurons peut-être toujours. Je me dis parfois que nos personnalités se ressemblent trop. Nous n'avons pas les mêmes champs d'intérêt, ni les mêmes expériences de vie (ce qui est évident ne serait-ce qu'en fonction de l'âge), mais peut-être nos tempéraments sont-ils trop semblables pour que nous puissions vivre ensemble en harmonie.

Peut-être suis-je aussi un peu trop égoïste. J'aurais aimé vivre mes dernières années en compagnie de la femme de ma vie. Tous les deux seuls dans notre petite bulle en continuant à nous offrir mutuellement ces moments de merveilleuse tendresse et de complicité bâties au fil des décennies, des peines, des joies, des ennuis et des réussites. Notre relation est tellement forte que j'ai parfois l'impression que ça frise la névrose. Mais quelle douce névrose.

Oui, peut-être suis-je trop égoïste. Mais au-delà de tout cela, il est évident dans mon esprit que j'aime profondément Nicolas. Nos querelles n'y changent rien. Je suis fier de lui quand il réussit en classe ou qu'il obtient du succès dans un de ses projets. Je le trouve beau quand il s'enthousiasme sur une idée et intègre quand il refuse de plier sur ses principes. Oui ! J'en suis très fier.

Bien sûr, comme tous les jeunes de son âge, il a souvent des idées très arrêtées sur tous les sujets. Il y a rarement place au compromis dans ses positions puisqu'il a totalement raison, comme tous les garçons intelligents de 20 ans. Il ne comprend pas facilement la lenteur de la vieillesse, ni son besoin de réfléchir et de tout soupeser. Pour lui, les choses sont noires ou blanches, rarement, sinon jamais, grises. C'est souvent le lot de la jeunesse de ne pas douter. C'est aussi souvent ce qui permet à la société d'avancer.

Mon petit-fils Nicolas qui partage notre vie depuis quelques années. Il a du Chaput dans le nez, celui-là.

Mais au-delà de ces considérations, malgré les moments quelquefois plus difficiles, il y a des instants de pur bonheur depuis qu'il est avec nous. Il apporte un vent de fraîcheur qui nous force à demeurer jeunes et vigilants. Notre maison est devenue sa maison et elle le restera tant qu'il n'aura pas décidé de voler de ses propres ailes. Il a aujourd'hui sa propre chambre fermée. J'ai maintenant clairement l'impression que nous ne sommes plus pour lui ce que le psychologue appelait une roue de secours. C'est comme ça et, finalement, j'en suis bien content.

* * *

Voyager a toujours fait partie de ma vie. Enfin de ma vie d'adulte. Nous avons probablement développé davantage ce goût grâce au Club Aventure qui nous a permis de visiter des pays fabuleux. Mes conférences m'ont aussi amené dans plusieurs régions, spécialement au Québec. Au cours des différentes tournées que j'ai réalisées, je ne crois pas avoir oublié une seule région de la province et j'y ai toujours été chaleureusement accueilli par des gens fantastiques.

La plupart des autres escapades que nous avons faites dans notre vie étaient des voyages en famille, d'exploration ou encore des voyages d'amour. C'est dans cette dernière catégorie qu'entrent évidemment ceux que Céline et moi avons entrepris ces dernières années. Nous y avons, bien entendu, aussi fait des découvertes extraordinaires, mais chaque fois que nous sommes partis seuls, cela a toujours été prodigieux. J'ai souvent considéré que nous avons cette capacité sensationnelle de voyager en découvrant le monde tout en nous rapprochant, en tant que couple, comme si c'était la première fois.

Les plus récents de ces voyages ont également été encore plus importants pour Céline et moi en ce sens qu'ils nous offraient l'occasion de nous retrouver ensemble. Mon besoin d'être seul avec elle vient peut-être du fait que nous ne sommes plus seulement deux à la maison. Si c'est le cas, je remercie Nicolas pour les moments inoubliables qu'il nous aura permis de vivre.

Je me souviens, entre autres, de cette escapade à Cuba où Céline nous avait dégoté un charmant petit hôtel un peu vieillot, mais combien agréable. Il y avait, sur le site, une balançoire installée devant l'océan. Vous savez ce genre de balançoire en bois, attachée au sommet par des espèces de rondins et sur laquelle il y a des coussins confortables. Dès le premier matin, je m'étais dit que c'était l'endroit où j'allais passer mes vacances. Et c'est ce qui est arrivé. Maman s'installait près de moi. Parfois je la tenais dans mes bras ; d'autres fois elle s'étendait, laissant reposer sa tête sur mes cuisses ; d'autres fois encore, elle se couchait, en sens contraire, et je lui massais les pieds pendant une éternité, profitant de chaque instant. Nous y avons lu, nous y avons dormi, nous nous sommes tendrement caressés et, souvent, nous restions là, simplement, à ne rien faire d'autre que de regarder la plage et la mer où les vagues s'écrasaient inlassablement sur le sable blanc. Des bonheurs simples qui me prouvaient encore à quel point nous nous aimions.

Une autre caractéristique de nos plus récents voyages est la rapidité et de la spontanéité avec laquelle ils ont été décidés, presque sur des coups de tête. Ainsi, un jour, à la fin du printemps, alors que j'étais en tournée en Gaspésie, accompagné de Maman, j'avais décidé d'aller marcher sur le bord du fleuve. Nous logions dans un petit motel situé dans un superbe village dont le nom m'échappe. Cette journée-là, le temps était maussade et il ventait énormément, de ce vent qui vient de la mer, qui nous transperce et qui sent le varech, cette algue qu'on retrouve un peu partout dans la région. J'ai marché pendant une bonne heure avant de rentrer à la chambre pour trouver Céline qui faisait un drôle de sourire.

— Qu'est-ce que tu as ? lui ai-je demandé. Tu as un air bizarre.

— J'ai décidé qu'on était fatigués et qu'on avait besoin de vacances pour nous retrouver et nous reposer.

— Ah oui ! ai-je répondu un peu surpris parce qu'on n'avait jamais abordé la question. Et quel genre de décision tu as prise ?

— J'ai réservé dans un Club Med des Antilles. Nous partons en juin.

Et voilà comment se préparaient nos voyages. Celui-ci, en passant, a été inoubliable. Un site fantastique dans une île de rêve pour une semaine d'affection et de tendresse.

Je pourrais aussi vous donner cet autre exemple, lors de cette journée où nous avions un souper prévu avec l'une des meilleures amies de Céline, Andrée Mongeau.

Andrée avait été l'épouse de Jacques Mongeau, un très vieil ami que j'avais connu au cours de mes années passées au Collège

Saint-Ignace. Au fil des ans, nos deux femmes étaient devenues de très grandes copines et nous avons continué à voir régulièrement Andrée, même après la mort de son mari. Bref, un soir nous devions souper ensemble et elle s'est décommandée à la dernière minute, ce qui n'était pas dans ses habitudes. Le lendemain, Céline lui a donc passé un coup de fil pour savoir comment elle allait. Maman a toujours eu ce don de ressentir les problèmes des autres et elle était inquiète. Nous étions tous les trois en ligne puisque j'étais aussi curieux et soucieux de savoir ce qui arrivait. Cette fois, il n'y avait cependant rien de grave. Nous avons continué à discuter un bon moment puis j'ai lancé :

— As-tu le goût de faire quelque chose de fou, Andrée ?

— De fou comment ? a répliqué Andrée.

— Si on allait à Las Vegas pendant quelques jours ? ai-je ajouté.

— C'est vrai que c'est fou. Tu sais que ça n'a pas de bon sens.

— Voyons, ce serait merveilleux, a repris Céline. Toi, de ton côté, parce que ton fils travaille là-bas au Cirque du Soleil, tu t'occupes de trouver des places pour des spectacles et moi, je trouve les billets pour l'avion et je réserve l'hôtel. Qu'est-ce que tu en penses ?

— C'est fou, mais ça me tente.

— C'est réglé. Trouve les billets de spectacles et on se rappelle, a conclu Maman.

Et nous sommes partis tous les trois pour Las Vegas. Cinq jours à nous enthousiasmer devant trois spectacles du Cirque. Grâce aux contacts d'Andrée, nous avions même eu la chance d'assister à l'une des premières représentations de celui sur la vie d'Elvis Presley. N'est-ce pas extraordinaire, ça ?

Jamais nous n'avons regretté ces coups de tête. Tous ces voyages ont été différents et nous ont apporté tellement de joies que je recommencerais sans aucune hésitation.

Nous sommes aussi allés en Europe à plusieurs occasions, dont deux séjours magiques en Espagne. Dans les deux cas, nous avions été invités par Pierre Gravel, notre agent, qui possédait un condominium dans le petit village absolument exquis de Fuengirola, sur la Costa del Sol. Toutefois, le voyage le plus impressionnant, selon moi, demeure celui que nous avons fait à l'hiver 2010 à Varsovie. Céline et moi avons toujours adoré la musique classique. Depuis la première fois que j'ai entendu ce genre de musique au collège, jamais je n'ai trouvé mieux. Bien sûr, c'est une question de goût et cela ne m'empêche pas d'aimer aussi la musique plus contemporaine et populaire, mais la musique classique est, pour moi, dans une autre catégorie. Avec sa formation musicale, Céline partage tout à fait cet amour incon-

À Varsovie, nous avons assisté à des concerts de Chopin absolument fabuleux.

ditionnel. Bref, un jour, en lisant la section voyages d'un quotidien à l'automne 2009, j'ai appris que des célébrations spéciales se tiendraient à Varsovie pour marquer le 200e anniversaire de naissance de Frédéric Chopin. Il n'était pas question que nous rations cela. Ça n'a pas été simple à organiser, mais en février 2010, nous avons passé une semaine de rêve dans la capitale polonaise. Nous logions dans un hôtel formidable à dix minutes de marche de la salle de spectacle où avaient lieu les principaux concerts. Comble de chance, nous avions même réussi à obtenir des places pour trois de ces concerts. Nous aurions évidemment souhaité en avoir plus, mais pouvoir assister à trois représentations relevait déjà de l'exploit. Dans une salle relativement intime et regorgeant d'histoire, nous avons écouté, Maman et moi, la main dans la main, les plus belles compositions de Chopin interprétées par des musiciens exceptionnels. Des moments de pur bonheur.

La visite d'Auschwitz m'a bouleversé.

Et comme il nous restait un peu de temps pour finir la semaine, Céline a organisé une visite à Cracovie, ancienne capitale de la Pologne. De là, nous avons poussé une pointe pour aller visiter Auschwitz, où se trouvait le plus grand camp de concentration et d'extermination du Troisième Reich. Jamais je n'ai rien vu de pareil. Cela m'a bouleversé à un point que j'ai peine à l'exprimer. En cinq ans, plus d'un million d'hommes, de femmes et d'enfants y moururent. On y trouve encore des témoignages terribles de cette période noire de l'humanité.

Personne ne peut rester insensible devant tant d'horreur. Je me promenais sur le site, qui demeure le témoin des ignominies qui y ont été commises, en me disant que l'Homme sera toujours une énigme pour moi. Comment est-il possible en effet, dans le même bref voyage, de voir ce côté noir, épouvantable et terrifiant de l'homme, comme ici à Auschwitz, et, presque en même temps, d'admirer le génie et l'intelligence incroyable d'un des plus grands compositeurs de l'histoire ? Le bon et le mauvais. Le meilleur et le pire de l'homme. C'était bouleversant.

Quand nous sommes revenus à notre hôtel de Varsovie, j'avais toujours ce goût amer dans la bouche. Et Céline, je le savais, partageait cette émotion intense. Heureusement pour nous (et je conçois que c'est bien égoïste), le dernier soir avant notre retour, par hasard, nous avons ouvert la télé où commençait une autre soirée musicale consacrée à Chopin. Pendant quelques heures ce soir-là, même en sachant que l'homme pouvait faire les pires atrocités imaginables, j'ai compris qu'il lui était aussi possible de créer des choses merveilleusement belles. Il ne faut jamais oublier les événements comme ceux d'Auschwitz afin qu'ils ne se reproduisent plus, mais il faut surtout bâtir et espérer en voyant et en écoutant les merveilleuses réalisations que l'homme peut créer. La Pologne nous aura fait connaître et vivre les deux extrêmes.

* * *

Nous sommes retournés dans le Sud au cours de l'hiver 2010 avec Jean-François, Sylvain, son compagnon, et leurs deux adorables petites filles, Camille et Jeanne qui avaient alors respectivement quatre et cinq ans. Nous les avions invités à partager un séjour à Punta Cana, en République dominicaine. Il s'agissait de leur premier voyage en tant que parents et je crois qu'ils souhaitaient être accompagnés par Maman et moi pour se rassurer. Bon, je peux me tromper ici, mais il n'est peut-être pas évident pour des parents homosexuels de partir à l'étranger avec leurs deux filles. Bref, encore là, ce fut un voyage extraordinaire. J'ai adoré. Nos avons eu tout le temps pour être, Maman et moi, ensemble, nous reposer, lire, marcher, nous retrouver de nouveau comme des jeunes mariés (pas totalement, mais quand même). Nous avons aussi pu nous occuper de nos deux petites-filles et partager ces expériences avec Jean-François et Sylvain. Tout cela a été tellement agréable que nous avons tous décidé de répéter l'expérience l'année suivante et de revenir au même endroit.

Jean-François, Sylvain et leurs deux adorables filles lors de notre voyage dans le Sud.

L'année s'est passée avec toutes les aventures du quotidien qu'on peut imaginer. J'avais obtenu plusieurs contrats, fait quelques chroniques dans des stations de radio et de télé et donné de nombreuses conférences. D'autres étaient encore prévus pour les mois de janvier et février 2011. Je voyais donc d'un très bon œil la perspective de retourner nous reposer quelques jours dans le Sud avec Jean-François et ses filles. J'avais passé le seuil vénérable des 80 ans et je me sentais encore aussi vert (enfin presque) qu'à 30 ans. Il faut toutefois être réaliste et savoir se donner un peu de bon temps. Céline et moi nous réjouissions donc d'avance de ces vacances.

Début février, j'avais une présentation à faire à Québec. Je devais intervenir auprès de dirigeants d'une compagnie d'assurances qui tenaient un séminaire. Le 3 février en après-midi, j'ai fait une entrevue à Radio-Canada à Montréal, après laquelle Céline et moi sommes partis pour Québec où la conférence devait avoir lieu tôt le lendemain.

En route, alors que nous soupions dans un restaurant de Drummondville, mon téléphone a sonné. Le technicien de Radio-Canada me signalait que j'avais quitté la station avec le micro-cravate. Vous savez, ce sont ces minuscules microphones que l'on voit attachés sur le revers du veston des commentateurs ou des invités. Je ne suis certainement pas le seul ni le premier à qui ce soit arrivé. J'ai d'ailleurs toujours été étonné qu'on puisse oublier un tel appareil. Le micro, s'il est vraiment petit, est relié à un émetteur qui est généralement attaché dans le dos, à la ceinture. Cet émetteur a la taille d'un petit portefeuille ou d'un téléavertisseur. Ce n'est pas gros mais c'est inconfortable, puisque ça fait une bosse dans le dos quand on est assis. Bon ! Ce ne sont que des détails. Toujours est-il que j'avais quand même oublié de rendre le fichu micro. Nous avons donc convenu que j'irais le rapporter le lendemain après-midi, en revenant de Québec.

Nous sommes arrivés comme prévu à l'hôtel Le Concorde de Québec où nous avions retenu une chambre. Je m'étais levé tôt le lendemain pour me rendre à la réunion, car non seulement j'étais le premier conférencier, mais j'aime aussi discuter, avant mon intervention, avec les participants de ces conférences pour prendre le pouls de l'entreprise. Le tout s'est admirablement bien passé, et nous avons repris la route, Céline et moi, vers 11 heures ce matin du 4 février.

Nous nous sommes arrêtés en route pour prendre une bouchée et, quand nous sommes repartis, Maman s'est presque aussitôt plainte de maux de ventre. Peut-être digérait-elle mal le repas ? Ce qui était certain, c'est qu'elle n'allait pas bien du tout. Plus nous approchions, plus elle se sentait mal. En arrivant à Montréal, j'aurais souhaité que nous nous rendions tout de suite à la maison, parce que son état m'inquiétait, mais je devais faire le détour par Radio-Canada pour remettre le micro. J'ai d'ailleurs voulu lui éviter ce délai, mais elle m'a convaincu de prendre quand même le temps nécessaire.

Quand nous sommes finalement arrivés à la maison, elle avait encore des crampes et des douleurs. Elle s'est reposée et en soirée il n'y avait toujours aucune amélioration. Vers 21 heures, j'ai donné un coup de fil à mon gendre Daniel pour savoir ce qu'il en pensait. Il m'a suggéré de faire venir une ambulance et de la conduire aux urgences. Ce que j'ai fait et Maman a été amenée à l'hôpital.

J'ai suivi le véhicule d'urgence en voiture et j'ai retrouvé Céline dans une salle d'examens. Elle était livide. Elle a alors été prise de maux de cœur et a abondamment vomi. Je sais que ce n'est peut-être pas agréable à lire, mais cela a semblé lui faire le plus grand bien. L'hôpital l'a gardée pour procéder à de nouvelles analyses dont nous n'avons connu les résultats que le lendemain en début de soirée. Le chirurgien est passé la voir pour lui expliquer qu'elle faisait une crise biliaire causée par un problème à la vésicule. C'est très douloureux, et il fallait l'opérer. Heureusement, ce n'est plus aujourd'hui une intervention majeure. Le médecin lui a d'ailleurs dit qu'il pourrait procéder à l'opération par laparoscopie [24].

J'étais évidemment très inquiet. On a beau dire que c'est une opération mineure et que Maman est en très bonne forme pour son âge, elle n'est plus, malgré tout, ce qu'on pourrait appeler une jeunesse. Mais le chirurgien s'est fait rassurant et a calmé mes appréhensions et probablement aussi celles de Céline.

Il souhaitait, comme il était de garde en fin de semaine et qu'il avait de la place au bloc opératoire, l'opérer dès le lendemain, soit le dimanche. Mais pour qu'un patient puisse être opéré, il doit avoir une chambre dans l'hôpital. Cela fait partie des contraintes. Or, Maman était aux urgences et il n'y avait aucune chambre disponible à ce moment. L'intervention devait donc obligatoirement être remise.

Ce n'est que le lundi qu'on lui en a trouvé une, ce qui ouvrait enfin la porte à l'opération. Maman continuait d'avoir mal au ventre. Quand nous avons dit la chose au chirurgien, il a été désolé, mais il ne pouvait plus l'opérer cette journée-là. Il ne restait plus de place au bloc opératoire, plusieurs opérations ayant déjà été planifiées. Finalement, après toutes sortes de démarches, il n'a été possible de l'opérer que le lundi en soirée.

Ce soir-là, je devais donner une conférence que je ne pouvais absolument pas annuler. Or, elle se tenait à peu près au même moment que celui prévu pour l'intervention. Je n'aimais pas beaucoup cela mais je n'avais pas d'autre option. Si j'avais pensé pouvoir être d'une quelconque utilité, je me serais désisté

24 Il s'agit d'une technique chirurgicale dite « mini invasive » qui est pratiquée au niveau de l'abdomen et qui permet, grâce à une mini caméra et d'instruments spécialisés et adaptés à cette fin, de procéder à une intervention pendant que le patient est sous anesthésie générale.

sans hésiter. Mais comme je ne pouvais absolument rien faire à l'hôpital pour aider Céline, je m'y suis rendu malgré tout. Il est curieux de constater le nombre de fois où des conférences ont eu lieu alors que des événements importants survenaient dans ma vie privée. Était-ce un tour que le destin me jouait de nouveau ? Je serais bien embêté de répondre à cette question. Bref, je suis revenu à l'hôpital aussitôt ma présentation finie, soit vers 22 heures, juste à temps pour voir Céline sortir de la salle d'opération. Elle était encore assommée par les sédatifs, mais me reconnaissait quand même au point de me faire un petit sourire avant d'être conduite à sa chambre.

Le lendemain, j'étais près d'elle quand les infirmières la soignaient et j'ai constaté qu'elle avait, sur le côté, une espèce de trou auquel était accroché un sac. Je ne comprenais pas de quoi il s'agissait ni si c'était une conséquence normale après le genre d'opération qu'elle avait dû subir.

Un médecin est passé peu après pour examiner la plaie et a ensuite prescrit une fibroscopie pour aller voir en profondeur comment étaient ses organes. Jusqu'à ce moment, je ne savais toujours pas si toutes ces analyses étaient normales ou pas. Mais c'était quand même troublant. Quand le spécialiste a vu ce que l'endoscope lui révélait, il s'est contenté de dire : « Voilà ! Moi, je ne peux plus rien faire. Il faut maintenant voir le chirurgien. » Puis il est parti. J'étais certain qu'il y avait un problème et le commentaire de ce médecin n'avait rien pour me rassurer.

Il nous a fallu prendre notre mal en patience en attendant que le chirurgien, celui qui avait procédé à l'opération, passe nous voir.

— Bonsoir, docteur, lui ai-je dit. Comment va ma femme ?

— Pas bien, j'en ai peur, a-t-il répondu l'air grave. Veuillez vous asseoir, je vais vous expliquer.

Cette fois, j'étais vraiment inquiet. Son ton et son regard ne me disaient rien qui vaille. J'ai regardé Maman qui m'a fait un sourire, ce qui ne m'a pas empêché de voir la même angoisse dans ses yeux.

— L'intervention n'a pas été comme nous le souhaitions. Nous avons eu des problèmes. Madame Graton a déjà subi, il y a quelques années, une opération dans cette région et il y avait beaucoup d'adhérences nécrosées [25]. C'est normal car quand le docteur a opéré à l'époque, il lui aurait été impossible d'enlever totalement toutes les petites peaux mortes. Celles-ci sont restées et sont maintenant nécrosées et attachées à certains organes. Ce n'est pas grave en soi. Mais il y en avait beaucoup plus que je ne pensais, ce qui m'empêchait de bien voir. Par accident, j'ai coupé une partie du cholédoque et j'ai peut-être, du même coup, touché un peu le foie.

— Et c'est grave ? ai-je demandé.

— Difficile à dire pour le moment, mais nous avons dû poser un sac externe qui recueillera la bile qui se répandait désormais dans l'organisme. C'est ça le petit sac que madame Graton a sur le côté droit.

— Et que va-t-il arriver maintenant ?

— Il va falloir être patient. Je vous suggère de faire transporter Madame à l'hôpital Saint-Luc où elle pourra consulter un spécialiste en chirurgie hépatobiliaire.

Le nom seul de cette spécialité faisait déjà peur. Il fallait nous rendre à l'évidence : il y avait eu un incident pendant l'opération, et cela risquait d'avoir des conséquences fâcheuses pour Maman. Nous ne nous doutions cependant pas encore de ce que l'avenir nous réservait.

Céline a été transférée à l'hôpital Saint-Luc dès que possible. Cette journée-là, il faisait très froid (nous étions quand même en février) et Maman était très faible, ce qui fait que le transport en soi a été une épreuve. À cet hôpital, nous avons rencontré le Dr Vandenbroucke qui nous a accueillis et qui avait devant lui le dossier de Céline. Je le regardais prendre connaissance des notes et j'avais l'impression qu'il avait l'air de plus en plus contrarié. Non, en fait c'était plus que ça, il avait l'air fâché.

Il a ensuite examiné Maman et nous a annoncé : « Actuellement, je ne peux absolument rien faire. Il faut faire des

| 24 Une adhérence est une accumulation pathologique de bandes fibreuses qui relient des tissus ou organes voisins habituellement isolés. La formation d'adhérences est l'une des conséquences d'une intervention chirurgicale.

analyses complémentaires avant de décider de la suite des choses. Pour le moment et quels que soient les résultats des prochains examens, il faut attendre avant d'intervenir de nouveau. La région touchée doit, en quelque sorte, cicatriser et, surtout, Mme Graton doit reprendre des forces avant qu'on puisse tenter quelque opération que ce soit. »

On nous a ensuite ramenés à l'hôpital où Maman a subi de nouveaux tests pendant plusieurs jours. Ce n'est qu'une semaine et demie plus tard, soit le 16 février, qu'elle a obtenu son congé et est rentrée à la maison.

Mais rien n'était plus pareil, Céline était excessivement faible et dormait pratiquement 20 heures sur 24. De plus il y avait encore ce foutu sac de drainage qu'il fallait changer régulièrement. Or, ce n'est pas à la portée de tout le monde. Il s'agit d'un travail très délicat et minutieux. Si le premier changement avait été fait à la maison par une infirmière, les autres devaient se faire au CLSC, où je conduisais régulièrement Maman.

Le mardi suivant, nous avons eu une autre rencontre avec le Dr Vandenbroucke de l'hôpital Saint-Luc. Céline était encore très faible. Le médecin lui a prescrit d'autres examens et nous a répété que nous devions être patients, que la convalescence risquait même de prendre plusieurs mois. Seulement après il pourrait peut-être l'opérer pour réparer les séquelles de la laparoscopie.

Nous lui avons aussi fait part des problèmes que nous connaissions avec le « sac » et surtout avec les changements de sac. Il s'agit effectivement, nous a-t-il expliqué, d'une procédure assez complexe. Bien entendu, le personnel de son département pouvait très bien s'en charger mais cela nous obligerait à venir régulièrement à l'hôpital. Comme de toute façon nous devions, chaque semaine, rencontrer le médecin, nous avons décidé qu'il valait mieux que tout soit fait à l'hôpital. C'était plus rassurant.

Une longue période d'attente et d'insécurité a alors commencé pour nous. Chaque semaine, nous nous présentions à l'hôpital où nous avions notre routine. Il y avait d'abord la prise de sang, puis le changement de sac, et ensuite le rendez-vous avec le médecin. Mais les jours passaient, les semaines, et je voyais peu d'amélioration dans l'état de Maman. Je l'ai déjà dit, j'ai beaucoup de difficulté avec la maladie. De la voir ainsi m'affligeait au plus haut point. Je ne sortais pratiquement plus de la maison. Quand je devais donner une conférence, je ne partais que le temps nécessaire et je revenais dès que possible à son chevet.

Maman se levait un peu, mais comme elle mangeait très légèrement, elle était très faible et dormait presque toute la journée. Elle n'avait aucune énergie. Elle qui s'occupait depuis des années de mon agenda, de la comptabilité et de la compagnie ne savait plus si un jour elle pourrait reprendre le collier. Le seul fait de regarder l'ordinateur la fatiguait. Mais elle a conservé un moral exceptionnel. Bien meilleur que le mien. Pendant des semaines, j'ai tenté de m'occuper d'elle au mieux de mes possibilités. Je préparais les repas (chose pour laquelle je n'ai jamais été très doué) et j'allais faire les emplettes (ce qui n'a jamais non plus été une de mes forces). Quand je devais partir pour un rendez-vous (le plus rarement possible), je la quittais toujours la mort dans l'âme et je revenais aussitôt que je le pouvais. Jamais je ne m'attardais. Aller chercher le courrier dans la boîte postale commune du condominium devenait l'une de mes seules sorties quotidiennes. Maman me disait parfois d'aller faire un tour, d'aller voir un spectacle ou de rencontrer du monde, qu'elle pouvait rester seule, mais moi, j'en étais incapable.

J'étais continuellement dans une situation d'attente et d'inquiétude qui me rongeait. J'aurais tout donné pour prendre sa place, que ce soit mon corps qui souffre et pas le sien. Comme elle dormait la plupart du temps, je lisais énormément et je réfléchissais à toutes sortes de sujets, mais le plus souvent, je pensais à la vie et à la mort. Je sais pertinemment qu'à nos âges, il y a beaucoup plus de chemin en arrière qu'en avant. Comme si je ne voulais pas me permettre de penser à des scénarios désagréables, j'ai toujours continué à bâtir des projets que nous pourrions bientôt, du moins je l'espérais, réaliser. Ainsi, je lisais tous les articles de voyages qui me tombaient sous la main et je me disais que, bientôt, nous pourrions visiter telle ou telle destination qui, me semblait-il, devrait lui plaire.

Je comprenais qu'il fallait qu'elle prenne tout le temps nécessaire pour reprendre des forces afin de subir la nouvelle intervention qui remettrait tout en place. Néanmoins, quand, pendant quelques jours, elle semblait reprendre du mieux et que le moment de l'opération approchait, je commençais alors à m'inquiéter en me disant que, malgré le talent, l'expérience et la compétence de son chirurgien, il s'agissait quand même d'une opération difficile et délicate. On n'intervient pas dans un vieux corps comme dans un jeune. Il y a toujours plus de risques.

Parallèlement à toutes ces sombres pensées qui me hantaient, le seul fait de regarder Maman, de voir ses beaux yeux rendait la vie soudain plus belle. Il suffisait qu'elle me sourie pour que je me dise que tout irait bien ; que nous reprendrions bientôt notre vie habituelle avec toutes ses joies et ses défis ; qu'il suffisait d'attendre encore un peu et que tout se passerait bien ; qu'il ne s'agirait plus que d'un mauvais souvenir vite oublié et que nous pourrions laisser toute la place à la vie. À notre vie.

Je dois aussi dire que pendant ces semaines et ces mois, Nicolas a été très présent et très attentionné pour sa grand-mère. Il y a bien sûr eu encore quelques accrochages entre nous. Céline, tout occupée à reprendre des forces et à se reposer, ne pouvait plus agir comme tampon entre ses deux hommes. Cependant, la cohabitation était agréable et je le voyais devenir un homme. J'ai aussi l'impression qu'une grande transformation s'est effectuée chez Nicolas, particulièrement durant les semaines qui ont précédé la seconde opération de sa grand-mère. Il a alors foncé dans certains projets qui le passionnaient avec toute l'énergie et la détermination dont la jeunesse peut faire preuve. Il m'a même demandé assez régulièrement conseil sur telle ou telle question. Bref, de ce côté, ça allait assez bien.

Il est évidemment arrivé souvent que nous parlions, avec des amis, de ce qui était arrivé à Céline lors de la première intervention. Curieusement, la plupart d'entre eux, presque automatiquement, nous demandaient si nous allions poursuivre le premier chirurgien, celui qui avait fait l'erreur. Je dis curieusement, parce que jamais cette idée ne nous est venue à l'esprit. Il était évident qu'il s'agissait d'une malchance, de ce type d'imprévus qui surviennent et qui entrent dans la catégorie des « accidents ». Nous pouvions être attristés par la situation, nous pouvions même trouver cela injuste, mais en aucun cas nous ne nous sommes dit que le médecin avait été négligent ni qu'il avait agi volontairement. Je le voyais mal se dire le matin : « Aujourd'hui je vais bousiller une de mes opérations et tant pis pour celui ou celle qui sera sous le bistouri. » Pourquoi alors intenter des poursuites contre lui ou l'hôpital ? Dans la vie, il ne faut pas continuellement chercher LE responsable d'une situation ou d'un accident. Certaines choses arrivent sans qu'on sache pourquoi. Cela fait partie de la vie. Le destin a toujours son mot à dire. C'est aussi simple que ça !

* * *

Au mois de mai, Maman avait définitivement repris des forces. Il y avait alors près de quatre mois qu'elle était en convalescence. Ses yeux étaient meilleurs et elle reprenait doucement ses activités sur l'ordinateur. Elle avait même recommencé à me bousculer et à me dire mes quatre vérités, ce qui est toujours un signe de santé chez elle.

Sauf qu'un matin, en la regardant, je me suis rendu compte qu'elle avait les yeux jaunes. La bile coulait dans son organisme et Maman faisait une forte jaunisse. Son médecin est intervenu et lui a fait un drainage hépatique. L'opération a eu lieu à la fin du mois de mai dans le cadre d'une hospitalisation d'un jour et, bien entendu, j'étais présent. Quand elle est sortie du bloc opératoire, on lui avait installé un nouveau drain, sur le côté gauche cette fois. Elle semblait aussi bien que possible étant donné les circonstances.

L'une des grandes améliorations qu'a apportées ce nouveau « sac » de drainage a été que, pour la première fois depuis plus de quatre mois, elle a pu prendre une douche. Je peux vous jurer que, moralement, le simple fait de ne plus avoir à se laver à la débarbouillette, comme on dit, a été tout un soulagement. L'autre grande transformation a été la vitesse à laquelle elle a repris des forces. Comme si son système se remettait enfin à fonctionner presque normalement.

Nous avons continué à rencontrer, chaque mardi, son médecin, qui, encouragé de constater à quel point l'état de Céline s'améliorait, a parlé de l'opération finale, celle que nous attendions depuis si longtemps.

Les jours ont passé et Céline prenait toujours des forces. Le dimanche 26 juin nous avons reçu un appel de l'hôpital. Maman devait se présenter en après-midi pour qu'on procède à l'opération le lendemain. Je savais très bien que rien n'était encore terminé, mais cette nouvelle fut un tel soulagement et a apporté tant d'espoir que j'aurais volontiers ouvert une bouteille de champagne pour célébrer la nouvelle. Enfin je voyais le bout du tunnel. Tout ce que j'avais pu faire pendant des mois avait été de tenter de la soutenir et de l'accompagner (parfois maladroitement) dans sa guérison. Et, pour cette femme que j'adore, c'était bien peu de choses. J'aurais tellement voulu faire plus, la décharger du mal qui l'attaquait. Je crois bien que c'est cette impuissance devant la maladie dont souffrait la femme de ma vie qui m'a fait le plus mal. Je me suis senti souvent si inutile. Je sais que ça paraît égoïste mais il était évident que ces quelques mois m'avaient mis à terre, psychologiquement parlant. D'autant plus que, j'avais continué à donner des confé-rences aux entreprises pendant lesquelles je devais avoir l'air fort et heureux. Je ne peux en effet nier que j'ai trouvé toute cette épreuve très difficile.

Céline a donc été amenée au bloc opératoire le lundi. Je me suis retrouvé seul pendant cette attente qui se prolongeait. On nous avait dit que l'intervention pouvait durer, selon les difficultés rencontrées, entre une et trois heures. Suffisamment de temps pour ruminer toutes sortes de pensées noires. Je pensais à ce que le médecin nous avait dit avant l'intervention : « Vous savez, malgré tous les examens préliminaires pour préparer l'opération, il y a toujours un élément d'inconnu quand on ouvre. On ne peut jamais être certain de ce que nous allons trouver. Mais, dans les circonstances, tout devrait bien aller. »

Voilà un commentaire qui me laissait songeur. Il ouvrait la porte à toutes sortes d'interprétations. Dans mon état d'esprit, il n'était pas difficile de penser au pire des scénarios. Et ça me terrorisait. Comment expliquer ? Maman représente 100 % de moi. Aucun doute à ce sujet. S'il fallait qu'elle meure avant moi, je n'y survivrais pas. Peut-être pourrait-elle me survivre car elle est beaucoup plus forte que je ne le suis. Mais moi, je ne le pourrais pas.

Vous savez quand on prend de l'âge et qu'on pense à ces questions, bien des idées nous traversent l'esprit. Toutes les personnes âgées savent qu'elles ne sont pas immortelles. Et, chaque fois qu'il m'est arrivé de penser à la mort, j'ai souhaité que nous puissions quitter ce monde ensemble, Maman et moi, dans un accident d'avion par exemple. Dans le pire des cas, je voudrais partir le premier, car malgré tout le goût de vivre qui m'habite, je ne pourrais rien faire sans elle. Voilà le genre de pensée qui donne un aspect dramatique aux événements. Or, je ne suis généralement pas ainsi. J'ai toujours eu des problèmes dans l'existence, mais, malgré tout, la vie vaut la peine d'être vécue ; il y a toujours une façon de la trouver magnifique ; il y a toujours une perspective qui permet d'espérer. Ça, c'est ma réalité et ma philosophie. C'est ainsi que j'ai toujours vécu : la vie est belle.

Mais là, à cette minute précise, assis dans une chambre d'hôpital et dans l'attente du retour de la femme que j'adore, j'ai soudain eu des doutes. Je me disais que la réalité de la mort existe aussi...

Quand enfin on est venu m'informer que Maman était sortie du bloc... et que tout s'était très bien déroulé, un poids immense m'a quitté. L'opération était une réussite. Quel soulagement j'ai ressenti !

J'ai attendu plusieurs minutes devant l'ascenseur qu'on la ramène de la salle de réveil. Quand elle est enfin arrivée, elle était encore presque inconsciente, mais elle était si belle. J'étais heureux comme un jeune qui vient de se rappeler que l'école se terminait la journée même et que les vacances commençaient. Bien sûr, il y aurait une autre convalescence. Bien sûr, il faudrait patienter encore avant de réaliser certains de nos projets. Mais cette attente-là ne représentait plus un obstacle parce que l'opération avait été un succès. L'avenir s'ouvrait encore devant nous.

Maman a lentement ouvert les yeux et, l'espace d'une seconde qui s'est éternisée, elle m'a fait un sourire. Je savais alors, sans aucun doute possible, qu'elle pensait exactement la même chose que moi : l'avenir existe. Il reste encore pour nous un futur à écrire. J'ai pris la main de Maman qui s'était assoupie et j'ai aussi souri. Pour la première fois depuis plusieurs mois, j'étais heureux !

Et voilà !

Voilà qui complète ce survol de mes 80 années. Mais c'est un « voilà » qui ne marque pas la fin d'une histoire. Bien au contraire. Il laisse plutôt deviner la vie qui continue. Il laisse entrevoir de nouvelles aventures et de nouveaux projets. Quelqu'un disait : « Quand tu as plus de souvenirs que de projets, c'est là que tu commences à vieillir. » C'est peut-être pour ça qu'encore aujourd'hui je me sens jeune. Un jeune octogénaire qui frétille à l'idée des merveilles qu'il découvrira encore avec Maman au détour d'une route ou d'une rencontre. Je pense à quelques voyages que je voudrais faire aussitôt que Céline sera totalement remise et je me sens comme un enfant qui salive devant un gros bol de gâteau triple chocolat fondant. Oui... Il est comme ça, ce « voilà ! »

Étrangement, quand je jette un regard en arrière, sur toutes ces années depuis mes premiers pas dans le quartier Rosemont, j'y vois de l'amour. Il y en a partout. Or, aimer était, demeure et restera, à mon avis, l'élément fondamental de la vie. La source de toutes choses. À la fois le point de départ et celui de l'arrivée. Peut-être est-ce là ce que les philosophes asiatiques veulent dire quand ils comparent la vie à une roue. Si tel est le cas, je crois que l'amour en est aussi la route et le moteur. Comment expliquer ?

Voyez-vous, pour moi l'amour implique d'abord un engagement. Et même un engagement profond. Comment est-il possible de n'aimer que superficiellement ?

Dans l'amour, il y a une notion de promesse, de contrat avec l'autre et avec soi. Quand j'ai demandé à Céline, il y a 60 ans, si elle voulait m'attendre, j'ai pris un engagement. Quand elle m'a répondu qu'elle m'attendrait, elle prenait aussi un engagement. S'engager, s'engager vraiment, parce qu'on s'aime, suppose qu'on fera les efforts nécessaires pour faire grandir cet amour. Ça fait un peu vieux jeu. Je sais parfaitement que ce genre de valeur n'a plus guère cours aujourd'hui dans notre société où on se donne le droit de tester d'abord pour « ne pas prendre de risque ». On voit tant de couples qui se laissent au premier véritable obstacle, qui décident qu'après tout, ils ne sont pas faits l'un pour l'autre et qu'il vaut mieux immédiatement se partager la maison, les meubles, la voiture et le chien... Et même les enfants. Une poignée de main et bye-bye... C'est fini. On passe à autre chose.

Oui ! C'est une caricature. Je sais parfaitement que je suis un peu dépassé quand j'aborde ces questions. Pourtant, cela demeure une vérité dans ma vie et probablement aussi l'une des raisons de l'amour profond et durable que Céline et moi avons l'un envers l'autre. S'engager dans une relation demande quelques efforts et certains compromis. « There's no free lunch », comme disait ma mère. Il faut parfois consentir à quelques sacrifices (bien que je déteste ce mot, parce que ce ne sont pas vraiment des sacrifices) pour conserver et faire croître l'amour. Personnellement, je vois plutôt ces efforts comme un investissement.

Par exemple, quand je devais donner des conférences ou des spectacles à l'extérieur et que Maman ne m'accompagnait pas, jamais je n'ai été prendre une bière ou un verre dans un bar de l'hôtel. Peut-être que, inconsciemment, je doutais de ma force à refuser une aventure potentielle si elle se présentait... Possible. Mais si refuser de me mettre dans une situation incertaine, qui risquait d'avoir un impact sur ma relation avec Maman, entre dans la catégorie des efforts à consentir pour préserver l'amour, alors c'est bien peu cher payé. D'ailleurs, si j'ai, à l'occasion, fait quelques compromis du genre, Céline en a fait aussi. Par exemple, je me souviens qu'elle m'a conté un jour qu'un vendeur (enfin je crois que c'était un vendeur) était passé à la maison pendant qu'elle était seule. Il lui avait proposé sa marchandise puis lui a demandé si elle voulait aller prendre un café, histoire de mieux faire connaissance. Une approche peut-être pas très subtile mais qui devait être efficace à l'occasion. Maman lui a répondu :

— J'ai un mari.

— Et moi j'ai une femme. Mais ça ne veut pas dire qu'on ne peut pas discuter et rencontrer d'autres personnes...

— Non, a répliqué Maman. Pas pour moi. Voyez-vous, j'ai un jardin et j'y cultive des roses. J'aime mon jardin. Il est possible qu'il y ait des roses plus belles dans le jardin d'à côté, mais ici ce sont les miennes et je les aime. Je n'irai pas voir dans les autres jardins.

Car quand on aime, non seulement on s'engage, mais on protège ce que l'on cultive. C'est ce qui s'appelle la fidélité. Et pour nous, ça dure depuis 60 ans. Oh, je sais aussi très bien qu'il n'y a pas de recette unique, que la vôtre est probablement aussi bonne. Mais si votre recette fonctionne, si votre couple dure, c'est certainement parce que vous vous êtes aussi engagé profondément et que vous protégez votre jardin. Les raccourcis sont rares dans ce domaine.

Bien entendu, l'amour peut faire mal. Je le sais. Beaucoup ne veulent pas s'impliquer ni s'engager de peur de souffrir. J'ai entendu si souvent des gens me dire qu'ils hésitaient à aimer parce qu'ils n'étaient pas certains qu'on les aime.

Oui ! Ça peut faire mal d'aimer et de se sentir rejeté. Toutefois, je crois qu'il n'y a rien de pire que de ne pas tenter le coup. Je crois que nous ne sommes jamais perdants à montrer, déclarer et afficher notre amour. Peut-être que ça ne marchera pas. Peut-être que l'autre va nous dire non. Mais ça fait partie du prix à payer pour atteindre le bonheur. Il faut souvent se battre, car bien peu de choses sont gratuites sur cette terre.

J'ai entendu une belle image un jour pour exprimer cette idée. L'amour, disait-on, est un peu comme une pompe à eau. Pour qu'elle marche et qu'elle pompe, il faut d'abord y ajouter...

de l'eau. En amour, c'est souvent la même chose. Il faut mettre de l'amour pour que l'amour existe.

L'amour est la base de tout. C'est aussi la source du compromis et du pardon. Et ceux qui sont en couple le savent très bien. Il faut souvent mettre de l'eau dans son vin pour résister aux coups du destin. C'est ça le compromis. Mais dans ce mot il y a aussi une notion d'échange. Compromettre vient de la fusion des mots « promettre » et « *cum* [26] », qui signifie « avec ». Dans un compromis, il y a donc un engagement mutuel. Alors, finalement, les deux partenaires diminuent leurs exigences et font preuve d'indulgence.

De temps à autre, il faut aussi être capable de pardonner. Or, ce n'est pas toujours évident. Il y a quelque temps j'ai été approché par quelqu'un de l'Association des familles de personnes assassinées ou disparues du Québec pour tenir une conférence. Dans de telles circonstances, j'aime être préparé et bien comprendre les attentes des gens qui font appel à moi. J'adapte toujours mes conférences aux besoins de l'organisme ou de l'entreprise qui m'approche. Bref, j'ai parlé avec cette personne pour tâter le terrain et m'assurer que tout irait à la fois dans le sens de leurs attentes tout en respectant mes valeurs. Les gens qui font partie de cette association ont souvent vécu des événements tragiques et inacceptables. Je le comprends très bien. Les tueurs sont des êtres exécrables et haïssables, j'en conviens. Quand j'ai demandé à cette personne si l'idée du « pardon » faisait partie des notions défendues par l'association, elle m'a aussitôt répondu qu'il ne fallait pas parler de ça, que les criminels qui avaient tué ou blessé ne le méritaient pas. Or, si j'en saisis parfaitement les raisons, j'ai de la difficulté à accepter cette approche. Pour moi, le pardon fait grandir la personne qui l'accorde. Ça lui permet de voir les choses autrement et de passer à une autre étape du deuil ou de la peine. Ça n'enlève rien à l'horreur, ni au caractère inacceptable de l'acte. À la limite, ça n'apporte absolument rien à la personne qui est pardonnée. Elle devra éternellement vivre avec les gestes qu'elle a posés. Non, le pardon c'est quelque chose que l'on se donne à soi-même, pour ne pas vivre la rancœur qui nous mine. Cela dit, je comprends très bien que, dans des cas extrêmes comme ceux que vivent ou ont vécu les membres de cette association, le pardon ne soit pas facile à accorder. Je respecte tout à fait leur position. J'estime néanmoins que le pardon demeure une valeur importante.

* * *

Bon ! Où en étais-je ? Ah oui : l'amour qui est la source de la vie. Et qui dit amour dit aussi projets communs. C'est autour de ces idées et de ces désirs que se bâtissent l'amour, le couple et la famille. C'est d'ailleurs vrai dans les entreprises. Les projets communs permettent de créer l'esprit d'équipe qui rassemble et rapproche les gens. Les défis relevés ensemble forgent la complicité et la compréhension qui sont aussi de puissants moteurs vers la réussite. C'est à travers cette voie que se forgent l'éthique (autant de vie que de travail) et l'honnêteté. Quand on se connaît bien, quand on a travaillé ensemble, quand on est passé ensemble à travers épreuves et défis, quand on a finalement réussi, il n'y a pas de place pour la tricherie. La franchise n'est plus une option, c'est une façon de vivre.

De plus, l'amour mène au respect. Respect de l'autre et respect de soi. Et cela déteint aussi sur la vie professionnelle. Je n'ai pas la prétention de dire que je suis une personnalité extrêmement connue au Québec. Il arrive pourtant qu'on me reconnaisse dans la rue ou au restaurant et qu'on vienne me parler. Jamais cela ne m'a embêté. J'ai toujours été honoré de répondre à ceux et celles qui m'adressaient la parole. Ces rencontres impromptues m'ont toujours fait énormément plaisir. Je respecte et j'aime trop les gens pour que cela devienne un fardeau.

En spectacle également, j'ai toujours eu ce respect du public. J'ai toujours tenté de faire au mieux pour que mes présentations plaisent aux gens. Même dans les moments les moins faciles, j'ai laissé mes problèmes à l'extérieur pour être entièrement présent auprès de ceux et celles qui se sont déplacés pour m'entendre.

Et, dans mon esprit, cet égard envers le public va aussi loin que de m'assurer d'être vêtu convenablement avant d'entrer en scène. La moindre des choses quand on reçoit des invités et des amis, c'est d'être « propre de sa personne », comme disait ma mère. Je sais que cela fait très vieux jeu. Mais je vois parfois des invités à des émissions de télévision qui arrivent avec des pantalons d'une propreté douteuse, une chemise déchirée (c'est probablement la mode), la barbe mal rasée et les cheveux graisseux. Et ça me chagrine un peu. J'ai l'impression qu'ils ne me respectent pas. Peut-être l'adage qui dit « autres temps, autres mœurs » est-il vrai. Peut-être n'ai-je pas été capable de m'adapter à ce genre de mode. Si c'est le cas... eh bien, ça ne change rien pour moi. Ce n'est assurément pas à 80 ans que je vais changer. Et puis, tout compte fait, je n'en ai pas l'intention.

Enfin, l'amour, c'est l'espoir. L'espoir non pas d'attendre après quelque chose, mais plutôt celui d'aspirer à encore plus de bonheur. Voilà pourquoi l'amour est le centre de tout et surtout, voilà pourquoi il a été au centre de ma vie.

* * *

Vous savez, quand on a dépassé les 80 ans et qu'on rédige sa biographie, la conclusion prend un peu des allures de testament. J'ai l'impression qu'on doit y trouver mon héritage ou ce dont je souhaiterais que les gens se souviennent. Notez bien que je n'ai aucune intention de mourir prochainement. Ça n'entre aucunement dans mes projets. D'ailleurs, je n'ai pas peur de mourir. Ce dont j'ai peur, c'est de cesser de vivre. La distinction est importante, car c'est ce qui arriverait si jamais Céline me quittait. Je ne mourrais pas, mais je ne vivrais plus. Et ça, ça me terrifie.

Pendant les longs mois de sa maladie cette année, je ne suis pas allé voir un seul spectacle, je n'ai assisté à aucune pièce de théâtre, ni écouté aucun concert. Je suis resté à la maison, parce que je voulais et je veux toujours tout vivre avec elle, près d'elle. Partager les bons comme les mauvais moments que la vie apporte. Ça a été une période plus difficile pour elle, et, par voie de conséquence, pour moi.

Bref, je voudrais surtout que les gens retiennent de moi cet insatiable amour de la vie. Maudit que la vie est belle ! Même quand il y a des moments tristes ou dramatiques, la vie reste belle. Et, quand on aime la vie, on peut être heureux.

Or, il faut être heureux. Autant à la maison que dans sa carrière. J'ai peut-être parfois consacré trop de temps à mon travail. Même mes enfants me l'ont reproché à l'occasion. J'ai un peu négligé ma femme et mes enfants, principalement quand j'avais mes compagnies. C'est peut-être parce que j'aimais trop ce que je faisais. Mais, en vérité, la famille, l'amour et le travail doivent être complémentaires, presque en symbiose. Pas en concurrence. Je regrette les moments que j'ai manqués avec ma famille.

Il faut donc conserver un équilibre entre la vie familiale et professionnelle. Je sais que je n'ai pas toujours su le garder. Je ne veux pas vous faire croire que je suis un modèle. J'ai fait des erreurs. C'est souvent ce qui nous fait apprendre et avancer. D'ailleurs, j'ai bien l'impression que l'équilibre n'est pas une de mes forces. Je suis un grand émotif, et les gens comme moi le savent, on suit parfois trop son instinct.

Ceci n'empêche cependant pas le fait qu'il faut aimer son travail. Je trouve toujours désolant d'entendre ceux ou celles qui considèrent leur emploi comme une punition, comme un moment ennuyant et pénible à travers lequel il faut passer, comme un châtiment qui leur est infligé. À mon avis, il faut avoir un travail qui nous plaît. La vie est trop courte pour gâcher des milliers d'heures dans un endroit que nous n'aimons pas à faire une tâche qui nous déplaît. « Sacrafaisse », c'est pas ça la vie. Osez changer !

* * *

Ma première conférence publique s'intitulait : « Réussir au Québec... Pourquoi pas ? » C'est le « pourquoi pas ? » qui est important dans cette phrase. On peut, chacun d'entre nous, agir et réussir. Il faut travailler pour arriver à vivre ses rêves. Il faut essayer ! Car, je le répète encore : « There's no free lunch ! » Et il ne faut pas attendre. Allez-y maintenant ! Commencez à permettre à vos rêves de s'envoler et de se réaliser. Vous en êtes capable, alors pourquoi pas ?

Et surtout, quand il y a des moments difficiles, des périodes plus sombres, des instants pendant lesquels vous doutez, n'hésitez pas à demander de l'aide. La vie vaut toujours la peine d'être vécue, même dans la maladie, même quand des personnes proches souffrent ou meurent. Il y a toujours quelque chose de beau dans le fait de vivre. Il y a toujours de l'espoir. Rose me l'a fait comprendre. Quand les temps sont trop durs et que vous vous sentez dépassé, demandez de l'aide. Prenez conseil auprès de ceux qui vous aiment et qui peuvent vous donner un coup de main. Consultez des professionnels, s'il le faut. J'ai un ami qui dit toujours que visiter un psychologue ce n'est pas signe de folie, bien au contraire, c'est un merveilleux cadeau qu'on se donne. C'est tout !

Il y a toujours de la lumière quelque part. Voilà, je pense, le message que l'humoriste Jean-Marc Parent envoyait quand il demandait à tout le Québec de « flasher » ses lumières. Rose possédait cette lumière en elle et j'ai eu le bonheur d'en être éclairé.

J'aime la vie comme un fou. Presque autant que j'aime Maman. J'ai toujours eu un enthousiasme débordant face à l'existence. C'est une incroyable aventure dont il faut profiter, chaque minute et je vous invite à le faire.

* * *

Tout au long du processus d'écriture, et même avant qu'il ne commence, je me suis demandé s'il y avait un intérêt quelconque à ce que j'écrive mes mémoires. Je n'ai rien de particulier et ma vie n'a rien d'extraordinaire. Sans être banale, elle n'est assurément pas très différente ni plus édifiante que la vôtre. Pourtant, je me suis laissé convaincre. Entre autres par Maman. Maintenant que j'ai terminé, j'ai toujours autant de doutes.

D'ailleurs, si au départ j'avais su comment tout ce processus d'écriture serait difficile, peut-être aurais-je refusé de le faire. Revenir sur sa vie est un exercice complexe et souvent pénible. Certes, on revit de bons moments, mais on ramène aussi des souvenirs amers et pénibles qui ont fait mal. En rappelant les moments importants de sa vie, on implique également ceux et celles qu'on aime et qui ne souhaitent peut-être pas revivre ces événements, pas plus qu'ils ne veulent que tout le monde les connaisse. Écrire sa biographie est une colossale thérapie qui vient souvent nous chercher au plus profond de notre âme. À vrai dire, si on savait dans quoi on s'embarque, je crois que peu de gens s'y consacreraient.

Au final, ce qui est certain, c'est que je l'ai écrite en toute franchise, en oubliant ma pudeur et en ne faisant pas abstraction de mes moins bons coups et de mes défauts.

Tout ce que j'espère maintenant, c'est que ça vous ait plu. Et si, par bonheur, certains d'entre vous y avaient appris quelque chose, si cela vous avait permis de voir la vie un peu différemment et si cela avait constitué le petit coup de pouce nécessaire pour que vous preniez la vôtre à bras le corps, alors tant mieux, ça aura valu le coup.

Par ailleurs, on me demande parfois quand j'arrêterai ma carrière. Je réponds que je cesserai de donner des conférences quand je n'aurai plus rien à partager. Ce qui veut dire : probablement jamais.

Tant que Céline sera à mes côtés, tant que nous aurons des projets ensemble, tant que la famille ira bien, tant que je pourrai vous rencontrer au hasard des rues ou dans des spectacles et des conférences, je serai heureux et je continuerai.

Merci donc à vous. À tous ceux et celles qui ont cru en moi, qui sont venus m'entendre et qui m'ont accueilli (même pour un bref moment) dans leurs vies. Nous sommes « amis » depuis 40 ans et je souhaite que cela se poursuive encore longtemps.

Merci aussi à mes cinq formidables enfants. Merci Patrick, Jean-François, Pierre-Yves, Isabelle et Geneviève pour ce que vous êtes devenus, pour ce que vous m'avez apporté et ce que vous me donnez encore tous les jours.

Merci aussi pour ces merveilleux 22 petits-enfants (dans mon esprit, Rose est toujours parmi nous) qui illuminent ma vie. Pour ces jeunes hommes et jeunes femmes que je vois grandir avec énormément de fierté.

L'amour de ma vie est maintenant en pleine forme. Nous sommes enfin réunis pour poursuivre la route.

Ma merveilleuse famille. Ciel que j'ai été gâté par la vie. Et dire que des gens pensent que la perfection n'est pas de ce monde.

Merci enfin à Céline. Ai-je vraiment besoin d'ajouter quelque chose à son sujet ? C'est la femme de ma vie et je ne serais pas l'homme que je suis si elle n'avait pas été à mes côtés. Voyez-vous, je me sens un peu comme un cerf-volant. J'ai besoin de monter, de sentir le vent, de suivre et parfois même de devancer les grands courants, de découvrir des choses, d'aller plus loin. Mais, comme tout cerf-volant, j'ai une corde qui me relie à la réalité. Cette corde est tenue par Maman. Elle a toujours su comment l'utiliser. Elle me ramène quand il le faut et me laisse m'envoler aux bons moments. Elle sait le faire avec un doigté exceptionnel pour ne pas trop tendre la corde qui risquerait de se briser.

Merci, Maman. Je t'aime !

J'ai été choyé par la vie.

La vie est belle !

C'est bon d'être ensemble. Cela nous permet de continuer à avancer, de passer à travers les moments plus difficiles, de partager des instants de joie, d'être heureux et d'aspirer au bonheur.

Oui... Une « sacrafaisse » de chance qu'on s'a...

Épilogue de Maman

C'est vrai que j'ai insisté depuis le début pour que Jean-Marc écrive sa biographie. J'estime que sa vie vaut la peine d'être connue et que plusieurs d'entre vous y trouveront des éléments intéressants. Malgré ma maladie, j'ai suivi de près tout ce qu'il écrivait. Je l'ai corrigé à l'occasion, surtout en ce qui concerne les dates ou le déroulement des événements. Tout ce qui est terre à terre n'a jamais été son fort.

Jean-Marc vous présente sa vie comme il l'a sentie. Je ne suis évidemment pas d'accord avec tout ce qu'il avance, particulièrement quand il trace un portrait aussi flatteur de moi. Comme si j'étais presque parfaite, ce qui n'est, je peux vous le garantir, pas le cas.

Mais pendant 60 ans, nous avons été ensemble et nous avons été heureux. Depuis quelques décennies, en plus d'être sa femme et la mère de ses enfants, je suis aussi sa partenaire en affaires. Je me charge de toutes ces questions pratiques qui lui échappent. Vous savez, ces futilités comme la comptabilité, la tenue de livres ou son agenda... Mais toujours, depuis le début en fait, même quand il travaillait, entre autres, pour Administration et Finance et qu'il n'était pas très présent, nous avons toujours été complices. Nous nous disions tout. Je savais tout ce qui se passait dans ses entreprises et il savait tout ce qui se passait à la maison.

Dans notre vie de couple, nous avons toujours pris nos responsabilités. Et nous les avons prises ensemble. Oh! je n'étais pas toujours d'accord! Je ne l'ai jamais suivi sans comprendre. Il fallait parfois qu'il m'explique pourquoi il faisait telle ou telle chose. Mais une fois la décision prise, nous étions totalement solidaires. Cela a d'ailleurs été pareil pour lui. Quand il déchiffrait mal ce qui se passait à la maison ou les raisons de mes gestes, nous nous expliquions. Il en a toujours été ainsi et ça continuera.

On m'a déjà reproché de le mener par le bout du nez. Or, ce n'est pas aussi facile qu'il n'y paraît. Jean-Marc est têtu et il sait généralement ce qu'il veut faire et comment y arriver. Tout cela pour dire que si, à l'occasion, je l'ai guidé dans telle ou telle direction ou vers tel ou tel choix, si j'ai semblé l'orienter vers certaines avenues, c'est parce qu'il voulait bien aller dans cette direction. Ce n'aurait pas été possible autrement. Voilà la vérité!

Je crois aussi que Jean-Marc a beaucoup apporté à la société québécoise. Il a aidé des gens à se prendre en main et à relever des défis qu'ils pensaient impossibles. Régulièrement, quand nous nous promenons, nous en rencontrons qui nous livrent des témoignages touchants sur la façon dont Jean-Marc leur a permis d'aller plus loin. « Si je suis ce que je suis, c'est grâce à vous, monsieur Chaput. » « Vous savez nous dire les choses simplement et nous faire réfléchir sur ce que nous pouvons accomplir. Merci, monsieur Chaput. » Voilà le genre de commentaires que j'ai souvent entendus. Bien sûr, jamais Jean-Marc n'aurait parlé de cela.

Et des témoignages, il y en a bien d'autres qui viennent de personnalités québécoises. Par exemple, en 2002, alors qu'on avait organisé un spectacle hommage à Jean-Marc, on lui a remis un recueil rempli de ces messages. Laissez une femme amoureuse et fière de son mari vous en citer quelques-uns :

« (...) Curieux, fasciné par l'humain et son potentiel, doué pour la vulgarisation et doté d'une répartie mordante, vous avez touché le cœur de milliers de Québécoises et de Québécois. Comme nul autre, vous leur avez parlé de réussite et de valeur

créatrice, vous les avez encouragés au dépassement et leur avez insufflé le goût de l'excellence. (...) »

– Bernard Landry
(alors premier ministre du Québec)

« Jean-Marc est un être profondément humain, il dégage de l'énergie, de la bonne humeur, un goût de réussir et surtout une joie de vivre. De fait, il en a toujours été ainsi. Disons qu'avec l'arrivée de Céline dans sa vie, toutes ses qualités ont été mieux canalisées (...). »

– Jean Campeau, président-directeur général
de la Caisse de dépôt et placement du
Québec dans les années 80

« Quelques années après, (...) je me défaisais de mon association avec mon cousin pharmacien. Et c'est lui (Jean-Marc Chaput), dans sa sagesse, qui me fit comprendre qu'il me fallait recommencer. Il fut donc l'étincelle qui me permit de commencer, au coin de Aird et Sainte-Catherine, un nouveau feu de foyer. Il est bon de dire aujourd'hui que s'il n'y a pas de fumée sans feu, il n'y a pas de succès sans une étincelle de départ, et c'est toi (Jean-Marc) qui me l'as fournie. (...) »

– Jean Coutu, propriétaire des
pharmacies Jean Coutu

Et ce ne sont là que quelques exemples de ce que j'avance. Comment ne pas être fière de lui ?

Jean-Marc est un homme qui respecte les gens. Il ne laisse jamais tomber son monde et il répond toujours à ceux et celles qui le contactent ou lui écrivent.

J'adore aussi sa capacité et sa force de toujours respecter ses engagements professionnels, même dans les circonstances les plus difficiles. Il vous en a parlé dans son livre, et c'est tout à fait exact. Il réussit toujours à faire abstraction de ses ennuis pour que les gens qui viennent l'entendre soient satisfaits.

Mutuellement, nous nous sommes fait découvrir la vie, le monde et ses richesses. Nous nous sommes donné une famille et une destinée. Encore aujourd'hui, je vois dans ses yeux une étincelle bien spéciale quand il me regarde. Ce qui est fabuleux, c'est qu'il voit la même dans les miens. Et je peux vous garantir que cet éclat de magie et d'amour, il le verra toujours.

Je t'aime...

Céline (ou Maman, si tu préfères)

Remerciements

D'abord à Christian Morissette, qui est devenu notre grand ami. Il a su, si patiemment, durant plus de 8 mois, écouter mes réflexions sur le long périple de ma vie pour ensuite tout réécrire.

Merci à Monsieur Claude Charron qui, durant une rencontre fortuite au restaurant, a accepté sans hésiter d'éditer cette longue histoire.

Je veux aussi remercier Pierre Gravel et toute l'équipe de PGI qui ont su si bien nous épauler depuis plus de 9 ans.

Un chaleureux merci à Jean-Pierre Ferland qui nous a écrit cette belle chanson *Une chance qu'on s'a* à laquelle je me suis si souvent référé dans ma vie d'amour et d'épreuves.

Je veux enfin vous remercier. Vous tous et toutes qui me suivez depuis 40 ans. Vous m'avez laissé entrer dans vos vies, il était peut-être normal que je vous laisse entrer dans la mienne.

Jean Marc Chaput

Table des matières